14 —

UNION GÉNÉRALE D'ÉDITIONS
8, rue Garancière - PARIS VIᵉ

L'ENJEU DU CENTRE
GEORGES POMPIDOU

PAR

CLAUDE MOLLARD

Préface de Robert Bordaz

10|18

INÉDIT

A celles et ceux qui ont œuvré pour que le projet du Centre Georges Pompidou devienne réalité.

© Union Générale d'Éditions, 1976.
ISBN 2-264-00105-4

PRÉFACE

Le bâtiment du Centre Georges Pompidou ressemble sans doute à un vaisseau amarré au quai Saint-Merri. Au moment où s'achève la construction du Centre, je pense au sentiment qui doit étreindre le navigateur avant qu'il ne s'élance vers l'inconnu.

La construction du vaisseau a mobilisé toutes nos énergies, tout notre enthousiasme pendant six années. Il a été conçu pour traverser des océans, soutenir des tempêtes et conduire vers des rives nouvelles les voyageurs de notre temps.

Il faut aujourd'hui s'embarquer.

Sera-t-il à la mesure de ces ambitions? Découvrira-t-il des terres vierges? Capitaines, équipages et passagers auront-ils la foi suffisante pour vivre les aventures qui les attendent?

Tel est l'enjeu.

Au moment où le XXᵉ siècle s'achève sur des entreprises trop souvent matérielles, rentables, quantifiées, mesurées, un tel Centre culturel est au contraire l'affirmation de la foi de notre génération dans des actes désintéressés et généreux : la grandeur du Président Pompidou fut de le vouloir.

Au risque de pécher par manque de modestie, je crois qu'une telle réalisation est exemplaire, car elle atteste de la capacité de création et d'enthousiasme de notre société.

Elle traduit, comme l'écrit Claude Mollard, un nouvel art de bâtir. Non seulement dans le choix du projet :

7

le programme de base, édifié par Sébastien Loste, le concours international, l'équipe d'architectes retenue : MM. Piano et Rogers, en association avec OVE ARUP; mais aussi, dans sa conduite : la programmation, sous l'égide de François Lombard, les modalités de réalisation par les meilleures entreprises de notre pays et sous l'autorité d'André Darlot. La réunion de ces différentes conditions est rare. Elle est, à elle seule, une réussite.

Elle exprime une nouvelle sensibilité de la création architecturale dans les rapports entre architectes et utilisateurs, utilisateurs et usagers, maître d'ouvrage et maître d'œuvre : à la fois plus rationnelle et plus proche de la vie, sans que ces deux exigences soient inconciliables.

Elle incarne également des aspirations à une nouvelle culture qui sont apparues progressivement depuis le début du siècle. L'expérience du Bauhaus a nourri le projet, tout comme celle des musées américains, du théâtre populaire de Jean Vilar ou du domaine musical de Pierre Boulez. Mais la nouveauté apportée par le Centre c'est le regroupement de toutes ces expériences en un même lieu, la reconnaissance au grand jour de leur richesse et leur ouverture à un public qui ne les connaissait jusqu'ici que dispersées.

S'il fallait d'un mot définir les ambitions du Centre, je dirais qu'il est le carrefour où doivent se rencontrer les exigences de qualité qui inspirent les créateurs et le besoin de communication qui pousse le public; qualité et nombre, affirmés sans retenue, sans restriction, jusqu'à se frotter l'une à l'autre pour faire jaillir l'inspiration dont notre civilisation a besoin.

Au-delà de cette nouvelle pratique culturelle et de ce nouvel art de bâtir, le Centre Georges Pompidou est l'illustration d'un changement dans la conception de la vie en société dans ce dernier quart de siècle. Jamais d'aussi grandes craintes n'ont été exprimées sur notre avenir : pollution croissante, concentration de la population, asphyxie des villes, développement de la bureaucratie... Pourtant, jamais les possibilités d'échapper à ces menaces réelles n'ont été plus grandes, qu'il s'agisse des capacités de la science ou de la conscience d'un sursaut nécessaire. Est-il exagéré de penser que les préoccupations culturelles vont être de plus en plus au cœur de la vie de nos contemporains? Ils seront actifs ou passifs, sujets ou objets, selon qu'ils disposeront ou non d'instruments d'expression adéquats. Le Centre sera l'un de ces instruments.

Claude Mollard a écrit ce livre en acteur passionné qu'il est de l'opération du Centre Georges Pompidou sur le plateau Beaubourg [1]. Il appartient à cette nouvelle génération d'administrateurs culturels qui ne craignent pas de s'expliquer au grand jour. Son livre retrace la genèse et la réalisation du plus grand centre culturel qui ait été conçu jusqu'ici. Il est aussi un témoignage unique sur les motivations, les ressorts intimes et les développements de cette grande ambition. Claude Mollard soulève un coin du voile et nous invite à découvrir les mécanismes subtils de l'un des projets de la fin du XXe siècle qui éclaire le mieux l'horizon de notre avenir culturel.

Il faut lire ce témoignage qui apporte des informations inédites et qui constitue une leçon de pilotage pour les grandes réalisations de notre temps.

Cette « Défense et Illustration » du Centre Georges Pompidou doit permettre aux futurs usagers auxquels il s'adresse de mieux comprendre ses ambitions. Je suis sûr qu'elle pourra convaincre également ses nombreux détracteurs, ces fatalistes, pessimistes ou résignés, qui refusent encore de voir la chance qui passe devant leurs yeux.

Pour une fois, sachons percevoir le neuf dès qu'il s'offre à nous.

Robert BORDAZ.

---

1. En qualité de Secrétaire général du Centre.

ne possèdent rien qui soit comparable au nôtre, et de tous les coins de l'univers Paris attire les curiosités et les admirations.

Allons-nous donc laisser profaner tout cela? La ville de Paris va-t-elle donc s'associer plus longtemps aux baroques, aux mercantiles imaginations d'un constructeur de machines pour s'enlaidir irréparablement et se déshonorer?

Car la Tour Eiffel, dont la commerciale Amérique elle-même ne voudrait pas, c'est, n'en doutez point, le déshonneur de Paris. Chacun sent, chacun le dit, chacun s'en afflige profondément et nous ne sommes qu'un faible écho de l'opinion universelle, si légitimement alarmée. Enfin lorsque les étrangers viendront visiter notre exposition, ils s'écrieront, étonnés : « Quoi! c'est cette horreur que les Français ont trouvée pour nous donner une idée de leur goût si fort vanté? » Et ils auront raison de se moquer de nous parce que le Paris des gothiques sublimes, le Paris de Jean Goujon, de Germain Pilon, de Puget, de Rude, de Barye, etc., sera devenu le Paris de M. Eiffel.

Il suffit d'ailleurs pour se rendre compte de ce que nous avançons, de se figurer un instant une tour vertigineusement ridicule dominant Paris, ainsi qu'une gigantesque cheminée d'usine, écrasant de sa masse barbare Notre-Dame, la Sainte-Chapelle, le dôme des Invalides, l'Arc de Triomphe, tous nos monuments humiliés, toutes nos architectures rapetissées, qui disparaîtront dans ce rêve stupéfiant. Et pendant vingt ans nous verrons s'allonger sur la ville entière, frémissante encore du génie de tant de siècles, nous verrons s'allonger comme une tache d'encre l'ombre odieuse de l'odieuse colonne de tôle boulonnée.

C'est à vous, Monsieur et cher compatriote, à vous qui aimez tant Paris, qui l'avez tant embelli, qui tant de fois l'avez protégé contre les dévastations administratives et le vandalisme des entreprises industrielles, qu'appartient l'honneur de le défendre une fois de plus. Nous nous en remettons à vous du soin de plaider la cause de Paris, sachant que vous y dépenserez toute l'énergie, toute l'éloquence que doit inspirer à un artiste tel que vous, l'amour de ce qui est beau, de ce qui est grand, de ce qui est juste. Et si notre cri d'alarme n'est pas entendu, si vos raisons ne sont pas écoutées, si Paris s'obstine dans l'idée de déshonorer Paris, nous aurons du moins vous et nous fait entendre une protestation qui honore.

Ont déjà signé : E. Meissonier, Ch. Gounod, Charles Garnier, Robert Fleury, Victorien Sardou, Edouard Pailleron, H. Gérôme, L. Bonnat, W. Bouguereau, Jean Gigoux, G. Boulanger, J.-E. Lenepveu, Eug. Guillaume, A. Wold, Ch. Questel, A. Dumas, François Coppée, Leconte de Lisle, Daumet, Français, Sully-Prudhomme, Elie Delaunay, E. Vendremer, E. Bertrand, G.-J. Thomas, François, Henriquel, A. Lenoir, G. Jacquet, Goubic, E. Dumon de Saint-Marceaux, G. Courtois, P.-A.-J. Dugnan, Rouveret, J. Wencker, L. Doucet, Guy de Maupassant, Henri Amic, Ch. Grandmougin, François Bournaud, Ch. Baude, Jules Lefebvre, A. Mercié, Chevindent, Albert Jullien, André Legrand, Limbo, etc.

Le Temps, 14.02.1887.

Cet ouvrage est un livre d'histoire écrit au présent. Il veut être la monographie d'un bâtiment encore inachevé et d'une action culturelle en germination; un ouvrage d'anticipation en quelque sorte; l'histoire d'une aventure exemplaire dont chacun parle mais dont personne ne connaît encore les ressorts intimes.

Ce livre veut être également — peut-être surtout — ouvert à tous. Il veut protester contre l'idée que seule une élite serait à même de comprendre les événements les plus complexes. Trop de faits quotidiens nous sont incompréhensibles faute d'explications. Il importe que les acteurs s'expliquent.

Ils abusent trop souvent de leur compétence pour mystifier. Ils doivent, pour les autres et pour eux-mêmes, prendre une distance par rapport à l'action quotidienne pour être en mesure de la comprendre et de la juger.

Les informations permettant à chacun de découvrir le monde n'ont jamais été si nombreuses qu'aujourd'hui.

Le présent propos prétend contribuer à la nécessaire démystification de l'histoire. La pédagogie n'est pas réservée aux seuls pédagogues. Elle doit au contraire animer tous les responsables d'activités collectives.

Or, la réalisation du Centre Georges Pompidou présente le privilège précieux de toucher à la quasi-totalité des domaines de l'activité contemporaine. Elle est riche d'enseignements pour chacun d'eux. Et leur rassemblement dans un même ouvrage correspond au besoin de communication sociale qui est l'une des missions du Centre.

Elle intéresse aussi bien le responsable culturel que le financier, l'architecte que l'homme politique, l'historien que l'urbaniste, le technicien, l'ingénieur que le pédagogue, l'esthète que le simple curieux. Chacun d'entre eux trouvera dans ce livre un chapitre qui le concerne plus directement : la philosophie du Centre, sa place dans l'histoire des institutions culturelles, le projet architectural, les problèmes posés par la construction, l'insertion urbaine et la gestion du Centre, sa place dans le développement des établissements intégrés, l'originalité de son statut juridique, le débat et la controverse sur ses missions, etc.

Chacune de ces questions relève d'une spécialité ou d'un domaine de connaissances ou de sensibilité. Mais chaque personne intéressée par une facette du projet doit être tentée de butiner dans un domaine voisin, et accéder ainsi à une connaissance plus profonde, plus juste.

Ce projet se prête, mieux que tout autre, à ce souci. Le Centre Georges Pompidou veut permettre en effet de décloisonner des formes d'expression culturelles, des comportements trop étroits.

Il participe d'ailleurs à un mouvement général qui caractérise l'évolution de la vie culturelle de la fin du XXe siècle.

Ce livre traduit la rencontre d'une expérience — celle de la réalisation du Centre — et d'une sensibilité — qui touche au rapprochement de la culture et de la vie. L'expérience est unique. Chaque génération a besoin de se réaliser dans une ambition, un projet collectif. Le Centre répond à ce besoin.

D'où son importance historique et les espoirs attachés à sa création.

La sensibilité est récente. Elle est apparue au grand jour depuis Mai 1968. La vie culturelle doit d'abord être une pratique. Plus qu'une politique culturelle, nous avons besoin d'une pratique culturelle, c'est-à-dire d'un retour aux pulsions de la vie. Ainsi s'explique l'irruption de l'art dans la vie quotidienne. Ainsi se comprend l'éclatement des cadres traditionnels, la recherche de nouvelles formes d'expression, le développement des échanges. La vie, c'est non seulement le quotidien, c'est en effet aussi l'ouverture à l'autre.

Certains signes de ces tendances ne trompent pas. C'est par exemple la prise en compte des besoins des usagers et des utilisateurs dans l'art de bâtir. Le Centre Georges Pompidou veut être un exemple de démarche architecturale conduite à partir de besoins réels. Il tourne le dos au « geste architectural ».

L'architecte n'est plus le grand maître de la cité. Son intervention se fond dans le groupe et parmi d'autres acteurs.

Un autre signe apparaît dans l'extension du champ culturel qui enserre chacun de nous. La culture étend son domaine. Elle s'élargit au plus grand nombre. Elle gagne sur des terrains qui lui étaient fermés.

Elle devient « fonction collective » au même titre que l'éducation, la justice, la santé, mais avec en outre l'ambition de dépasser toutes les frontières.

Ce n'est pas un hasard si depuis quelques années, la panoplie des acteurs culturels s'accroît non seulement d'animateurs, mais aussi de techniciens, notamment pour utiliser et maîtriser l'image, et même d'administrateurs. La pratique culturelle commence à être prise au sérieux.

Ceci explique peut-être que l'innovation culturelle puisse s'affirmer fortement jusqu'à devenir l'une des motivations centrales du Centre Georges Pompidou.

Nous avons mis l'accent sur deux aspects fondamentaux de toute innovation culturelle : la prise en compte des comportements des usagers et les modes d'exercice du pouvoir. Trop souvent, l'analyse des phénomènes culturels prend prétexte d'une définition trop éthérée de la culture, « ce supplément d'âme », pour négliger, sinon oublier, ces deux données.

La première — l'analyse des comportements culturels — a fait des progrès notables, sur la base d'enquêtes et d'études systématiques [1]. On connaît mieux aujourd'hui les aspirations, les contentements, les insatisfactions des usagers culturels, et notamment le poids des conditionnements sociaux et économiques sur leurs pratiques.

La deuxième donnée — les modes d'exercice du pouvoir — est beaucoup moins connue. La culture est trop souvent isolée des relations de pouvoir; comme si celui-ci était par essence mauvais. Elle en est pourtant indissociable. Le pouvoir culturel est une réalité encore mal connue.

Il a fait l'objet de descriptions, voire de mesures. C'est ainsi que l'on a pu élaborer un « budget social de la culture ». Mais les conditions de son fonctionnement demeurent encore obscures. Elles doivent être recherchées à partir d'une analyse des classes sociales et des rouages des institutions culturelles.

A défaut d'une étude systématique, une monographie comme celle-ci peut apporter des éléments de réponse. De là, l'importance donnée dans le présent propos aux mécanismes de décision et aux réactions psychologiques et politiques qui les entourent.

Ce livre veut être le témoignage de poussées qui se font jour de-ci, de-là, et dont la construction du Centre Georges Pompidou est le révélateur.

Il est aussi le prétexte à une réflexion en profondeur sur le rôle de la culture dans notre société. La création du Centre dépasse sa seule construction. Elle est en effet l'occasion de faire le point de l'évolution des institutions culturelles et des nouvelles formes d'actions culturelles qui naissent un peu partout.

Il voudrait être, à travers un exemple vivant, l'illustration d'un nouvel art de bâtir et d'une nouvelle pratique culturelle. Car ce témoignage est aussi un acte de foi en ce XXe siècle finissant qui doit dépasser les contradictions qui étouffent ses élans.

Il s'adresse au plus grand nombre en souhaitant que chacun puisse ainsi mieux comprendre que le but de

16

la vie, comme le dit l'un des héros d'André Malraux, « c'est de transformer en conscience une expérience aussi large que possible ».

NOTE

1. Comme celles de Pierre Bourdieu ou d'Alfred Willener; voir aussi à ce sujet l'enquête réalisée en 1974 par le Service des Etudes et de Recherches du secrétariat d'Etat à la Culture.

CHAPITRE Ier

UNE IDÉE NEUVE

> « Comme la lecture des drames en marge
> de leur représentation, comme l'audition des
> disques en marge du concert, s'offre en
> marge du musée le plus vaste domaine de
> connaissances artistiques que l'homme ait
> connu. Ce domaine — qui s'intellectualise
> tandis que l'inventaire et sa diffusion se
> poursuivent, et que les moyens de repro-
> duction approchent de la fidélité — c'est,
> pour la première fois, l'héritage de toute
> l'histoire. »
>
> André MALRAUX,
> *les Voix du silence*, 1951.

Pour le grand public, le Centre Georges Pompidou est
d'abord le bâtiment d'une architecture audacieuse qui
sera construit à la frontière du quartier des Halles et
de celui du Marais. C'est également le « musée Pompidou », c'est-à-dire un monument érigé, disent certains,
par « le fait du prince » pour servir la cause de l'art
contemporain. L'idée du Centre se résume pour la
plupart en ces deux images partielles.

En réalité, le Centre est beaucoup plus que cela :
Beaubourg est un centre de création et d'information
culturelle, regroupant en un même lieu des activités
complémentaires mais jusqu'ici séparées, les arts plastiques, la lecture publique, la création esthétique industrielle ou « design » et la musique.

Le préambule du concours d'architecture résume de
façon très claire et complète ce qu'est le Centre :

Le président de la République a décidé le 11 décembre 1969 d'édifier au cœur de Paris, non loin des Halles, sur le plateau Beaubourg, un centre consacré à l'art contemporain ainsi qu'une grande bibliothèque publique touchant tous les domaines de la connaissance. Cette décision prend une singulière valeur au moment même où la notion traditionnelle de l'Art et même celle de la Culture semblent mises en question. Or, il ne s'agit pas de dresser un bilan, si prestigieux soit-il, ni de faire un pari sur l'avenir, mais d'affirmer à travers ses richesses et même ses contradictions que la création sous toutes ses formes sensibles est devenue le langage le plus immédiat, le plus total de notre époque. C'est en effet, une grande originalité que la conjonction en un même lieu du livre, des arts plastiques, de l'architecture, de la musique, du cinéma, de la création industrielle — celle que la culture n'a pas encore annexée comme témoignage d'art. Cette conjonction doit permettre de faire saisir au plus grand public qu'en dépit des apparences de liberté qu'apporte la création, l'autonomie, la hiérarchie des expressions de l'art sont fictives et qu'il existe entre les formes actuelles et les rapports de production dans la société, un lien profond.

La réalisation de ce dernier permettra en outre de doter Paris d'un ensemble architectural et urbain qui marquera notre époque et dont l'économie répondra à celle du programme.

Ce projet, parce qu'il touche à la politique culturelle, n'est pas neutre. Beaubourg ne peut échapper aux interrogations et préoccupations qui agitent le monde culturel. Les animateurs, les créateurs, les journalistes, le public, chacun prend parti. Tantôt contre Beaubourg au nom de la sauvegarde d'activités passées, tantôt pour Beaubourg au nom de l'innovation; tantôt contre parce qu'il serait un projet gouvernemental au profit de la culture bourgeoise, tantôt pour parce qu'il offrirait enfin cet instrument culturel correspondant aux aspirations de la société.

Ces querelles et prises de position ne contribuent pas à éclaircir l'idée qui est à l'origine du Centre. Comme tout projet d'envergure nationale, Beaubourg est issu de la volonté d'un homme, Georges Pompidou, et des exigences de l'époque. Cette idée a été ensuite développée et approfondie par l'équipe chargée de réaliser le projet. Elle prend sa source dans une analyse lucide du « paysage culturel » contemporain.

1° UNE CERTAINE VISION DU « PAYSAGE CULTUREL » CONTEMPORAIN

Et d'abord une constatation : depuis environ trente ans, depuis la fin de la Deuxième Guerre mondiale, Paris a perdu son rôle central dans la création artistique contemporaine.

La constatation du déclin relatif de Paris s'accompagne d'une réflexion sur la fonction du musée [1]. Son rôle de conservation et de présentation du patrimoine artistique n'est pas remis en cause pour la peinture des siècles passés et même pour celle de la première moitié du XX° siècle.

Mais l'accent est mis de plus en plus sur sa fonction pédagogique, permettant son ouverture au plus grand nombre. Il en va différemment pour la présentation de l'art contemporain. Le musée ne doit-il pas alors s'ouvrir à la vie quotidienne? Ne doit-il pas également remplir une fonction d'impulsion, de recherche? Cette fonction n'est-elle pas rendue plus nécessaire par la multiplication récente des modes d'expression?

Face aux besoins de l'art contemporain, l'institution traditionnelle du musée est inadaptée [2]. Les musées du XX° siècle sont partagés entre la nécessité de conserver, de sélectionner, de prendre du recul par rapport au présent et celle d'épouser l'actualité dont le mouvement s'accélère. Il ne faut pas pour autant séparer l'art moderne de l'art contemporain.

Aujourd'hui, vouloir repenser la notion de musée en l'ouvrant notamment à un large public, pose un problème architectural. De là procède en partie l'idée du Centre Georges Pompidou.

Mais Georges Pompidou ne voulait pas seulement donner au musée d'Art moderne une architecture

21

enfin digne de lui, il voulait aussi l'ouvrir à un public demeuré extérieur à la création contemporaine.

Rapprocher le musée d'une grande bibliothèque pouvait favoriser son ouverture à un public déjà sensibilisé à la vie culturelle : l'amateur de littérature ignore souvent les arts plastiques contemporains.

Un autre constat se trouve à l'origine de l'idée de Beaubourg : l'insuffisance du système éducatif français à éveiller les jeunes au monde de la création sensible. Le dessin et les travaux manuels sont trop souvent considérés comme des disciplines de second ordre, abaissées dans les meilleurs des cas, à la fonction d'illlustration de l'histoire ou de la littérature.

Le Centre a été conçu comme un puissant instrument de vulgarisation et de diffusion au service des enseignants. Mais des efforts de diffusion qui ne s'appuieraient pas sur une exacte évaluation des besoins seraient sans lendemain.

Or le développement culturel suppose l'adhésion de chacun à une vision globale de la société. De même que le travail à la chaîne, « en miettes », appauvrit l'homme sur le plan culturel, de même notre monde parcellisé, atomisé, confine nos contemporains dans des spécialisations professionnelles ou des cloisonnements géographiques, sociaux et culturels, à une époque où les chances de développement n'ont jamais été si grandes, du fait de l'accroissement des moyens d'information.

De là, l'idée de décloisonner les activités culturelles en créant un Centre qui apporterait une contribution à la définition d'une culture adaptée aux besoins actuels de la société; mais aussi une nouvelle approche de l'architecture, bien exprimée par Michel Ragon [3] :

« L'architecture tendra à redevenir cet art total que fut en Occident chrétien la cathédrale, synthèse de l'architecture, de la technique la plus avancée, de la sculpture et de la peinture. Bien sûr les cathédrales des temps futurs ne seront pas des églises, mais d'autres lieux architecturaux, polarisation du cœur des villes, où l'homme pourra trouver en permanence une impré-

gnation de tous les arts : lumière, mouvement, sons,
couleur, formes, images, langage. Mais il faudra sans
doute pour cela que notre civilisation réussisse à trou-
ver son éthique, en même temps que son esthétique;
c'est-à-dire une certaine homogénéité. »

Cette analyse du « paysage culturel » contemporain
est nécessairement sommaire. Le propos ne prétend
pas apporter des justifications détaillées. Il est plutôt
un exposé des motifs dont certains sont implicites,
d'autres explicites, et qui permet de mieux comprendre
les missions assignées au Centre.

2° LES MISSIONS DU CENTRE

Il en est deux principales qui découlent des réflexions
précédentes : décloisonner les activités culturelles pour
favoriser un renouveau de la création et assurer leur
très large diffusion auprès du public.

Décloisonner les activités culturelles.

Il est apparu nécessaire de regrouper en un même
lieu des activités jusqu'ici séparées : *les arts plastiques*
en premier lieu. Désormais, à Beaubourg, la querelle
de l'art moderne et de l'art contemporain doit cesser
puisque l'un et l'autre auront leur place; l'art moderne
au sein d'un musée beaucoup plus grand que l'actuel
Palais de Tokyo, l'art contemporain dans une galerie
expérimentale aisément accessible. Ceci implique un
regroupement des collections, la mise en valeur des
donations, le rassemblement des équipes.

La deuxième activité principale de Beaubourg sera
la *lecture publique* : une grande bibliothèque, axée
sur l'actualité, ouverte à tous et d'une dimension
comparable aux bibliothèques anglaises ou américaines.

Ainsi s'ajoute à la vision sensible du monde propre
aux arts plastiques l'approche plus rationnelle de
l'écrit.

Le retour de Pierre Boulez en France, après un éloi-
gnement de plusieurs années, fournit l'occasion de

compléter ce champ culturel par des *activités musicales*. Le projet que Pierre Boulez veut inscrire dans Beaubourg comporte des préoccupations de création et d'interprétation musicale mais aussi de recherche acoustique au moyen des instruments très perfectionnés qu'offre désormais la science.

Là encore, il s'agit de réconcilier la création avec les données réelles de la société.

Enfin un quatrième partenaire, le *Centre de Création industrielle* doit favoriser l'épanouissement d'une vie quotidienne plus agréable et enrichissante pour les Français, les éveiller au problème de la qualité des objets qui les entourent dans leurs appartements, dans les rues, les grands ensembles pour contribuer à rendre leur univers plus harmonieux, mieux maîtrisé, c'est-à-dire en fin de compte plus cultivé.

En décloisonnant les activités et manifestations culturelles, Beaubourg veut offrir à nos contemporains un instrument de formation leur permettant d'être plus responsables et plus inventifs.

Favoriser la création.

Nous avons tout lieu de croire que Beaubourg doit permettre de redonner à la France un rôle important en matière de création.

Quoi qu'il en soit, le Centre répond à l'un des besoins fréquemment exprimé par les créateurs, celui de la communication entre disciplines. C'est dans cette perspective que la référence faite parfois au Bauhaus [4] pour qualifier le projet prend tout son sens.

La créativité qui s'exprime dans une seule discipline est souvent condamnée à l'appauvrissement ou à l'ésotérisme. La rencontre non seulement entre créateurs, mais aussi entre disciplines différentes, est en revanche source d'enrichissements multiples.

Le Centre sera un instrument « polytechnique » au service des créateurs. A Beaubourg, un peintre, un sculpteur, un musicien, un poète, un « designer », pourront s'ils le désirent réaliser des œuvres en ayant recours à des techniques modernes : l'audio-visuel ou l'informatique.

C'est dans cette perspective que s'inscrit l'un des maîtres-mots du projet : *la souplesse*. La mobilité à Beaubourg est avant tout un état d'esprit. Elle est le moyen de favoriser le bon développement de l'innovation et de la création. Il était normal qu'elle se traduisît par une conception architecturale originale. Le bâtiment doit en effet permettre l'utilisation très souple d'espaces : les activités culturelles peuvent varier énormément, par leur nature et par leur forme, au cours des prochaines années.

Mais la mobilité doit également intéresser les hommes. Ceci signifie qu'il est souhaitable qu'à côté d'un personnel permanent puissent figurer des stagiaires et des invités susceptibles d'enrichir et de renouveler l'activité du Centre de leurs talents et de leur expérience.

La culture pour tous : diffusion et pédagogie.

Beaubourg repose sur ce pari selon lequel la création et la diffusion loin d'être incompatibles doivent s'épauler l'une l'autre. Si la création est un acte souvent personnel, les aspirations de l'artiste ne sont pas du tout étrangères aux interrogations de l'ensemble de ses concitoyens. Et les différentes tendances de l'art depuis plus d'un demi-siècle adhèrent sans doute étroitement aux problèmes de la société contemporaine soit qu'elles les expriment, soit qu'elles les anticipent. Certes, les formes d'expression retenues ne sont pas toujours d'accès facile, mais la mauvaise communication qui en résulte est en elle-même un signe des temps.

Beaubourg a l'ambition de favoriser un dialogue plus aisé entre les créateurs et leur public. Il s'efforcera également d'apporter une réponse globale aux besoins d'expression de notre société. La « fonction culturelle [5] » est appelée à occuper une place grandissante dans notre société. L'Etat, par les moyens dont il dispose en matière d'enseignement et de pédagogie, détient un rôle capital dans ce domaine. Beaubourg lui apportera son concours. Il s'adressera aux jeunes : enfants, étudiants, jeunes travailleurs, et aux adultes pour lesquels la formation permanente doit faciliter l'accès à la culture, sous toutes ses formes.

Avec Beaubourg l'ère des temples culturels prend fin. Arrivent les grandes surfaces largement ouvertes au public sans que jamais le souci de la qualité soit abandonné.

Un centre culturel national et non parisien.

Ce pôle d'innovations culturelles doit être *national et non parisien.* Il doit apporter aux initiatives culturelles locales ce dont elles ont besoin : une documentation et une assistance technique. Ainsi un théâtre de province pourra obtenir l'équipe de techniciens lui permettant de faire un montage audio-visuel sur un thème choisi et interprété par lui. Un musée de province pourra recueillir la documentation sur un peintre contemporain sur lequel il veut organiser une exposition. Mais l'assistance doit toujours se cantonner au domaine technique. En sens inverse, le Centre doit accueillir telle exposition, telle pièce de théâtre créées en province. Selon l'expression de Michel Guy, Beaubourg doit être la « centrale de la décentralisation ».

*
* *

Les innovations marquent le projet dans son architecture comme dans ses missions. Ainsi, Beaubourg constitue un pôle de développement culturel, un champ d'expérimentation, un lieu d'échanges et de rencontres.

3° LE PROGRAMME

La décision de principe ayant été prise en décembre 1969, le ministre des Affaires culturelles, Edmond Michelet, fut chargé de définir le programme destiné au lancement d'un concours international d'architecture. Il décida de préciser avec soin la nature des activités, les liaisons qu'elles devaient entretenir les unes avec les autres et avec l'extérieur, ainsi que leur place dans le bâtiment. La réalisation du Centre Georges Pompidou devait requérir la construction d'un « ensemble architectural et urbain qui marque notre époque [6] ». A cette fin, il fut décidé de faire appel aux architectes du monde entier.

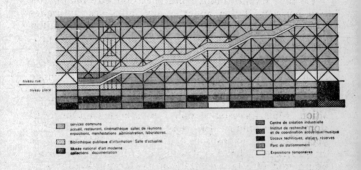

niveau rue
niveau place

services communs
accueil, restaurant, cinémathèque salles de réunions
expositions, manifestations administration, laboratoires.

Bibliothèque publique d'information Salle d'actualité.

Musée national d'art moderne
collections documentation

Centre de création industrielle
Institut de recherche
et de coordination acoustique/musique

Locaux techniques, ateliers, réserves

Parc de stationnement

Expositions temporaires

Comment fut élaboré ce programme?

Dès le début de l'année 1970, l'un des collaborateurs d'Edmond Michelet, M. Sébastien Loste, entreprit de constituer une équipe de personnes susceptibles d'être les « utilisateurs » du futur Centre.

Ce furent d'abord les responsables de la Bibliothèque, ceux du musée national d'Art moderne et du Centre National d'Art Contemporain (CNAC). Se joignirent à cette équipe les responsables du Centre de Création Industrielle (CCI).

Ainsi fut constitué le noyau initial des utilisateurs du futur Centre. Des séances de travail engagées avec des représentants de la Direction de l'architecture, et notamment M. François Lombard, permirent l'ébauche du premier programme, dit « programme de base ».

Peu après, était mise en place l'organisation destinée à diriger l'opération. Le 26 août 1970, M. Robert Bordaz, conseiller d'Etat, était nommé « délégué pour la réalisation du Centre du Plateau Beaubourg ».

Le programme initial proposé par les ministres des Affaires culturelles et de l'Education nationale fut approuvé par le président de la République en juillet 1970.

Entre-temps, M. Jacques Duhamel avait remplace M. Edmond Michelet à la tête du ministère des Affaires culturelles.

La délégation animée par M. Bordaz comprenait des effectifs réduits, une dizaine de personnes environ. Sa mission était d'organiser le concours international d'architecture et de constituer l'établissement public chargé de la construction et de la mise en service du futur Centre. Elle devait également, tout au long de l'année 1971, mettre au point un programme plus détaillé de l'opération.

C'est en 1971 seulement que fut prise la décision d'ajouter le Centre de création acoustique de Pierre Boulez à la liste initiale des utilisateurs. Cette décision explique que cette activité ne figure pas dans le programme soumis au concours d'architecture.

Au total, pendant près de dix-huit mois, futurs utilisateurs et « programmateurs » allaient au terme d'un dialogue fécond et de plus en plus précis, définir le programme du Centre. C'était sans doute la première fois en France que la conception d'un bâtiment faisait un appel aussi direct et constant à ses futurs utilisateurs.

Le contenu du programme.

Le programme de base tel qu'il fut adressé aux architectes candidats comportait les activités suivantes :

— *l'accueil du public :* .... 5 300 m²
- accès, accueil
- accueil des enfants
- restaurant, cafétéria

— les activités propres des utilisateurs

- bibliothèque et salle d'actualité..... 16 000 m²
- arts plastiques :
  musée d'Art moderne............ 15 800 m²
  galerie expérimentale de l'Art contemporain .... 800 m²
  documentation spécialisée.......... 3 150 m²
- centre de Création industrielle...... 1 650 m²

                                                 37 400 m²

— Les espaces et activités communes

- expositions temporaires........... 4 000 m²
- salle polyvalente (théâtre, conférences) et rencontres...................... 3 300 m²

                                                 7 300 m²

— services communs................. 14 300 m²

- gestion
- surveillance et contrôle
- ateliers
- laboratoires audio-visuels
- stockage, réserves

soit au total........................ 64 300 m²

A cette surface, exprimée en m² hors œuvre [7], s'ajoutaient :
— 7 000 m² de surface à l'air libre,
— 25 000 m² de parc de stationnement (700 places)
Avec les 5 000 m² de l'IRCAM, cela donne un programme initial d'environ 100 000 m².

Ce programme appelle un certain nombre de commentaires.

En ce qui concerne en premier lieu *les activités,* il aménage un équilibre entre *des activités propres* à un utilisateur (la bibliothèque, le musée, etc.) et des *activités ou services communs* (espaces d'expositions temporaires, d'accueil du public, salle polyvalente, ateliers audiovisuels, etc.) Dans cet équilibre réside en effet l'une des caractéristiques du projet. Celui-ci aurait pu simplement juxtaposer des activités ou en sens inverse, les intégrer totalement. L'unité du Centre est donc affirmée en même temps que l'originalité de ses composantes.

Cette dominante du programme se reflétera inévitablement dans l'architecture du bâtiment, puis dans le statut juridique de cet ensemble culturel d'un type nouveau.

Mais qu'il s'agisse du programme, de l'architecture ou du statut juridique, ce caractère se développera avec constance tout au long du projet.

D'autre part, ce programme réserve une grande *importance aux activités d'accueil et d'information*. D'où la place particulière accordée aux activités d'édition, d'informatique, d'audio-visuel. Beaubourg apparaît bien ainsi comme un centre non seulement de création mais aussi de diffusion culturelle.

Enfin il réunit des *activités permanentes et des activités temporaires*. Parmi ces activités temporaires prennent place, outre la cinémathèque dont le statut est particulier, les espaces de théâtre de conférences, de rencontres, les espaces d'expositions et de manifestations temporaires. Ces activités temporaires sont le moyen d'ouvrir le Centre à des initiatives extérieures. Elles constituent un complément nécessaire à la permanence des autres activités. Il faut reconnaître là le souci d'innovation et de mobilité qui est celui des promoteurs du Centre Georges Pompidou.

De par sa définition même, ce programme soulève d'emblée un certain nombre de problèmes qui intéressent tant la construction que le fonctionnement du Centre.

D'abord *l'importance du volume du bâtiment*, plus de 100 000 m² dont 65 000 d'espaces réservés aux seules activités culturelles.

Construire ce volume sur la surface du plateau Beaubourg, d'environ 20 000 m², soulevait un problème de dimension. Le projet initial de Messieurs Piano et Rogers avoisinait 60 mètres de hauteur. Il fallut, par la suite, afin d'assurer la bonne insertion du bâtiment dans son environnement, abaisser sa hauteur (ramenée à 42 mètres), en retirer l'IRCAM pour le loger en souterrain à l'emplacement de l'ancienne école Saint-Merri dont la démolition permet de dégager les abords du bâtiment, et installer certaines activités secondaires (logements de fonction et studios pour artistes de passage) dans un immeuble acquis à proximité du plateau, sur l'ilôt de Venise.

En second lieu, il ne faut pas sous-estimer *l'hétérogénéité des activités et des personnes appelées à vivre dans le Centre*. Certaines sont issues de la fonction publique, d'autres proviennent d'associations de la loi de 1901, subventionnées par l'Etat, d'autres enfin d'organismes privés. En outre, doivent voisiner des Français et des étrangers. Cette situation inhérente au caractère intégré et à la dimension internationale du Centre Georges Pompidou justifie l'adoption de principes de gestion appropriés.

En troisième lieu, ce programme de centre culturel d'activités intégrées soulève *le problème complexe de la circulation du public*. Il était donc inévitable que le jury apporterait un soin particulier à ce que cette question reçoive une solution architecturale particulièrement adaptée.

Enfin, réunir dans un même bâtiment, très largement ouvert au public, contenant un grand nombre d'œuvres d'art d'une valeur inestimable, des activités aussi différentes, suscite des *contraintes drastiques en matière de sécurité*.

Telles sont les remarques qu'un observateur attentif pouvait faire dès 1971 sur la base du « seul programme de base ».

Mais le programme adressé aux architectes n'était pas simplement l'énumération des activités du futur Centre. Il comportait en outre un certain nombre de vœux qui doivent être rappelés : le projet architectural devait si possible privilégier une construction « fonctionnelle », « flexible », « polyvalente », c'est-à-dire pouvant être adaptée à des besoins, à des moyens et à des goûts changeants et imprévisibles.

Un tel programme conduisait à un certain type d'architecture, fonctionnelle plutôt que symboliste. Le choix du projet allait revêtir un intérêt particulier en raison de sa dimension, de son originalité et de l'incertitude dans laquelle se trouve l'architecture contemporaine.

31

4° LE CHOIX DE L'ARCHITECTURE
DU CENTRE GEORGES POMPIDOU

Le concours international d'architecture organisé par le ministère des Affaires culturelles et la Délégation pour la réalisation du Centre était un *concours d'idées* : les architectes ne disposant pas du temps nécessaire à l'étude d'un projet détaillé, ne devaient remettre que des esquisses exprimant leurs intentions.

Ils pouvaient, le cas échéant, apporter des idées complémentaires pour la bonne réalisation du projet.

Le jury international désigné en accord avec l'Union internationale des Architectes (UIA) fut placé sous la présidence de M. Jean Prouvé dont les réalisations architecturales lui ont acquis une réputation internationale. Il comprenait 9 membres dont 5 étrangers, soit, outre M. Prouvé :

M. Gaétan Picon (vice-président), ancien directeur général des Arts et Lettres.

M. Emile Aillaud, architecte.

Sir Frank Francis, directeur honoraire du British Museum.

M. Philip Johnson, architecte (Etats-Unis).

M. Michel Laclotte, conservateur en chef du département des peintures au musée du Louvre.

M. Oscar Niemeyer, architecte (Brésil).

M. William Sandberg, ancien directeur du Stedelijk Museum d'Amsterdam.

M. Herman Liebaers, directeur de la Bibliothèque royale de Belgique.

M. Henri-Pierre Maillard, architecte, était membre suppléant.

Le jury eut à examiner 681 projets, dont 491 étrangers issus de 49 pays différents. Ce succès dépassait toutes les espérances.

Il faut toutefois bien se rendre compte des chances et des risques que comportait cette formule du concours. Du côté des avantages, il faut mettre le caractère démocratique de la sélection. Combien de fois n'a-t-on pas critiqué, à bon droit, les excès de népotisme dans le choix des architectes ! La formule du concours peut susciter des réserves de la part de certains milieux de l'architecture. Elle emporta l'adhésion sans réserve de la majorité des architectes, notamment des plus jeunes, et de l'opinion publique.

En revanche, le fait de recourir à un jury peut contraindre, au moins moralement, les pouvoirs publics à entreprendre la réalisation d'un projet qu'ils n'approuveraient pas nécessairement. Dans le cas présent, ce risque n'apparut pas.

Sans l'appui du Président de la République, le projet choisi par le jury n'aurait sans doute été ni retenu ni, par la suite, soutenu par les pouvoirs publics.

Son audace était de nature à heurter les goûts, en général académiques, des représentants de l'Etat. Le Corbusier ne reçut pratiquement aucune commande de l'Etat français, et il fallut attendre sa mort, pour que soit reconnu son talent et qu'André Malraux l'appelât « le plus grand architecte du monde ».

En adoptant la formule du concours international, l'Etat prenait des risques : vis-à-vis de l'esthétique traditionnelle, de l'architecture officielle, de l'urbanisme parisien. Mais il se grandissait, comme il s'était grandi en encourageant la construction de la « Cité radieuse » de Marseille [8].

Il fallait en effet quelque audace pour accepter le choix du projet de Messieurs Piano et Rogers au plein cœur de Paris!

Comment procéda le jury pour opérer un choix aussi délicat? Tout d'abord, il décida de donner aux concurrents la plus grande liberté possible n'imposant, à ce stade de l'étude, ni servitude de hauteur, ni enveloppe financière. (Le fait que ces contraintes soient apparues ensuite ne réduisit pas leur rigueur).

Il agit par approches successives. Le rapport du jury exprime clairement la méthode utilisée :

« *Une cinquantaine de projets — c'est-à-dire une assez forte minorité — se caractérisaient par une recherche agressive de formes géométriques ou de sculptures provocantes visant au spectaculaire, au dramatique ou au majestueux. Si le jury a éliminé presque d'emblée — et toujours à l'unanimité — ces sphères et ces cubes, ces troncs coniques et ces cylindres, ces pyramides ren-*

versées ou non, ces formes ovoïdes géantes, bien que ces projets soient, dans l'ensemble, parfaitement constructibles, il n'a pas voulu marquer par là qu'il s'opposait absolument à tout édifice conçu comme une combinaison d'éléments géométriques simples : le choix de certains projets primés et même du projet lauréat le montre bien. Mais il a simplement estimé que, si la liberté des formes architecturales doit être encouragée, cette liberté ne peut être simplement formelle, qu'un « monument » qui n'aurait d'autre fonction que d'exprimer un « geste architectural » est vain, que l'emphase n'est pas l'éloquence et que l'art pour l'art peut être le contraire de l'art.

« A l'inverse, le jury, tout en reconnaissant le sérieux des études, la qualité technique de l'analyse, parfois l'habileté du « rendu », a écarté un très grand nombre de projets en raison de leur banalité. Certes, l'intention du jury n'était pas de rechercher l'originalité à tout prix, mais, au contraire, d'examiner attentivement toutes les propositions qui procédaient d'une étude attentive du programme. Il a dû, cependant, reconnaître, non sans quelque déception, que les propositions neuves étaient rares, si bien que, par un effet de contraste avec cette uniformité dans la diversité, les quelques concurrents qui avaient simplement choisi de paraphraser ou même de transcrire textuellement tel ou tel grand architecte du passé, Gaudi par exemple, suscitaient l'intérêt et l'attention même si leurs chances d'être finalement distingués étaient, a priori, des plus réduites.

« Construire enfin un tel Centre dans un tel quartier conduit à tenter une greffe délicate, qui doit être acceptée et non rejetée par le milieu ambiant. D'où la nécessité de se préoccuper non seulement du bâtiment, mais aussi de son environnement. Or si bon nombre de projets prévoient l'utilisation du plateau de la Reynie, rares sont ceux qui prennent en considération le plateau des Halles. Quant au Marais, tout se passe, d'ordinaire, comme s'il n'existait pas.

« Certes, dans un concours d'idées on ne pouvait demander une étude trop précise des circulations, des voies d'accès, des différents modes d'approche.

« Aussi les lacunes constatées dans ce domaine n'ont-

*elles jamais causé aux concurrents un tort irrémédiable.
Le jury a, toutefois, d'autant plus regretté l'absence
presque totale de propositions intéressantes sur l'environnement que la plupart des projets prévoyaient une
masse compacte, occupant l'ensemble du Plateau Beaubourg et, par conséquent, sans perspectives ni déga-
gements. L'architecture, dans un tel concours, avec un
tel programme et dans un tel lieu, ne pouvait, moins
que jamais, faire totalement abstraction de l'urbanisme.*

« *Comme toute création vivante, l'architecture
connaît, sans doute, tantôt des périodes de plénitude,
tantôt des périodes moins riches consacrées à la recherche de nouveaux modes d'expression qui s'épanouiront
un jour.*

« *Les résultats du concours international pour la
construction du Centre Beaubourg conduisent à penser
que nous traversons, à l'heure actuelle, une période
expérimentale, dont les effets ne se limitent pas à la
France, mais se font sentir dans tous les pays du
monde. Cette période se caractérise sans doute par le
passage d'un mode de création individuel à un mode de
création beaucoup plus collectif. Selon le point de vue
auquel on se place, elle peut être jugée décevante, voire
fort inquiétante, ou, au contraire, chargée de promesses.
Aussi, devant la moisson inégale d'une saison de transi-
tion, et pris entre les excès opposés, mais également
condamnables, de la grandiloquence et du prosaïsme,
le jury s'est-il efforcé de rechercher dans la masse de
tout ce qui lui était soumis le nombre, somme toute
assez restreint, des projets qui lui semblaient à la fois
respecter le programme et explorer des voies nouvelles* [9]. »

Très rapidement, la quasi-unanimité du jury se cristal-
lisa sur le projet anglo-italien de MM. Renzo Piano
et Richard Rogers. Le rapport du jury explique les
caractéristiques de ce projet et les raisons de ce
choix [10] :

« *Le bâtiment n'occupe que la moitié du Plateau
Beaubourg; l'autre moitié est occupée par une longue
place, un peu en contrebas (— 3,20 mètres par rapport
au niveau de la rue).*

« Ce vaste espace découvert rejoint le Plateau la Reynie, s'étend jusqu'aux immeubles qui bordent la rue Saint-Martin et se prolonge sous la rue du Renard, de telle sorte que l'on puisse circuler sans encombre des Halles au Marais. Il est demandé, à cet effet, d'interrompre la circulation automobile rue Saint-Martin, le long du plateau Beaubourg. Cette place doit servir à de nombreuses activités très vivantes. D'autre part, l'espace dont on dispose permet d'avoir assez de recul pour bien voir le Centre.

« Le bâtiment a des formes simples et d'une grande envergure (50 mètres de hauteur, 150 mètres de longueur, 50 mètres de largeur). Les architectes ont évité qu'il n'ait un aspect compact et massif; il repose sur des piliers; la surface du sol sous le Centre est complètement dégagée. En outre, la simplicité et la régularité géométrique des structures apparentes, ainsi que l'articulation des façades doivent donner une impression de légèreté et de transparence.

« L'aspect extérieur du Centre doit être très vivant et animé. Des escalators, ascenseurs et monte-charge pour la circulation du public, ainsi que pour le transport du matériel et des œuvres contribuent à l'animation de la façade principale, sur laquelle, d'autre part, on projettera des informations concernant les activités qui se déroulent à l'intérieur et à l'extérieur.

« Le bâtiment a été conçu de telle sorte qu'il puisse évoluer en fonction des besoins; on prévoit des planchers de 50 mètres de portée et des plateaux de 50 mètres sur 150 mètres sans un seul pilier. La flexibilité des espaces intérieurs est donc très grande. En outre, les volumes qui s'insèrent entre deux nappes verticales composées de tubes d'acier, transparentes, tridimensionnels de 60 mètres de haut peuvent être modifiés sans nuire à l'esprit du projet.

« La réalisation technique du bâtiment devrait s'effectuer dans de bonnes conditions :

— faible enfoncement dans le sol. Par conséquent, pas de cuvelage difficile;

— structure permettant une mise en œuvre relativement facile;

— sécurité du système porteur contre l'incendie,

grâce au passage d'un courant d'eau dans l'ossature tubulaire. »

Le projet fut choisi à la quasi-unanimité du jury, par 8 voix sur 9.

Celui-ci explique son choix :

« *... Dans ses formes extérieures, le projet lauréat a, certes, été conçu avec une grande simplicité et une grande pureté linéaire encore renforcées par la sécheresse inévitable de l'épure), mais tout est fait pour y attirer, y stimuler, y retenir la vie : disposition « aux avant-postes » des activités les plus créatrices et les plus animées, salle d'actualité, galerie permanente du « design »; échanges constants avec le quartier rendu partiellement à la circulation piétonnière et relié au Centre par un terre-plein qui ne doit pas être une morne esplanade, mais un lieu de rencontres, de rassemblement, de distractions, foyer constant d'animation et de mouvement; effet entraînant de la circulation du public, visible à travers les parois de verre, et de son ascension par des escalators en mouvement perpétuel, unique colonne montante attirant les passants de la place; gaieté et vie enfin d'une grande façade traitée comme un écran qui peut refléter, au fil des jours, tous les spectacles du monde.*

« *En définitive, si le projet lauréat frappe par sa simplicité, qui contraste avec d'autres recherches bien plus complexes, cette simplicité n'est pas simplisme. Elle n'est qu'apparente. On méconnaîtrait donc les intentions du jury si l'on pensait que son choix, obtenu dès le premier tour de scrutin, s'explique non par la force d'une conviction, mais par une préférence accordée, en désespoir de cause, à une simplicité rassurante, choisie par résignation.* »

La conception de l'architecture était centrée sur la fonction de diffusion des informations à l'intention du public. Le « public-roi » est sans doute le fondement de cette architecture qui allait de ce fait renforcer les intentions initiales des promoteurs du Centre.

L'idée de Beaubourg se résume en quelques propositions.

D'abord un Centre culturel largement ouvert à toutes

les formes d'expression de notre temps, qui soit en même temps un lieu de loisirs et de jeux. La culture triste est morte. Un Centre ouvert à tous les publics, qui soit un instrument visant à élever le niveau culturel de la nation qu'il s'agisse de l'aptitude à créer ou de la capacité de comprendre et de goûter. Un Centre, enfin, qui réponde à des besoins croissants, parfois latents, parfois exprimés, du public contemporain.

Car le Centre Georges Pompidou est certes une création et donc une institution nouvelle dans le paysage culturel. Mais c'est aussi un ferment, un révélateur qui a fait sortir de l'ombre des courants qui, bien que cachés, n'en existaient pourtant pas moins. L'innovation ne doit pas masquer les racines auxquelles le Centre Georges Pompidou est rattaché et auxquelles il doit d'exister.

*
**

Pour bien situer le Centre Georges Pompidou dans la politique de développement culturel français, il est indispensable de s'intéresser à ses « racines ». L'histoire des « utilisateurs » du Centre permet de mieux appréhender la genèse du projet en remontant à ses origines lointaines.

NOTES

1. L'Unesco a réuni des experts français et étrangers sur ce thème en 1969 et 1970 : Pierre Gaudibert, Pontus Hulten, Michael Kustow, Jean Leymarie, François Mathey, Georges-Henri Rivière, Harold Szeemann, Edmond de Wilde.

2. La controverse sur la notion de musée a été évoquée dans la revue *L'Œil* de février 1975, ainsi que dans *Art Press* du même mois.

3. Michel Ragon, *L'art : pour quoi faire?* 1971.

4. A la fois école aux principes pédagogiques révolutionnaires et centre de création ouvert aux différentes formes d'expression, le Bauhaus connut en Allemagne de 1919 à 1933 une vie courte et mouvementée, mais dont l'influence sur la création contemporaine est considérable.

5. Elle a été excellemment définie par Jacques Rigaud dans son livre : *la Culture pour vivre*, 1975.

6. Cf. le programme de base.

7. *Les surfaces hors-d'œuvre* d'un bâtiment comportent non seulement les surfaces directement utilisables par les activités mais également les surfaces nécessaires aux circulations et aux locaux techniques. Elles sont toujours supérieures *aux surfaces utiles.*

8. Habitation conçue par le Corbusier et baptisée par les Marseillais : « la Maison du fada ».

9. Rapport du jury (1971), rédigé par son secrétaire Sébastien Loste.

10. *Idem.*

ACTIVITES EN SUPERSTRUCTURE

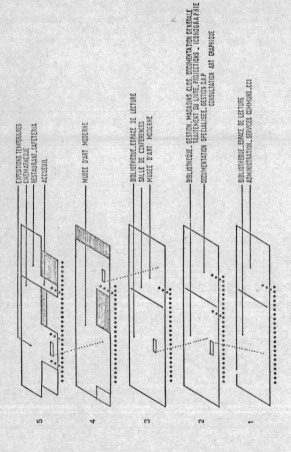

EXPOSITIONS TEMPORAIRES
CINEMATHEQUE
RESTAURANT.CAFETERIA
ACCUEIL

5

MUSEE D'ART MODERNE

4

BIBLIOTHEQUE.ESPACE DE LECTURE
SALLE DE CONFERENCES
MUSEE D'ART MODERNE

3

BIBLIOTHEQUE. GESTION.MAGASINS CLOS. DOCUMENTATION GENERALE
TRAITEMENT DU LIVRE.PROJECTIONS - ICONOGRAPHIE
DOCUMENTATION SPECIALISEE.GESTION DAP
CONSULTATION ART GRAPHIQUE

2

BIBLIOTHEQUE.ESPACE DE LECTURE
ADMINISTRATION.SERVICES COMMUNS.CCI

1

CHAPITRE II

EN REMONTANT AUX SOURCES

> « On comprend tout, dès qu'on remonte
> aux sources. »
>
> Elie FAURE.

L'exposé de l'origine de chacun des départements composant le Centre ne prétend pas à l'exactitude scientifique.

Il procède d'une curiosité personnelle.

Les spécialistes y remarqueront quelques erreurs ou approximations, mais peut-être la majorité des lecteurs y découvrira-t-elle avec autant d'intérêt que l'auteur, la préhistoire de cette nouvelle politique culturelle qu'incarne le Centre.

La convergence progressive d'actions et d'institutions culturelles conçues au départ de façon autonome qui se retrouvent en définitive — et point par hasard — incluses dans une même structure démontre que Beaubourg n'est pas un aérolithe tombé du ciel dans nos institutions culturelles : il est au contraire l'aboutissement d'un long cheminement, qu'il s'agisse des arts plastiques, de la lecture publique, de la création industrielle ou de la musique.

1° LES ARTS PLASTIQUES :
DU MUSÉE DU LUXEMBOURG (1832)
AU DÉPARTEMENT DES ARTS PLASTIQUES (1975)

> « Depuis le début du siècle, le fossé n'a
> fait que grandir entre les arts et le public.
> A tel point que le public n'a plus de rela-
> tions avec son art, l'art de son temps.
> Quand l'art n'est plus présent, n'est plus
> vécu par la société, la laideur s'épanouit.
> Personne ne sait plus ce qu'est une propor-
> tion, ce qu'est une couleur. L'appauvrisse-
> ment général fait que l'on se nourrit exclu-
> sivement du passé. »
>
> Georges PATRIX,
> *Design et environnement*, 1973.

La création d'un département des Arts plastiques au
Centre Georges Pompidou consacre l'aboutissement
d'une très longue évolution de la notion du musée d'Art
moderne, elle en souligne l'enrichissement, depuis le
musée du Luxembourg, jusqu'à l'actuel musée d'Art
moderne.

Le musée du Luxembourg

Si Vénus est née de l'écume de la mer, l'idée d'un
musée d'Art moderne apparut après le flux et le reflux
des invasions étrangères consécutives à la défaite de
Waterloo : le Louvre qui avait hébergé tant de chefs-
d'œuvre anciens apportés par les convois des armées
impériales, fut dépouillé par les armées des coalisés.

Pour combler les vides, on le repeupla de chefs-
d'œuvre entreposés au musée du Luxembourg (le palais
construit par Marie de Médicis et qui abrite aujourd'hui
le Sénat). Ce dernier s'en trouva appauvri. Aussi, le roi
Louis XVIII voulut-il le parer des ouvrages des artistes
vivants.

Le musée des Artistes vivants fut ouvert le 24 avril
1818 [1]. En 1832, il prit le nom de « musée royal du
Luxembourg destiné aux artistes vivants ».

Le Luxembourg voulait être l'antichambre du Louvre.
Mais il n'hébergeait pas d'expositions temporaires et,

malheureusement, ne tarda pas à verser dans l'académisme. Néanmoins, ses conservateurs prenaient des initiatives d'avenir. Pendant le dernier tiers du XIXᵉ siècle, le marquis de Chennevières, conservateur du musée du Luxembourg, précisa la vocation du musée et en dessina l'évolution. M. de Chennevrières préconisa dès 1868 « *une salle à consacrer aux artistes étrangers avec lesquels le public français se familiarisa lors des expositions universelles de 1855, 1867 et 1868* ».

C'est à la même époque, le 1ᵉʳ avril 1886, que se termina la rivalité du musée et du sénat. Tous deux se trouvaient à l'étroit dans le palais de la reine Marie de Médicis. Le musée fut relégué au jeu de paume du palais et, le 1ᵉʳ avril 1886, le président Jules Grévy l'inaugura.

Etienne Arago en était le conservateur. C'est aussi à cette époque que fut construite une annexe pour la collection Caillebotte et que les œuvres des artistes étrangers furent transférées au jeu de paume des Tuileries.

La sélection des artistes opérée par le musée du Luxembourg devait se révéler catastrophique.

Il comptait beaucoup de Bouguereau, de Jérôme et de Lefèvre pour peu d'Eugène Carrière... De plus, à l'étroit dans l'orangerie du Luxembourg, le musée des Artistes contemporains étouffait. En 1871 il hébergeait 225 toiles, mais de 1892 à 1922, 1 175 toiles entrèrent grâce à de nouveaux legs (Chobert 1893, Nathanael de Rothschild).

Le problème de la place fut si aigu qu'il fit passer au second plan le choix des œuvres et le rôle du Musée en faveur de l'art contemporain et vivant. Bien plus, les conservateurs allèrent jusqu'à rechercher des œuvres de petites dimensions afin de pouvoir en accroître le nombre. On parla même de cartes de visite [2]!

La hantise des conservateurs sera, jusqu'en 1937, l'agrandissement du musée ou son transfert. On pensa d'abord le transférer au séminaire de Saint-Sulpice : ce fut un échec. Et des personnalités comme Clemenceau [3] lancèrent l'idée d'un musée ouvert jusqu'à 10 heures du soir, grâce à la fée Electricité de Raoul

Dufy pour que tous puissent y venir, ceci souvent dans un but moralisateur : « pour que l'ouvrier n'aille pas dans ce lieu de perdition qu'est le cabaret [4] », le terrible cabaret évoqué par Zola. Toutefois, cette idée du musée du soir était riche de promesses.

Le palais de Tokyo et le musée national d'Art moderne.

C'est à partir de 1935 que le musée du Luxembourg commença à porter le nom de musée national d'Art moderne (MNAM), selon le souhait de son conservateur en chef Louis Hautecœur [5]. Au même moment la volonté d'innovation et d'agrandissement triompha des difficultés, des habitudes et des réticences. Des expositions temporaires plus fréquentes furent organisées à l'Orangerie des Tuileries, de nouvelles commissions d'achat furent créées, des relations plus suivies furent établies avec la province et l'étranger.

La construction d'un nouveau musée d'Art moderne fut entreprise à l'occasion de l'exposition universelle de 1937. A l'emplacement de la Manutention, la ville de Paris désirait élever un palais des Artistes contemporains. Après accord entre la Ville et l'Etat, il fut décidé de bâtir deux musées jumeaux, chacun consacré à l'Art moderne : l'un pour l'Etat, l'autre pour la Ville.

Un concours, suivant le programme établi par Louis Hautecœur, fut ouvert en septembre 1934 à tous les architectes français. Le 30 novembre 1934, 120 projets groupant 300 architectes furent présentés au jury : le projet de MM. Dondel, Aubert, Viard et Dastugue fut classé premier, malgré l'avis réservé du conservateur en chef du Luxembourg qui obtint toutefois de nombreuses modifications.

La construction du musée subit des retards si bien qu'il ne fut que partiellement ouvert à la date prévue. Lors de l'exposition universelle, le public n'eut accès qu'à la galerie rétrospective de l'Art français. Dix ans furent encore nécessaires pour achever les travaux... La guerre allait multiplier les menaces. Des pressions s'exercèrent en 1942 pour y loger des services administratifs. En 1943, un dépôt de mobilier saisi fut créé dans ses sous-sols.

En 1944, certains pensèrent y établir le service des prisonniers de guerre...

Le renouveau du musée national d'Art moderne. ·

Après avoir réglé les séquelles du passé et, entre autres, vendu les 108 pianos que l'occupant avait entreposés dans les sous-sols du musée, après avoir effectué diverses réparations, le nouveau conservateur, Jean Cassou, énonça dès août 1945 « la nécessité d'établir un plan d'enrichissement et la nécessité de l'établir par tranches d'urgence... Il fallait rapidement compléter les fonds en achetant des Matisse, des Dufy, des Rouault, des Braque, des Léger, des Segonzac... car avant la Seconde Guerre mondiale, les pouvoirs officiels s'étaient désintéressés de l'art contemporain, le public n'y trouvait qu'une occasion de scandales et les chefs-d'œuvre s'en étaient allés hors de France, achetés par les musées et collectionneurs de l'étranger ». Le conservateur en chef du musée, aidé du directeur des musées de France, du directeur général des Arts et Lettres, MM. Georges Salles et Jacques Jaujard, et du conseil des musées, engagea dès la Libération une vigoureuse politique d'acquisition. Lors de l'inauguration officielle du musée, en 1947, il déclarait : « La présentation du musée ne saurait être considérée comme définitive [6]. »

« Un musée d'art vivant est chose vivante et par conséquent mouvante et qui se doit de suivre les variations de la vivante actualité »; pensée d'une grande portée où la notion très riche et pleine d'avenir d'art vivant voyait le jour. Plus tard, en 1954, Jean Cassou développa cette idée : « Un musée d'Art moderne est un musée d'une espèce exceptionnelle : c'est un musée vivant et qui rend compte de la vie. Aussi doit-il non seulement présenter, par ses enrichissements et ses améliorations successives, une image de ce qui est mais encore organiser dans son cadre des expositions temporaires [7]. »

Ces expositions temporaires devaient permettre d'utiliser au mieux le fonds du musée et les réserves; elles offraient l'occasion de panoramas sur l'activité artistique du moment. Elles eurent lieu surtout au Palais du Louvre (pavillon de Marsan).

Les œuvres du musée étaient définies comme étant celles d'artistes dont la date de naissance remonte à moins de cent ans (arrêté du 19 août 1947). Après cent ans, elles étaient envoyées soit au Louvre, soit en province, à l'hôtel de ville ou dans les ambassades.

Pour compléter les collections, Jean Cassou obtint des crédits mais surtout, il encouragea des dons d'artistes ou de leur famille (Picasso, Chagall, Léger, Brancusi, Kupka, Rouault, Braque, Dufy, Kandinsky, Gonzalez, etc.). La création du fonds national d'art contemporain géré par le service de la création artistique, successeur du service des œuvres d'art, permit enfin d'organiser une véritable politique d'achats. Le dynamisme de la « société des amis » du musée d'Art moderne facilita aussi la tâche du conservateur en chef. « Cette intense activité se traduisit de juin 1947 à janvier 1967 par 134 expositions temporaires dont certaines ont eu un retentissement mondial, et durant la même période le nombre de peintures conservées au musée national d'Art moderne passa de 2 744 à 4 387, celui des sculptures de 852 à 1 536, celui des dessins, gouaches, aquarelles et pastels de 1 722 à 3 536 [8]. » Il apparut d'autre part que le musée national d'Art moderne ne répondait pas aux normes de sécurité : « les charpentes et les épis n'étaient pas ignifugés, il manquait des points d'eau, lances à incendies ». « En hiver, à chaque fonte de neige, de nombreuses fuites d'eau se produisaient; en été, le système de réfrigération tombait souvent en panne et pour y pallier on ouvrait les fenêtres et les verrières conçues pour être closes. »

A partir de 1954, selon M. Chatelain, « il y eut une stagnation des moyens d'action qui résultait du manque de personnel : en qualité pour le personnel de direction et de conservation, en quantité pour le gardiennage. Ces raisons, écrit-il, limitèrent l'action des musées au point de vue des expositions de la diffusion des informations, des contacts avec le public [9] ». Ce problème de personnel et de moyens préoccupa beau-

46

coup les conservateurs durant cette décennie. Le projet de confier au grand architecte, Le Corbusier, la conception d'un musée du XXe siècle, musée à croissance illimitée qui serait le support d'une nouvelle politique culturelle apporta un temps des espoirs nouveaux. Il fut hélas brutalement interrompu par la mort prématurée du maître.

Mais un deuxième ordre de préoccupation apparut parallèlement : devait-on limiter le musée au rôle de solliciteur auprès des créateurs et de leur ayant-droits afin d'offrir au public un panorama complet de l'art contemporain? Certains ne s'y résignèrent pas. Aussi apparut un esprit nouveau; il se révéla lors de la création du ministère d'Etat chargé des Affaires culturelles (février 1959) confié à André Malraux.

Il donna à son jeune ministère la mission d'assurer « la plus vaste audience à notre patrimoine culturel et de favoriser la création des œuvres de l'art et de l'esprit qui l'enrichissent [10] ».

Les nouvelles orientations de l'art moderne et contemporain.

L'une des premières mesures prises par le nouveau ministre fut de changer la composition des commissions d'achats pour favoriser l'acquisition d'œuvres de jeunes artistes. Dans un premier temps, « La Direction générale des Arts et des Lettres » dut « s'attacher de plus en plus dorénavant à rechercher et à soutenir, dans toutes ses manifestations le véritable esprit de la création artistique [10]. »

Puis divers projets de création de nouvelles commissions virent le jour grâce à l'initiative de MM. Gaétan Picon, et Anthonioz. Le 8 février 1963, fut constituée la Commission de la création artistique. Une section de celle-ci avait pour tâche de s'occuper des artistes notamment sur le plan de leur assistance sociale puisqu'ils venaient d'obtenir un régime spécial : à cela s'ajoutait un bureau du logement, d'aide aux artistes et de subvention pour la création d'ateliers.

La Commission dut aussi donner son avis sur les

projets d'achats d'œuvres d'art ainsi que sur les projets de décoration des édifices publics (le fameux 1 % [11]).

Le service de la Création artistique disposa grâce à la nomination de conseillers artistiques régionaux de relais en province et son rôle de liaison avec les artistes put s'affirmer. Le processus qui allait amener à la création du Centre national d'Art contemporain (CNAC), était engagé. Il ne suffisait plus d'assurer une politique d'acquisition d'œuvres d'art contemporaines et de diffusion de l'art français à l'étranger. Il importait d'entreprendre également une stimulation du milieu artistique et d'apporter une information sur l'art vivant : tels furent les objectifs principaux du CNAC.

Il s'agissait d'élargir la notion de musée national d'Art moderne en l'ouvrant sur l'art vivant.

Le soin que le musée d'Art moderne devait apporter à la conservation des œuvres ne lui permettait pas, faute notamment de place et de moyens, de remplir le rôle qu'André Malraux souhaitait lui voir jouer : aide à la création artistique, à l'art vivant, promotion des jeunes artistes par des expositions, multiplication des échanges avec l'étranger. Aussi le ministre des Affaires culturelles confia-t-il au service de son département le plus sensibilisé à l'art vivant, le service de la Création artistique, le soin de mettre sur pied une structure souple et légère adaptée à cette mission particulière [12].

Le CNAC se mit tout de suite à l'œuvre.

Il s'attacha à chercher et découvrir les œuvres en formation en gestation. Grâce au retentissement de ses expositions, le CNAC éveilla un courant de sympathie pour l'art vivant et d'avant-garde de la France, des pays scandinaves, des USA et des pays de l'Est.

Quant au musée d'Art moderne, il affirma, sous l'impulsion de son conservateur en chef, M. J. Leymarie, son rôle d'organisateur de grandes et prestigieuses expositions de consécration et de rétrospective.

C'est pourquoi le CNAC apparut de plus en plus au public, conformément à sa vocation, « non pas un musée, un rival du musée national d'Art moderne [13] », mais « un organisme de prospection et d'expérimentation destiné à maintenir et à activer le milieu artistique (créateurs, amateurs, public [13]) ».

Lorsqu'en 1969, Georges Pompidou prenait la décision de créer le Centre du plateau Beaubourg, le musée et le CNAC disposaient chacun d'un domaine d'intervention particulier. Cette répartition des fonctions distinguant l'art moderne et l'art contemporain n'allait pas pour autant sans risques de chevauchements.

Les responsables du musée s'intéressaient de plus en plus à l'art contemporain. Inversement, le CNAC rencontrait des difficultés à se consacrer aux jeunes artistes inconnus et organisait des expositions sur des artistes vivants mais déjà célèbres.

*
* *

Le Centre Georges Pompidou se devait de créer les conditions nécessaires à leur association au sein du département des Arts plastiques dans un bâtiment leur apportant enfin, à l'un comme à l'autre, les moyens de répondre pleinement à leur vocation.

Le Centre est ainsi l'aboutissement d'une longue évolution. Il permet enfin, en un même lieu le rapprochement entre art moderne et art contemporain, entre conservation et création et entre les arts plastiques et d'autres formes de création.

2° LA LECTURE PUBLIQUE : DE LA BIBLIOTHÈQUE ROYALE À LA BIBLIOTHÈQUE PUBLIQUE D'INFORMATION

> « La démocratie ne fait pas seulement pénétrer le goût des lettres dans les classes industrielles, elle introduit l'esprit industriel au sein de la littérature. »
>
> Alexis de TOCQUEVILLE,
> *De la démocratie en Amérique.*

La France a près de cent ans de retard en matière de lecture publique sur un pays comme les Etats-Unis.

Le projet de bibliothèque publique d'information s'inspire des exemples anglo-saxons. Bibliothèque de caractère national, la BPI qui occupe une très grande partie du bâtiment du Centre s'inspire des exemples anglo-saxons et devrait permettre à la France de combler cette grave lacune dans sa politique culturelle. L'histoire de la lecture publique en France est finalement très mince.

La « bibliothèque moderne, ouverte gratuitement à des heures régulières, offrant de vastes galeries de collections de livres encyclopédiques », idée chère à la Renaissance, apparut au XVIIᵉ siècle en Angleterre et en Italie. Il faut attendre le XIXᵉ siècle en France pour que cette idée prenne corps [14].

La naissance des bibliothèques publiques.

Une définition en a été donnée par Gabriel Naudé dès 1627 : « Bibliothèque ouverte à chacun, de facile entrée et fondée dans le but de n'en dénier jamais la communication au moindre des hommes qui pourra en avoir besoin. »

Bibliothèques municipales, universitaires, publiques, spécialisées se développèrent au XIXᵉ siècle lorsque l'Etat et les collectivités publiques prirent le relais des mécènes alors que l'analphabétisme disparaissait et que la production de livres et d'ouvrages augmentait.

Le XXᵉ siècle se devait de recueillir le fruit de cette évolution. De 1900 à 1945, de grands progrès furent faits dans le fonctionnement des bibliothèques et des techniques de bibliothéconomie [15].

En France, les progrès furent lents. Après 1918, sous l'influence des « œuvres américaines de reconstruction » l'établissement du libre accès dans les bibliothèques parisiennes d'arrondissement et la création de bibliothèques d'enfants furent décisifs. Mais la France prenait du retard. Les pouvoirs publics se désintéressaient des bibliothèques. Jules Ferry avait pourtant prodigué des conseils éclairés : « on pourra tout faire pour l'école et le lycée : si l'on n'organise pas de bibliothèques, on n'aura rien fait ».

L'exemple des bibliothèques à l'étranger.

Les bibliothèques pilotes étaient et sont encore le plus souvent anglaises et américaines (Boston, Cleveland, Philadelphie, Baltimore...).

Ainsi la Bibliothèque centrale de Manchester, construite en 1934, disposait d'un espace pouvant servir de salle de théâtre, de spectacle, de concert, de cinéma ou d'exposition.

Ces bibliothèques s'imposaient déjà délibérément comme centre des activités culturelles urbaines et, dès 1919, mettaient l'accent « sur la mission de la bibliothèque en ce qui concerne l'éducation du citoyen et l'instruction des masses [16] ».

Les bibliothèques aux Etats-Unis.

La devise gravée en lettres d'or à la New York Public Library : « For the free use of all the people », illustre parfaitement la politique suivie depuis cent ans par les principales bibliothèques américaines. « A l'exception des bibliothèques universitaires, toutes, même la Library of Congress, même la Beinecke Library, sanctuaire des manuscrits et des livres les plus précieux, sont vraiment ouvertes à tous, sans discrimination d'aucune sorte et sans autre formalité qu'une surveillance exercée dans les salles et à la sortie [17]... »

La construction des bibliothèques se développe rapidement depuis ces quinze dernières années. Les bâtiments ainsi construits ont été le plus souvent conçus par des architectes de très haute réputation comme Mies Van Der Rohe, Skidmore, Philip Johnson, Saarinen, Abramovitz. Il se dégage de cet effort de construction une architecture dont la caractéristique la plus commune est la flexibilité : grands espaces, cloisons mobiles, souci de faciliter l'accès et la circulation du public par de grandes surfaces modulables et permettant d'implanter sur un même niveau plusieurs ensembles de travail auxquels l'usager peut avoir recours en même temps.

Tout est mis en œuvre pour créer une ambiance agréable et confortable, notamment au moyen de halls, de lieux de repos, de fumoirs et de cafeterias [18].

« Le recours à des moyens modernes de présentation de l'information s'affirme de plus en plus : microfilms, diapositives, films, disques. On compte ainsi à Brooklyn 324 000 documents de cette sorte. Il n'en est pas une qui n'ait sa section enfantine. Elles sont des lieux de rencontres pour des parents, des artistes et des éditeurs. C'est d'ailleurs par ce biais que s'est introduite l'animation multiforme que l'on y trouve, selon le lieu, l'heure ou l'occasion, en fonction aussi, bien sûr, de la vocation propre de la bibliothèque; il s'agit de divertissement à but culturel, d'échanges d'idées sur des sujets d'intérêt général ou d'actualité, ou de colloques savants tenus par des spécialistes. Toutes ces activités se trouvent représentées à la New York Library, par exemple. Chaque quinzaine, un périodique... rend compte des séances de discussions, des conférences, des lectures dramatiques, des projections de films et des concerts organisés... la bibliothèque cesse alors d'être seulement un dépôt de livres avec salles de lecture pour apparaître comme un centre de rencontres et d'échanges et de diffusion d'information [19]... »

Les bibliothèques scandinaves.

Comme aux Etats-Unis et en Grande-Bretagne, la lecture publique trouve sa place en Suède et en Finlande au centre même de la cité. Bien plus, elle s'associe encore davantage à d'autres activités culturelles : théâtre, musée, auditorium.

Ainsi la bibliothèque de Göteborg s'élève-t-elle à côté d'une salle de concerts, d'un théâtre et de deux musées.

Un grand nombre de ces établissements construits récemment en Suède ou en Finlande, sont en réalité à des degrés divers, des centres culturels et offrent la possibilité de réunions, d'expositions, de manifestations audiovisuelles, voire de spectacles. On citera pour exemple la bibliothèque de la ville nouvelle de Solna près de Stockholm.

Dans les établissements scandinaves, le maximum de liberté est laissé aux usagers. La surveillance est effectuée au moyen de postes de télévision et une grande place est faite aux enfants. Ceux-ci sont en effet des lecteurs potentiels : il a été démontré que près de 90 % des personnes qui aiment lire ont pris cette habitude avant seize ans.

Selon M. Seguin, il est souhaitable de s'inspirer à l'avenir de l'aménagement le plus réussi, celui de la bibliothèque de la Maison de la Culture de Stockholm qui opère un regroupement presque idéal des différentes surfaces puisque sans nuire à la spécialité de chaque activité, elle évite toute séparation formelle entre elles.

Il est vrai qu'il s'agit là d'une « salle d'actualité » destinée à des visiteurs dont l'origine est très variée et sujette à renouvellement rapide et non d'une bibliothèque à proprement parler. Intéressant également est le jumelage d'une bibliothèque et d'un musée à la Jonkoping Stadsbibliotek où celui-ci bénéficie du public de celle-là. Il semble que dans l'avenir la Finlande doive être imitée pour l'importance qu'elle accorde aux halls d'accueil, encore que se pose alors le problème de l'animation de ces espaces, charge souvent lourde et qui ne paraît pouvoir être menée à bien que dans le cadre d'un centre culturel intégré comme le Centre Georges Pompidou où la bibliothèque pourra apporter à son public des manifestations pour l'organisation desquelles le concours des autres activités sera indispensable.

Le retard de la France.

En 1970, alors que l'Anglais empruntait en moyenne 10 livres par an, le Danois 7, l'Américain 5,4, le Soviétique 4,5, le Français se contentait de 0,75 livre!

Du point de vue des bibliothèques, les chiffres sont tout aussi significatifs : 4,5 % seulement des Français sont inscrits à une bibliothèque municipale, ce pourcentage atteint 20 % au Royaume Uni et en URSS,

53

au Danemark 30 %. D'autre part, les dépenses consacrées aux bibliothèques en France ne sont que de 2,6 francs par an et par habitant, au Danemark 37 francs, aux USA 18 francs, au Canada 14,95 francs. Bien plus, parmi les Français de plus de quinze ans, 57 % ne lisent pas; 18 % lisent mais n'achètent pas de livres; 13 % en achètent et en lisent régulièrement et 12 % en achètent sans lire...

Cette situation est grave et explique le retard de la France en matière de lecture publique. A moins qu'elle n'en soit la conséquence...

Tout au long du XIX⁰ siècle, les bibliothèques gardèrent souvent le caractère, selon l'expression de Paule Salvan, d'un « conservatoire de livres anciens et de publications érudites locales ». Les initiatives des municipalités ne débouchèrent pas vraiment sur un développement de la lecture publique.

Quant aux bibliothécaires, ils étaient réticents à l'égard du libre accès au livre par crainte des dommages et des vols. Le temps d'ouverture des bibliothèques était réduit. L'animation faisait défaut. Toutefois la vigoureuse politique engagée depuis la Libération a permis à la France de combler une partie du retard accumulé et d'occuper aujourd'hui un rang honorable.

A partir de 1945, fut développée la création de bibliothèques centrales de prêt et de bibliobus, moyens de suppléer à l'insuffisance des fonds, mais aussi d'amplifier la consultation et la diffusion.

Malgré cette politique, en 1969, 55 % de la population française, Paris et département d'Outre-Mer exclus, n'étaient desservi par aucune bibliothèque; 52 villes de plus de 15 000 habitants sur 439 n'avaient pas encore de bibliothèques municipales. Ces dernières ne pouvaient acquérir plus de 5,13 volumes pour 100 habitants par an.

Parallèlement à l'extension des bibliothèques centrales de prêt, un souci plus grand des besoins du lecteur apparut. Témoigne de cette évolution, la parution d'études psycho-sociologiques sur « les lecteurs réels et virtuels » et de monographies sur la lecture en région rurale [20].

A partir de 1960 le mouvement s'accéléra et se

concrétisa sous de multiples formes; en 1965, fut ouverte la bibliothèque enfantine pilote de Clamart, en 1966 la discothèque de France. En 1966, à l'instigation de Georges Pompidou, fut créé un Comité interministériel pour favoriser la lecture publique en France.

De nombreuses bibliothèques universitaires virent le jour (à Rennes, à Toulouse...). Le budget de la direction des bibliothèques et de la lecture publique fut accru.

En 1969-1970 des bibliothèques municipales modernes furent construites à Levallois-Perret, Sarcelles, Vincennes, Lyon. En 1970 fut ouverte la bibliothèque de Passy, bibliothèque publique novatrice et centre de formation des bibliothécaires.

De la bibliothèque des Halles (1967) à la bibliothèque publique d'information (1972).

Le problème de la lecture publique se posait avec acuité à Paris où « il n'existait pas de grande bibliothèque publique accessible à tous dans des conditions normales [21] ».

La Bibliothèque nationale, qui n'est pas publique, reçoit plus de lecteurs qu'elle n'en peut accueillir, près de 1 000 chaque jour au département des imprimés pour 380 places [21]. Son rôle principal est d'assurer la conservation du patrimoine écrit [22].

Dès 1868, un projet tendant à créer une grande bibliothèque publique ouverte à tous au centre de Paris fut esquissé. Il fallut attendre... 1963-1965 et la décision de transférer le marché des Halles de Paris à Rungis, pour que ce projet prenne corps.

Le 11 décembre 1967, le programme des surfaces de la bibliothèque des Halles fut approuvé par le ministère de l'Education nationale et le 24 octobre 1968 son emplacement fut fixé au plateau Beaubourg par la « délibération Capitant [23] ». Le nouveau projet intégrait les perfectionnements et innovations des pays étrangers : importance de la section enfantine et de la salle d'actualité selon l'exemple des pays scandinaves, flexibilité des espaces, accès direct et aisé, liaison avec d'autres activités culturelles.

Une bibliothèque publique d'information moderne se doit d'être au cœur de l'actualité. C'est pourquoi la BPI réservera une large place aux périodiques, témoins les plus actuels du monde ainsi qu'à toutes les manifestations du présent : conférences, cinémathèque, recherche musicale, création artistique, contacts avec les artistes, les musiciens, les designers. Elle comblera l'une des lacunes les plus graves de la politique culturelle française.

La première et l'une des meilleures réalisations de l'architecture moderne avait été la Bibliothèque Sainte-Geneviève construite au XIXe siècle par le talentueux et jeune architecte Henri Labrouste. La nouvelle bibliothèque s'insère à son tour dans une architecture de conception révolutionnaire et fonctionnelle. Depuis 1968, par son programme même, elle était prête à prendre place dans un complexe culturel plus vaste. Dans ce lieu de rencontre et de culture que sera le Centre Georges Pompidou, elle sera ouverte à tous, douze heures par jour pour la consultation sur place. Axée sur l'actualité, elle distribuera généreusement une information dans tous les domaines de la connaissance grâce à un million de documents français et étrangers, dont 4 000 périodiques vivants.

Le fonds documentaire sera orienté sur l'actualité ou sur des éditions récentes de livres anciens. Le public pourra y consulter des revues récentes, des journaux, les derniers disques, etc. Un service iconographique important comportera 300 000 diapositives pouvant être consultées sur place. Le public pourra reproduire des documents. L'informatique permettra progressivement une consultation automatique du fonds documentaire. Cette bibliothèque d'un type nouveau ne s'adressera pas aux seuls étudiants, mais à toutes les couches de la population. Ainsi le Centre, par sa bibliothèque, assume l'héritage d'une tradition encore jeune mais déjà illustre des pionniers de la lecture et de la culture pour tous. Il prend par là une dimension dans le monde de la création littéraire et atteste qu'elle est de moins en moins dissociable des autres arts.

3° LA CRÉATION ESTHÉTIQUE INDUSTRIELLE :
DE L'UNION CENTRALE DES ARTS DÉCORATIFS (UCAD)
AU CENTRE DE CRÉATION INDUSTRIELLE (C.C.I)
OU DES ARTS DÉCORATIFS AU « DESIGN »

> « Cinquante millions de Français vivent sur l'esthétique du passé dans le faux Louis XV, le faux Empire, le faux folklore des appartements bourrés de laideurs accumulées par des siècles d'exploitation et d'imposition culturelle.
>
> La France, jadis maîtresse des arts, n'est plus qu'une masse de formes imposées par la nécessité de la vie : H.L.M. du pauvre ou du riche. Il n'existe plus de relation véritable, d'estime réciproque, de dialogue enrichissant entre l'environnement et la population. »

> Georges PATRIX,
> *Design et environnement*, 1973.

Comme le département des Arts plastiques, le Centre de Création Industrielle est l'aboutissement d'une longue évolution. Il est aussi le résultat d'une prise de conscience conduisant à envisager la création industrielle contemporaine sur le plan économique, social et esthétique, ces trois termes étant indissociables.

Le CCI est l'héritier de l'Union centrale des Beaux-Arts appliqués à l'industrie, de la Société du Musée des Arts décoratifs, puis de l'Union centrale des Arts décoratifs. Son histoire est significative à bien des égards, rythmée qu'elle est par les métamorphoses successives de la notion d'arts décoratifs.

De l'Union centrale des Beaux-Arts (1864) à l'Union centrale des Arts décoratifs (1880).

La création de l'Union centrale des Beaux-Arts en décembre 1863 constitue la première manifestation d'ampleur en faveur des arts décoratifs. Les circonstances de cette naissance sont assez troubles et le chauvinisme n'en est pas exempt. Prosper Mérimée écrivait en 1862 :

57

« L'avance que nous avions prise a diminué, elle tend même à s'effacer. Malgré les succès obtenus par nos fabriquants, c'est un devoir pour nous, de nous rappeler qu'une défaite est possible, si, dès à présent, on ne faisait des efforts pour conserver une suprématie qu'on ne garde qu'à condition de se perfectionner sans cesse. »

Il fallait agir. Et Félix Aubry, dans son rapport de 1862, proposait les grandes lignes d'une politique esquissant le rôle de l'Union centrale des Beaux-Arts :

« Quels sont les moyens de soutenir la lutte qui commence?... Il y a, à Paris, un Conservatoire des Arts et Métiers, un Conservatoire de Musique et de Déclamation. Pourquoi n'y aurait-il pas un Conservatoire, Musée d'Art et de Dessin appliqué à l'industrie. Des écoles de dessin existent certainement dans nos grandes villes, mais combien de centres manufacturiers privés [24]! »

La nouvelle société créée en 1863 avait des buts nettement mercantiles, mais n'était pas indifférente à des considérations esthétiques. Telles étaient les directives de l'empereur Napoléon III du 25 janvier 1863 : « entretenir en France la culture des arts qui poursuivent la réalisation du beau dans l'utile...; exciter l'émulation des artistes dans leurs travaux, tout en vulgarisant le sentiment du beau et en améliorant le goût du public, tendant à conserver à nos industries d'art dans le monde entier, leur vieille et juste prééminence aujourd'hui menacée...; stimuler chez les individus une spontanéité énergique pour tout ce qui est beau et utile. Telle est votre tâche. »

L'Union centrale s'installa dans le quartier du Marais, place des Vosges, et créa une bibliothèque d'art ancien et moderne. Elle organisa des cours spéciaux, des conférences, des expositions et des concours de dessin.

Grâce au patronage d'hommes éminents, à l'aide d'artistes et d'industriels, ses expositions connurent un grand succès.

En 1872, l'Union centrale des Beaux-Arts se constitua en société anonyme à capital variable.

En 1877, l'engouement du public pour les arts décoratifs amena la constitution d'une nouvelle association : la Société du Musée des Arts décoratifs. Présidée par le duc de Chaulnes, elle réunissait des collectionneurs, des artistes, des industriels dont certains étaient membres de l'Union centrale des Beaux-Arts. Grâce à de nombreux dons, un premier embryon de fonds fut réuni en quatre ans, et exposé au Palais de l'Industrie.

L'existence de deux sociétés parut rapidement contradictoire : elle interdisait une politique globale et fractionnait les moyens, alors que bien souvent, des deux côtés siégeaient les mêmes personnes. La fusion s'opéra en 1880 sous le nom de l'Union centrale des Arts décoratifs dont Antonin Proust, ancien ministre des Arts fut le premier président.

Durant cette fin du XIXᵉ siècle, l'UCAD joua un rôle prépondérant auprès de l'industrie et de l'artisanat français. C'est en son sein que furent élaborés de nombreux et importants projets que le gouvernement et les administrations reprirent à leur compte.

Le 12 novembre 1897, l'UCAD déplaça ses collections du Palais de l'Industrie qui allait être démoli, au Pavillon de Marsan.

L'inauguration eut lieu le 27 mai 1905 en présence du président de la République, Emile Loubet.

Le triomphe de l' « art déco ».

L'UCAD disposa rapidement d'une très large audience : industriels, artistes, collectionneurs, amateurs, mais aussi hommes d'Etat, ministres s'adressaient à elle. Elle était non seulement influente, mais aussi prospère : le monde du commerce, de l'industrie et de l'art la soutenait et lui procurait de grandes ressources qu'elle gérait avec soin. En même temps, grâce à d'innombrables donateurs, le musée et la bibliothèque s'enrichissaient. Mais l'UCAD ne sut pas éviter une certaine facilité ni un certain académisme. Certains n'hésitèrent pas à critiquer son action : « Depuis sa fondation, l'Union centrale n'a eu qu'une préoccupation : étouffer toute flamme, arrêter tout essor. » Les jugements alors portés à son encontre ne sont pas sans rappeler des propos que l'on entend couramment aujourd'hui : « Les musées modernes ne sont que les Hôtels des Invalides de l'Art... Pour créer, il faut être dans le mouvement et la vie, c'est-à-dire au centre de tout ce qui vibre. » Et déjà : « Pas plus chez nous qu'en Grèce, je n'entrevois à ces époques (celle de Périclès et celle des cathédrales) de création de musées; pour déterminer le besoin d'édifier nos belles cathédrales, il n'y avait non plus d'écoles d'Etat [25]... » Fort heureusement, l'UCAD participa à l'Exposition de 1900 et fut l'organisatrice de l'Exposition internationale des Arts décoratifs de 1925. De 1900 à 1929, elle dut se pencher sur la production artistique contemporaine et renouer des contacts avec les créateurs du jour comme MM. Guimard, Gaillard, Majorelle, Ruhlmann, Rateau, Laligue, Vever, Gallé, Marinot, Decœur, Chaplet et même Gauguin. Ces créateurs étaient nombreux à une époque où fleurissait le « style décoratif ». Ce fut une révélation. L'UCAD redécouvrit sa mission : rechercher le Beau dans l'Utile. Le couple art-industrie allait prendre le relais du couple art-artisanat.

L'Union œuvra dans cette voie durant toute une génération : la génération arts-déco.

Pour retrouver la flamme créatrice des années « modern style », que le temps avait peu à peu éteinte, l'UCAD créa en 1935 l'Ecole Nissim de Camondo afin d'assurer les liaisons nécessaires entre l'art et l'industrie. Mais, au dire même de son président, M. Claudius Petit, « il faudra attendre le début des années 1960 pour qu'elle s'oriente dans un sens nouveau en tenant compte des nouvelles techniques du point de vue décoration, télévision, publicité, édition... ».

Jusqu'à cette date et malgré de nombreuses difficultés l'UCAD se préoccupa de compléter sa bibliothèque et son musée pour en faire de précieux instruments de référence. Son musée couvrit bientôt toutes les époques depuis le Moyen Age pour la France, mais aussi pour l'étranger : Allemagne, Angleterre, Belgique, Espagne, Hollande, Italie, Portugal... Extrême-Orient, ainsi que le monde musulman.

L'ouverture à la création industrielle.

L'effort entrepris pour la constitution de collections semblait avoir absorbé toute l'énergie de l'Union. La création et l'esthétique industrielle en avaient quelque peu souffert. Or, au lendemain de la Seconde Guerre mondiale, apparut et se développa bientôt la notion de « Centre de design [26] ».

La plupart des pays industrialisés, l'Allemagne, l'Australie, la Belgique, le Japon, les Pays-Bas... et surtout l'Angleterre furent bientôt dotés de tels centres de création. En France, rien, faute de volonté politique ou de financements.

D'une manière générale, ces centres de design sélectionnent et présentent des produits industriels en fonction de leurs qualités esthétiques, de leur intérêt économique ou de leurs caractéristiques ergonomiques.

Ces établissements comportaient le plus souvent une galerie permanente mise à jour au gré de la production et des salles pour les expositions temporaires concernant un thème d'actualité. Mais ni l'insertion de ces produits dans la société ni les problèmes généraux posés par l'évolution de l'environnement n'étaient pris en compte par eux.

En effet, leur finalité était principalement économique. Aux lendemains de la guerre, il convenait d'inciter les entreprises à promouvoir une politique d'expansion, sur les marchés étrangers notamment. Ces centres étaient l'une des composantes de cette politique. D'ailleurs, le concours financier de l'Etat provenait, dans la plupart des cas, des ministères chargés du développement économique et du commerce extérieur. Les pouvoirs publics français ne s'intéressèrent à cette idée que récemment. Certes, des initiatives privées avaient conduit à la création d'un Institut de la Création esthétique industrielle dont l'impact réel resta limité. Mais le ministère de l'Industrie devait attendre les années 70 pour créer le Conseil supérieur de la création esthétique industrielle. Les responsables de l'UCAD furent parmi les premiers à avoir favorisé cette prise de conscience. En particulier, François Mathey, le conservateur en chef du Musée des Arts décoratifs, s'interrogeait lucidement :

« Les objectifs généraux que se proposait l'UCAD dès sa formation ont-ils été atteints? Et s'ils ne le furent qu'imparfaitement, on peut se demander si la Société a su se situer exactement dans le développement de l'art contemporain, s'imaginant qu'elle pouvait être elle-même un but, alors qu'elle n'est qu'un instrument... Et il est significatif que pas un seul des protagonistes de l'art vivant n'ait été associé à une entreprise qui devait unir, centraliser [27]. »

Il rappelait que « les intentions de nos fondateurs n'étaient pas de constituer un musée d'histoire ou d'archéologie, mais bien au contraire, en principe, de l'entraîner dans le sillage de la vie contemporaine. La meilleure méthode pour y parvenir consiste à envisager le musée avec une optique actuelle, qu'il devienne le musée du goût contemporain... En prenant fermement position en faveur des créateurs, j'entends par là ceux qui inventent et qui ne se satisfont pas d'être à la page ou de mettre des normes traditionnelles au goût du jour, on fera le minimum d'erreurs. J'admets volontiers que cet aspect expérimental suppose une marge d'insécurité et quelques échecs. Il n'en va pas autrement dans un laboratoire... »

François Mathey, qui était par ailleurs l'un des promoteurs de l'art contemporain, tout comme François Barré son adjoint, était convaincu de la nécessité de créer un Centre de Design français afin de « promouvoir la connaissance et le développement d'une production industrielle témoignant d'une recherche structurelle et formelle cohérente ».

La création au cours de 1969 du Centre de Création industrielle par l'UCAD fut l'aboutissement de cette réflexion et de ces efforts. Il s'agissait, comme le dit François Barré, « de mieux faire saisir au grand public, la vocation culturelle, au sens le plus large du design [28] ». Mais la mission du CCI dépassait de très loin celle des « Design Center » existants : le nouvel organisme entendait répondre à une *conception globale du design*. Celle-ci embrassait toutes les disciplines participant à la création de notre environnement, au sens anglo-saxon du mot « design » : urbanisme, architecture, produits (design de produits et non esthétique industrielle), communications visuelles; elle concernait toutes les productions françaises et étrangères dès lors qu'elles figurent sur le marché français. Par des expositions de produits sélectionnés, il s'ouvrirait aux préoccupations du grand public.

Dépendant de l'UCAD, le CCI s'installa au Pavillon de Marsan[29]. Il y disposa d'une galerie permanente et de galeries d'expositions temporaires. Il constitua une documentation accessible au public sur des produits qu'il sélectionnait. Parallèlement, il noua des contacts avec les professionnels, les créateurs, les fabricants près desquels il jouait un rôle de conseiller et d'intermédiaire. L'initiative prise par l'UCAD allait être suivie par le ministère du Développement industriel et scientifique qui créa le 28 mai 1971 le Conseil supérieur de la Création esthétique industrielle. Ce Conseil avait « pour mission générale de proposer aux Pouvoirs publics les éléments d'une politique d'amélioration des qualités plastiques de produits de l'industrie. A cet effet, il étudie les méthodes et les moyens les plus propres à favoriser une meilleure adaptation des formes tant aux matériaux et aux techniques de fabrication qu'aux fonctions et aux usages, en vue d'accroître à la fois la satisfaction des utilisateurs et le caractère compétitif des produits sur les marchés intérieurs et extérieurs[30]. »

D'autre part, « il suggère, en matière de création esthétique industrielle, toutes les mesures susceptibles de développer la recherche et l'innovation, la concertation entre les représentants des différentes disciplines intéressées, la formation professionnelle et l'information des cadres et du personnel des entreprises[30] ». La création de ce conseil due en grande partie à l'action de M. Ortoli et de M. Claudius Petit, traduisait un esprit nouveau.

La création du Centre Georges Pompidou allait fournir l'occasion à ces initiatives de se développer. Dès 1969, il fut prévu d'inclure le CCI dans les activités du Centre où il trouverait un lieu et un climat particulièrement favorables.

Les missions du CCI allaient se préciser :

« L'homme dans ses enracinements spirituels, éthiques, sociologiques, historiques, politiques influence dans

*une certaine mesure l'urbanisme, l'architecture et l'habi-
tat contemporains. Réciproquement, nos comportements
sont souvent déterminés par notre environnement. Et
les objets produits industriellement ne sont jamais neutres
idéologiquement et culturellement... Pour le Centre de
Création industrielle, contrairement à la tendance de
beaucoup de professionnels tentés par leur spécialisation, aucune des disciplines qui se rattachent d'ordinaire
à notre environnement ne peut-être autonome par
rapport aux autres. Des synthèses s'imposent dans la
perception de notre espace social. Les objets, les signes
et les paysages quotidiens font partie de notre mode de
production industrielle. L'usager et l'usage des choses
interfèrent. Nous le répétons, la culture n'est pas simple
conservation d'un savoir, elle est créatrice, témoin du
futur* [31]. »*

L'UCAD accepta volontiers de transférer dès le
1ᵉʳ janvier 1974 le CCI au Centre Georges Pompidou
dont il devint un département original.

En quelques années le CCI allait se transformer consi-
dérablement jusqu'à devenir un organisme regroupant
près d'une centaine de personnes. Cette évolution rapide
n'est pas achevée. En 1975, le ministre de l'Industrie
mit un terme au fonctionnement du Conseil supérieur
et M. Valéry Giscard d'Estaing demanda au secrétaire
d'Etat à la Culture de promouvoir un certain nombre
d'actions de création industrielle auprès des administrations et collectivités publiques.

Il est encore trop tôt aujourd'hui pour apprécier les
conséquences d'une décision qui peut être riche d'avenir.
Si par sa taille, le CCI n'est pas le plus important des
utilisateurs du Centre, il englobe par vocation un grand
nombre d'activités qui donnent à Beaubourg des prolongements dans la vie quotidienne.

4° MUSIQUE ET CRÉATION ACOUSTIQUE :
NAISSANCE DE L'INSTITUT DE RECHERCHE
ET DE COORDINATION ACOUSTIQUE — MUSIQUE (IRCAM)

En 1965, les 15 millions de disques de 33 tours, les 32 millions de 45 tours, soit près de 47 millions de disques vendus, les 20 millions d'appareils de radio, les 10 millions de récepteurs de télévision en fonctionnement pouvaient laisser penser que l'activité musicale se portait bien en France. De plus, le développement attendu des enregistrements magnétiques et magnétoscopiques ouvrait des horizons illimités.

Pourtant à la même époque, les signes d'une crise se faisaient jour : « crise qui fut plusieurs fois dénoncée dans ses manifestations les plus évidentes, qu'il s'agisse de la raréfaction du public dans les concerts, de la prolifération envahissante des œuvrettes de variétés ou du succès très relatif de nos jeunes virtuoses dans les compétitions internationales [32] ».

La crise était profonde. Si la célèbre sentence de Jean-Jacques Rousseau, « les Français n'ont point de musique et n'en peuvent avoir ou si jamais ils en ont une, ce sera tant pis pour eux », est excessive, il n'en est pas moins vrai que les rapports entre les Français et la musique sont pour le moins inconstants. Or, l'enseignement musical semble bien être pour une large part responsable de cette situation. L'enseignement et la diffusion de la musique en France sont très insuffisants surtout si on les compare à ce qu'ils sont en Allemagne.

Dès lors, l'hypercentralisation des activités musicales à Paris, la pléthore des concerts aboutissaient à une sorte d'asphyxie de la province.

« La littérature traitant de la musique était squelettique et, à part les spécialistes et les musiciens, peu de Français connaissaient les plus grandes richesses de notre patrimoine musical, Guillaume de Machaut au XIIIᵉ siècle, Janequin, Costeley, Josquin des Prés, Man-

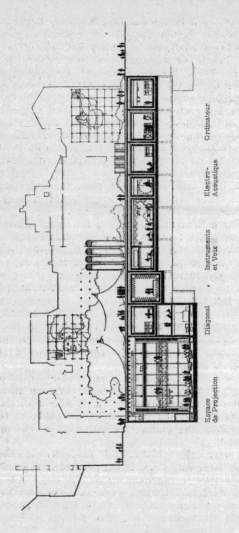

Ordinateur

Electro-
Acoustique

Instruments
et Voix

Diagonal

Espace
de Projection

L'IRCAM : vue en coupe.

duit, Dufay à la Renaissance, Rameau, Berlioz... Bien plus, aucune édition complète ne pouvait rivaliser avec la Bachsgellschaft, ou la Musica Britannica [33]. »

La France ne possédait que trois chaires de musicologie : Paris, Strasbourg, Poitiers. En Allemagne, il y en avait 64, autant que d'universités. A la même époque, l'importante Société des concerts de Paris menaçait de fermer ses portes aux compositeurs et aux musiciens français : faiblesse des moyens des sociétés symphoniques, manque de public, stagnation des subventions gouvernementales; musiciens et administrateurs s'accordaient à prôner une réorganisation des structures musicales [34].

Pourtant simultanément, brillante était la recherche musicale française, notamment au sein de la jeune école dodécaphonique, dont le chef de file était Pierre Boulez.

Mais les Pouvoirs publics et le monde officiel de la musique feignaient d'ignorer ce mouvement. « Pour lutter contre la carence des Pouvoirs publics et privés sur le plan de la musique vivante » Pierre Boulez créa en octobre 1954, le Domaine Musical.

L'amical soutien de Madeleine Renaud et de Jean-Louis Barrault permit à la nouvelle organisation de produire des manifestations musicales au théâtre Marigny, puis à l'Odéon-Théâtre de France. Les concerts donnés par le Domaine Musical quelque critiqués ou méprisés qu'ils aient été, ont joué un rôle important d'information et de diffusion.

Les œuvres de grands musiciens contemporains jusquelà négligés Schönberg, Berg, Varese, Webern, Stravinski, furent ainsi enfin présentées au public français. Ceci contribua à modeler la sensibilité du public et favorisa la naissance d'un courant de sympathie pour la musique vivante [35].

La recherche et l'activité musicales semblent se tourner alors vers d'autres domaines. Mais la proposition faite en 1960 par Yannis Xénakis de créer à la Radio Télévision française une recherche fondamentale visant l'analyse et la synthèse des sons ainsi que la composition à l'aide d'ordinateur, n'avait pas eu de suite.

La tentative paraissait prématurée [36].

Il fallait pourtant développer et compléter le mouvement favorable à une nouvelle manière d'envisager la création musicale.

A la même époque, les milieux officiels s'ouvrirent peu à peu à ces initiatives.

Pour éveiller l'opinion, insuffler une vigueur nouvelle à la création musicale, la présence de Pierre Boulez semblait être un catalyseur nécessaire [37].

Dès 1971, le principe de son retour à Paris dans le cadre de la réalisation du Centre Pompidou fut arrêté au plus haut niveau des autorités de l'Etat.

En 1972-1973 naquit l'Institut de Recherche et de Coordination Acoustique Musique (IRCAM). Comme le déclarait M. Bordaz, président de l'Etablissement public du Centre Beaubourg : « Grâce à Pierre Boulez, l'IRCAM défendra une conception de la musique qui ne cherchera pas à rejeter le passé, qui s'efforcera de prendre conscience des transformations incroyables du monde actuel pour les exprimer dans ce monde privilégié... Quelle chance plus grande aurions-nous de découvrir cette expression neuve puisque c'est Pierre Boulez qui la tente, et avec tous les moyens d'expérimentation connus [38]. »

Très rapidement Pierre Boulez se mit à l'œuvre. Les résultats ne se firent pas attendre. Dès 1973, Maurice Fleuret écrivait :

« *Voilà tout à coup que (Pierre Boulez) rassemble les forces divergentes, dispersées, éparpillées aux quatre coins de l'avant-garde, qu'il abolit de sa seule présence de vieilles rancunes, des rivalités tenaces et qu'on le voit constituer peu à peu un véritable front commun de l'aventure avec les grands artistes : Vinko Globokar, Luciano Berio, Diego Masson, Yannis Xénakis* [39]. »

Les missions de l'IRCAM sont ambitieuses. Il ne s'agit plus :

« *d'organiser la musique à partir de circuits sclérosés et vieillis mais conformément aux souhaits de Pierre Boulez il faut s'appuyer sur des organismes plus généraux comprenant aussi bien des organisations théâtrales, des expositions de peintures que des concerts..., c'est-à-*

dire que l'on touchera un public jeune renouvelé dans son aspect social comme dans ses aspirations esthétiques ».

En cela son insertion dans le Centre Georges Pompidou prend tout son sens.

« L'IRCAM a aussi pour mission de contribuer à la rénovation des études générales et spécifiques en musique, y compris la composition musicale, car cette rénovation est nécessaire pour assimiler et utiliser les nouvelles idées et conceptions que les mathématiques et les sciences peuvent fournir à l'éducation et à la créativité en musique. »

Mais au-delà, l'IRCAM a une large mission de coordination des initiatives touchant à l'activité musicale [40].

Cette fédération d'amitiés, association d'énergie, idée chère à Pierre Boulez, idée que l'on retrouve à la base de la création du Domaine Musical, ne pouvait trouver un terrain plus propice et plus fertile que sur le plateau Saint-Merri, dans « ce petit Beaubourg ».

En 1977, l'IRCAM, dans un bâtiment enterré, aux parois de verre, offrira aux créateurs, aux scientifiques et au grand public, un champ nouveau de l'activité musicale rendu accessible, grâce à une conception renouvelée de la création et la présence d'une pléiade de grands artistes : Vinko Globokar, Luciano Berio, Yannis Xénakis, Pierre Boulez.

*
* *

Ainsi, qu'il s'agisse des arts plastiques, de la lecture publique, de la création industrielle ou de la musique, Beaubourg apparaît, à l'évidence, comme le catalyseur d'énergies multiples déjà accumulées ou prêtes à s'investir dans ce projet sans précédent.

Aujourd'hui que le tronc de l'arbre apparaît avec toute sa vie et toute sa force, il est remarquable d'en découvrir les racines qui contiennent, chacune avec son originalité, les germes de ce que devait devenir le programme de l'opération. Des sympathies, des convergences souterraines se révèlent en pleine lumière.

La réflexion déjà ancienne sur les missions du Musée d'Art moderne de demain, sur son ouverture à l'art contemporain trouve dans le Centre un aboutissement complet.

Dès son programme de 1968, la politique de la lecture publique en France appelait de ses vœux l'insertion d'une vaste bibliothèque publique d'information dans un centre culturel polyvalent à l'instar de certains pays étrangers.

De même le CCI éprouvait-il déjà au sein de l'UCAD le besoin de s'ouvrir au monde et aux exigences de la création dans une société industrielle.

Enfin, il manquait en matière musicale une orientation, un homme et des moyens qui permettraient dans un contexte d'active création artistique, le développement de la richesse musicale en France et au-delà.

Beaubourg qui puise sa force des aspirations de ses différentes racines, peut affirmer sa personnalité et définir les voies de son avenir.

Beaubourg n'est pas seulement la conjonction d'activités complémentaires. Leur rassemblement est aussi leur dépassement.

Cet « être nouveau » qu'il doit faire naître éprouverait des difficultés à vivre s'il ne reposait également sur la somme d'expériences et d'activités culturelles intégrées, françaises ou étrangères. Celles-ci ont essaimé depuis quelques années pour faire face aux besoins nouveaux d'un public et d'une société qui appellent de leurs vœux, à travers ces initiatives, une *nouvelle politique culturelle,* mais qui parce qu'elle veut être concrète, proche de la vie, est avant tout une *nouvelle pratique culturelle.*

NOTES

1. Certains s'extasiaient : « cet établissement nouveau n'est pas moins intéressant pour le public qu'il est avantageux pour les peintres français » (*Le Moniteur Universel,* 22 mai 1818). Néanmoins au cours des années 1817, 1818, on se demanda :

« s'il était dans l'intérêt des arts de réunir dans une seule exposition les ouvrages des artistes vivants ou si ce projet leur était nuisible... »

(Mes visites au Musée Royal du Luxembourg, coup d'œil critique de la Galerie des peintres vivants » — Gustave J. — Paris, Ladvocat.)

2. A la fin du XIXe siècle, son conservateur, Léonce Bénédite, écrivait : « La France disons-nous est à peu près le seul pays où l'art contemporain n'ait pas une demeure particulière et c'est en France cependant que l'art contemporain porte au front l'auréole la plus brillante. Ne faudrait-il pas une maison digne des œuvres qu'il a enfantées et enfante tous les jours, digne aussi de la ville de Paris où il attire tant d'étrangers, digne enfin de la France dont les Beaux-Arts sont une force en même temps qu'une gloire. »

3. Cf. plaquette de M.-J. Geffroy, *le Musée du soir*, s. d. (1890-1895).

4. Cf. *Le Taudis*, revue de la ligue nationale contre le taudis. (s. d.)

5. Et cela malgré Georges Huisman, directeur des musées nationaux qui trouvait cette dénomination trop extensive. Elle pouvait s'appliquer aux œuvres du XVIIe et XVIIIe siècle. Il lui aurait préféré l'appellation de « Musée national des Arts contemporains ».

6. *Le musée national d'Art moderne*, par Jean Cassou (Editions des musées nationaux), 1947.

7. Cf. brochure du musée national d'Art moderne, préface de Jean Cassou, 1954.

8. *Les musées d'Art de Paris*, Guide artistique Somogy par Raymond Cogniat et Jacques Hillairet.

9. Cf. rapport sur les musées nationaux.

10. Décret du 24 juillet 1959 (n° 59.889).

11. Il s'agit d'une procédure permettant à des artistes de participer à la décoration des bâtiments scolaires et universitaires à concurrence d'un budget égal à 1 % du coût de la construction de ces bâtiments.

12. C'est sous le quatrième gouvernement de Georges Pompidou, par un arrêté d'André Malraux du 23 octobre 1967, que fut créé le centre national d'Art contemporain : il devait fonctionner comme un service extérieur du Service de la Création artistique, qui lui fournissait personnel, matériel et locaux (l'hôtel de la rue Berryer). Il devait animer « les recherches en matière de création graphique et plastique et constituer à cet effet une documentation ». Il avait « aussi pour mission d'acquérir et de commander pour le compte de l'Etat les œuvres d'artistes vivants, de gérer et d'utiliser les œuvres ainsi acquises et d'organiser des expositions et des manifestations concernant l'art contemporain ».

13. *Lettres françaises* du 12-18 novembre 1969. Catherine Millet.

14. En France, François Ier créa en 1537, le Dépôt légal des livres. Mais le nombre des usagers, rapportent André Masson et Paule Salvan était encore restreint aux XVIIe et XVIIIe siècles. En

vertu d'un arrêt de 1720, la Bibliothèque du Roi qui venait de s'installer à l'emplacement actuel de la Bibliothèque nationale, était « ouverte à tous les savants de toutes les nations, en tout temps aux jours et heures qui seront réglés par le bibliothécaire de sa Majesté. Il sera préparé des endroits convenables pour y recevoir lesdits savants et les mettre en état d'y vaquer à leurs études et recherches avec toute commodité. Outre lesdites entrées accordées aux savants, la Bibliothèque sera ouverte au public une fois par semaine depuis onze heures du matin jusqu'à une heure de l'après-midi ». Les bibliothèques ne sont alors que des instruments de conservation et de recherche.

15. Science qui a pour objet l'étude des bibliothèques, de leur fonctionnement et de leur rôle.

16. André Masson et Paule Salvan — auparavant cités.

17. M. J.-P. Seguin, Conservateur en chef de la BPI du Centre Georges Pompidou — rapport de voyage d'études aux Etats-Unis (octobre 1969).

18. Les plus récents de ces établissements offrent chacun, aux fins d'information et de culture, un fonds limité à deux millions de volumes : cette limitation en facilite l'accès direct du public et en évite le vieillissement en obligeant la bibliothèque à reverser à une autre institution les ouvrages les plus anciens.

Dans ce chiffre, se trouve compris un grand nombre d'ouvrages offerts en plusieurs exemplaires au lecteur. Si le libre accès au livre est encouragé, il ne peut concerner que la moitié ou le tiers des collections. Devenant des centres d'information et de formation, les bibliothèques disposent de photocopieuses perfectionnées. Elles tendent à jouer le rôle de notre service SVP.

19. Cf. rapport de voyage d'études, M. Seguin.

20. MM. Escarpit et Hassenforder.

21. Rapport pour la bibliothèque des Halles (première dénomination de la bibliothèque publique d'information du Centre Georges Pompidou).

22. Bénéficiaire du dépôt légal et de nombreux dons français et étrangers, elle renferme 6 millions d'imprimés, de nombreux manuscrits et des livres précieux, ainsi que 800 000 cartes, 6 millions d'estampes, 400 000 monnaies de valeur. L'insuffisance de ses locaux et la rareté de ses collections l'a conduite à réduire l'accès des lecteurs aux salles de travail. D'autre part elle joue un rôle éminent dans le cadre de l'administration des bibliothèques : rédiger la bibliographie nationale, entretenir des ateliers de restauration, de conservation...

23. Délibération du Conseil de Paris prise à l'instigation de René Capitant.

24. Rapport du Maréchal Vaillant à l'Empereur, *Moniteur* du 6 janvier 1864.

25. Jean Baffier, 1895, *Remarques d'un ouvrier sculpteur.*

26. Georges Patrix donne une définition du « design » dans son livre *Design et environnement :*

« Le mot " Design " vient d'un vieux mot français " desseigner " ou " dessingner " (en italien : designare) qui réunit à la fois l'idée de " dessin et dessein " et aussi de " signe " (latin : signum). C'est un mot très court, très pratique, très condensé, exprimant parfaitement la démarche créatrice (conception — réalisation).» Et encore : «Le design m'apparaît comme la relation entre l'homme et les services de la technologie. A la fois manifestation permanente de l'homme vis-à-vis de ses créations et en même temps disponibilité ouverte à un monde à construire.» Ou enfin : «Le design a une valeur politique de socialisation grâce à l'évolution technologique qui permet la production de masse. Il a donc une valeur révolutionnaire dans la mesure où il bouscule la propriété attachée à la civilisation agricole et artisanale. On comprend aisément pourquoi le design est récupéré par les conservateurs modernistes et présenté seulement comme une nouvelle forme esthétique soi-disant liée à la machine et aux matières nouvelles.»

27. *Les musées d'Art de Paris,* Somogy (Raymond Cogniat et Jacques Hillairet), 1967.

28. Fascicule édité par le Conseil supérieur de la Création esthétique industrielle (s. d.).

29. Au Palais du Louvre.

30. Idem (1).

31. Brochure du Centre de Création industrielle, 1975.

32. *Le Monde* du 27 février 1964.

33. *Le Monde* du 3-11-1965, article de Robert Siohan.

34. *Le Monde* du 3-11-1965, article de Robert Siohan.

35. Le Domaine musical fit jouer plus de deux cents œuvres nouvelles dues à plus de soixante compositeurs de tous les pays : comme MM. Berio, Brown, Boucourechliev, Eloy, Kagel, Maderna, Mayuzumi, Mefano, Nilsson, Nono, Stockhausen... Cette politique résolument novatrice n'alla pas sans susciter des réticences, des oppositions. Ainsi, son fondateur Pierre Boulez dut-il quitter la France pour l'Allemagne en 1959 abandonnant la direction musicale de la compagnie Jean-Louis Barrault. Il revint en France. Mais de nouvelles difficultés provoquèrent à nouveau son départ en 1967. Il confia alors à Gilbert Amy la direction du Domaine musical.

36. Néanmoins dès 1961, les musiciens français, grâce à Yannis Xénakis et à des contacts avec N. Guttmann, purent étudier les récents travaux de ce dernier et de Max V. Mathews, de J.-P. Pierce sur la synthèse des sons aux laboratoires de la Bell Téléphone Company of New Jersey à l'aide d'ordinateurs et de convertisseurs par la transformation des résultats numériques du calcul en sons. Ces communications permettaient de déterminer le type d'appareils nécessaires à une exploration radicale et homogène de la macro et micro-composition musicales à l'aide du calcul. Ainsi un immense terrain vierge s'ouvrait à ces chercheurs d'un type nouveau. Mais le coût du matériel et l'incompréhension que suscitaient ces recherches retardèrent les premières réalisations. Néanmoins ce projet éveillait la sympathie des mathématiciens tournés vers l'avenir (MM. G. Th. Guilbaut et Marc Barbut). En définitive, le 20 décembre 1966, fut fondée l'E.M.A. Mu. Equipe de Mathématiques et d'Automatique Musicales). Les objectifs de cet organisme étaient de «procurer un instrument inter-disciplinaire pour l'expansion de la connaissance et la créativité musicale afin de contribuer au

développement et à la revitalisation de la musique en tant qu'art dans l'éducation et la société ». Le démarrage de ses travaux fut lent en dépit des appuis croissants qu'il reçut.

37. Le grand compositeur et chef d'orchestre exilé volontairement de France, avait désapprouvé les réformes des structures de la musique envisagées en 1966-1967; celles-ci pouvaient selon lui « entraîner un cloisonnement qui est préjudiciable au développement même de la musique et qui risque, au surplus, de créer des castes s'ignorant les unes les autres ». Il estimait d'autre part que le « travail fondamental de réorganisation des structures de la musique est un travail de spécialiste, donc d'administration.

Un compositeur est le personnage le moins préparé à faire de l'administration générale : il restera toujours un amateur, un employé à mi-temps, à moins qu'il renonce à la composition et apprenne à fond en comble ce métier spécialisé ».

38. Déclaration de Robert Bordaz à la conférence de presse de l'IRCAM en février 1974.

39. *Le Nouvel Observateur*.

40. Il fallait « nous forger une perception sans exemple, oublier les héritages passés pour faire surgir des territoires sans modèle » et comme l'ajoutait Pierre Boulez « l'intention n'y suffira point, même si elle peut nous servir de repère sensible. L'achèvement, du moins la tentative d'approche, passera par l'énergie rassemblée, l'investigation patiente, voire pénible, l'adhésion à un plan de travail consenti, la réciprocité de la recherche et du don, l'alternance de l'éclair et du labeur. Nous tenons à réunir en un faisceau dirigé les forces éparses qui par leur dispersion risqueraient de ne point aboutir à la transmutation urgente et décisive. Nous pensons aussi bien que l'œuvre se fera précisément par la confluence de forts courants individuels ».

CHAPITRE III

UNE ARCHITECTURE REVOLUTIONNAIRE

> « En ce qui concerne l'architecture du
> XXe siècle — de plus en plus soumise aux
> techniques — au lieu de déplorer son
> absence d'« art », ne pourrait-on pas plutôt
> considérer qu'elle n'a pas encore tout à
> fait trouvé sa beauté fonctionnelle, c'est-à-
> dire celle qui doit naître, naturellement,
> d'une solution aussi parfaite que possible
> des multiples problèmes posés par les
> fonctions qu'elle se propose d'assumer —
> fonctions ou exigences forcément diffé-
> rentes de celles d'un tableau ou d'une
> sculpture? ».

> Gaétan PICON
> *Panorama des Idées contemporaines.*

Il fut difficile au public d'apprécier la qualité architecturale du Centre Georges Pompidou tant que sa
construction ne fut pas achevée. Et comme il sort de
l'ordinaire, l'imagination peut se donner libre cours.
La polémique également.

Combien de qualificatifs n'a-t-il pas suscités?

« Hangar de l'Art », « supermarché culturel »,
« parallélépipède métallique », « grande surface de la
culture » « raffinerie culturelle »...

Faute de références précises, les esprits cherchent
une image. Le propos n'est pas ici d'en imposer une
— laissons-en le soin au public — mais de découvrir
au-delà des idées reçues les caractères de ce projet
original et novateur.

L'idée des architectes du Centre se résume en peu de mots : le bâtiment est constitué d'une enveloppe qui l'isole de l'extérieur et d'organes techniques qui lui permettent de vivre. Et, à la différence de nombreux projets architecturaux, la même logique inspire la conception de l'enveloppe et celle du plus petit rouage de la mécanique qu'elle abrite; cette logique est commandée par une préoccupation constante : accueillir et servir au mieux le public.

Comme souvent l'architecture nouvelle retenue pour le Centre, a suscité des polémiques qui ont affecté le déroulement de l'opération.

L'histoire de ces polémiques, parce qu'elle oblige à remonter aux principes mêmes retenus dans le bâtiment, peut servir d'introduction à la compréhension du parti architectural.

1° LE TEMPS DES POLÉMIQUES

Le Centre a incontestablement éveillé partout un très grand intérêt. Le nombre d'articles de presse de toute nature qu'il a pu susciter et qu'il suscite encore l'atteste.

L'ardeur de la polémique aussi.

Celle-ci débuta le 17 juillet 1971 lors de la présentation du projet lauréat à la presse par le jury réuni autour de MM. Prouvé et Bordaz. Un petit chahut fut alors organisé à l'instigation d'architectes et d'associations d'habitants du quartier. Ils critiquaient, pêle-mêle, les objectifs culturels du Centre, son insertion dans la rénovation du centre de Paris et son architecture fonctionnelle.

En effet, l'opinion publique était en ce mois de juillet 1971 très sensibilisée par la démolition des pavillons de Baltard. Elle s'opposait en général à ce projet parce qu'il conduisait selon elle, à une dénaturation de la vocation du centre de Paris, à l'éviction d'un certain nombre d'habitants. Animateurs et militants regrettaient également l'arrêt porté à une expérience réussie d'animation culturelle conduite dans les pavillons Baltard.

Le public parisien venait y flâner et s'y divertir. On annonçait plus d'un million de visiteurs-spectateurs en un an. La démolition des pavillons apparaissait comme un acte portant atteinte à cette expérience d'animation culturelle.

Une mobilisation politique s'était organisée, un peu tardivement, en faveur des pavillons dont on découvrait subitement qu'ils étaient l'un des fleurons de l'architecture française. Elle allait se reporter contre Beaubourg, grâce à un amalgame un peu rapide entre la décision de construire le Centre et celle de démolir les Halles.

Ce grand « supermarché culturel » n'était-il pas le moyen de récupérer et de domestiquer l'animation culturelle qui venait de se révéler spontanément dans le quartier? L'animation des pavillons, des rues, en présence d'un public populaire, n'était-elle pas celle que MM. Piano et Rogers souhaitaient voir s'installer sur leur « piazza »?

En outre, le projet lauréat semblait reprendre le principe des parapluies de Baltard : grands espaces, grandes portées, architecture métallique.

Dès lors, le Centre était dénoncé comme inutile, comme une opération de récupération, de désamorçage de l'animation populaire qui s'était créée dans la droite ligne de Mai 1968, bref une opération de prestige et de luxe montée par le Pouvoir contre l'animation spontanée, bénévole et populaire des pavillons Baltard.

En fait, si certaines de ces critiques pouvaient apparaître pertinentes, elles confondaient arbitrairement le projet du Centre du Plateau Beaubourg et l'opération des Halles. Les deux opérations étaient certes assez proches de par leur localisation; mais leurs objectifs, leurs responsables et leurs modalités de financement étaient très différentes.

Ces critiques furent éphémères. Elles furent le dernier sursaut de l'opposition à la démolition des Halles.

Les réactions de la presse au projet furent très différentes. Celle-ci s'attendait à un monument. Elle fut surprise par cet « anti-monument ». Son attention se focalisait sur le musée qui certes occupe environ un quart des surfaces, mais voisine avec bien d'autres activités.

Une meilleure information sur les intentions des architectes mit rapidement une sourdine à ces premières réactions négatives. La critique de droite sembla prendre alors le relais des critiques de gauche. Certains architectes français déçus par l'absence d'un lauréat français, estimèrent qu'un mauvais coup venait d'être porté à l'architecture et au bon goût français. Ils créèrent une association intitulée « le Geste architectural » qui entreprit une campagne de presse contre le projet dont elle contesta le bien fondé du choix devant le tribunal administratif de Paris.

Que Beaubourg, exemple d'architecture fonctionnaliste [1], ait suscité des réactions hostiles de la part des partisans de l'architecture expressionniste ou organique [2], nul ne s'en étonnera. Les deux écoles s'opposent irréductiblement. Il en est du reste souvent ainsi, en France, de toute innovation.

Les fondateurs du « Geste architectural » étaient MM. Bergerioux [3], Brasilier, Herbez, architectes.

De façon très regrettable, la polémique glissa du débat des idées aux attaques personnelles les plus médiocres... jusqu'à la diffamation. La non-inscription du Président du jury, Jean Prouvé, à l'ordre des architectes, fut le cheval de bataille des contestataires qui semblaient ignorer l'importance de ses travaux et sa réputation internationale. Jean Prouvé pouvait certes trouver une consolation dans un précédent illustre : Le Corbusier n'était pas inscrit lui non plus à l'ordre des architectes! L'on insinua alors qu'il avait choisi le projet Piano-Rogers, par intérêt personnel.

Ce ne fut pas tout. On laissa entendre que M. Prouvé avait déjà fait un projet semblable à celui de MM. Piano et Rogers en 1969. La majorité du jury n'aurait pas été constituée d'architectes, ce qui aurait expliqué la mauvaise qualité du choix, qui aurait été fait par de simples ingénieurs et techniciens!

Et, ne s'embarrassant pas de nuances, M. Bergerioux classait dans la rubrique des techniciens, pêle-mêle, des conseillers, du jury, ingénieurs des Ponts ou de Centrale, et... Gaétan Picon, l'ancien directeur général des Arts et Lettres d'André Malraux... bref tout ce qui n'avait pas officiellement le titre — donc la qualité — d'architecte D.P.L.G. [4]. Un tel amalgame n'appelle pas d'autres commentaires.

Une partie de la presse se fit l'écho de ces infamies. Le Tribunal administratif de Paris rejeta le 6 mars 1974, le recours de M. Bergerioux : le jury ayant été constitué sous l'égide de l'U.I.A. [5] obéissait à des règles internationales au regard desquelles le choix paraissait tout à fait régulier.

Les requérants essayèrent alors d'obtenir l'annulation du permis de construire du complexe scolaire et sportif bâti par l'établissement public du Centre Georges Pompidou, sur un terrain voisin. Le Tribunal administratif les débouta à nouveau.

Ils attaquèrent alors le permis de construire du Centre lui-même. Certaines de ses dispositions étant juridiquement incertaines, s'agissant des emprises sur des terrains que la Ville ou la S.E.M.A.H. acceptaient en fait de céder, le Tribunal administratif ordonna le 12 juillet 1974, un sursis à exécution. Il fallut momentanément interrompre les travaux.

Mais le Conseil d'Etat, devant lequel l'Etablissement public avait fait appel de la décision du Tribunal administratif, annulait, peu après, la décision de ce dernier.

Le nouveau permis délivré au Centre fit l'objet de nouveaux recours en 1974, et 1975.

Les réticences de la presse cessèrent courant 1973. Le projet jusque-là figuré par des maquettes d'intention fut représenté par une maquette définitive, qui permettait d'en mieux saisir la portée architecturale.

L'ampleur du projet architectural apparut alors avec évidence. Ce sentiment était renforcé par la vision de la construction qui au fur et à mesure de son avancement s'imposait par son élégance. Et Philip Johnson, le grand architecte américain, n'hésitait pas à déclarer que Beaubourg constituerait un événement architectural, aussi important que la Tour Eiffel.

Le souci de ne pas répéter les erreurs de jugements de l'élite parisienne à propos de la Tour Eiffel qualifiée d' « entreprise diabolique d'un chaudronnier atteint du délire des grandeurs » (Maupassant), atténua aussi ces critiques. Le débat entretenu autour de l'architecture du Centre allait désormais se situer au niveau des missions et des objectifs du Centre. Ce débat est toujours actuel [6].

2° Une machine vivante

Entre les premières esquisses, le projet présenté au jury, et le bâtiment édifié sur le plateau Beaubourg, certaines différences apparaissent. En effet, l'architecture fonctionnelle conçue par les architectes Piano et Rogers n'est pas une structure a priori dans laquelle devraient tant bien que mal se loger des activités.

Au contraire, elle veut être d'abord au service de ces activités et des différentes fonctions d'information, d'accueil, du public, de présentation d'œuvres d'art, de conservation des livres, d'organisation de spectacles. Ces fonctions, qui sont liées à une politique culturelle elle-même sujette à évolution, sont mobiles et changeantes.

Or, l'architecture retenue réserve par sa souplesse de nombreuses adaptations, transformations, modifications possibles : elle est vivante.

Souplesse et mobilité.

Répondre à un programme précis, complexe, d'activités intégrées aurait pu conduire à une architecture imbriquée et figée.

La richesse du projet de MM. Piano et Rogers est précisément que son architecture permet la souplesse, la mobilité, et apporte des solutions rationnelles et cohérentes à un programme difficile.

Il a été reproché au jury d'avoir retenu un projet qui n'arrêtait pas avec précision l'implantation géographique des activités dans le bâtiment.

Cette incertitude constituait en réalité un avantage supplémentaire : les activités, appelées à vivre dans le nouveau Centre, se voyaient ainsi offrir la possibilité de se penser, d'imaginer leur devenir et d'ajuster leurs rapports mutuels. Les architectes et les utilisateurs allaient ainsi pouvoir mûrir de concert leurs projets.

Le projet de MM. Piano et Rogers ressemblait à la « grande commode » selon l'image utilisée alors par le secrétaire du jury, M. Sébastien Loste.

Tous les rangements et toutes les dispositions y étaient possibles. Il restait alors à préciser les conditions dans lesquelles les « tiroirs » allaient devoir être conçus pour répondre aux besoins de chaque activité.

La lente maturation initiale du projet n'aurait pas été possible si les activités avaient dû s'accommoder de « tiroirs » définis a priori et plus ou moins à sens unique par les architectes. Le parti pris de concertation allait par ailleurs faciliter les conditions d'utilisation d'espaces communs (d'accueil, de manifestations, de rencontre) conçus à la fois pour le tout qu'est le Centre et les parties que sont ses activités.

L'intérêt de la mobilité ne se borne pas à la brève période de construction. Il apparaît surtout au regard de son fonctionnement. Elle doit permettre à cet égard, dans l'avenir, de modifier, si besoin, certains espaces, mais surtout de pouvoir transformer l'aménagement intérieur au gré de l'évolution des activités, de la nature de leurs rapports respectifs et des aspirations du public.

Dans une période de crise de la culture et d'accélération des événements, qui peut dire que les activités culturelles prévues aujourd'hui ne devront pas être repensées? Aurait-il été raisonnable de figer dans du béton l'état de conscience, si fugace, de notre société?

Le projet de « machine vivante » retenu par le jury se présente à la fois comme une réponse précise à un problème complexe et un acte de foi dans la créativité contemporaine.

L'architecture de MM. Piano et Rogers est mobile parce qu'elle est fonctionnelle. Elle est fonctionnelle parce qu'elle ne veut pas imposer un carcan a priori aux activités. Elle représente de la part de ses auteurs une certaine modestie devant l'activité que leur bâtiment doit abriter. Cette démarche est aux antipodes de celle des architectes pratiquant le « geste architectural ».

Transparence et communication.

Bien entendu cette modestie a des limites. Elle ne va pas jusqu'à nier l'architecture elle-même. Le projet de MM. Piano et Rogers répond à des exigences de communication et de pédagogie que n'autorisaient pas aussi pleinement les projets concurrents.

Une deuxième idée sous-tend le projet : la nécessité pour le bâtiment de favoriser la communication et l'échange entre les activités internes et le monde extérieur. L'architecture extérieure, l'enveloppe s'efface alors et se met au service de la fonction d'initiation et de diffusion culturelle qui est la vocation première du Centre. Elle devient transparente.

Tout d'abord, l'ouverture sur la ville est favorisée par la création d'une place publique sur laquelle convergent plusieurs cheminements piétonniers. Cette place occupe la moitié du plateau Baubourg. Ensuite l'accueil du public commande toutes les dispositions concernant les circulations. Escaliers mécaniques et ascenseurs, toutes les circulations verticales et même une partie des circulations horizontales sont rejetées sur la façade Ouest donnant sur la place. Le transport des produits, la circulation des fluides (gaines de conditionnement, conduits d'eau, câbles électriques, etc...) sont rejetés de manière symétrique sur la façade Est.

Les visiteurs montent donc par des escaliers mécaniques accrochés le long de la façade-Ouest : ils sont en réalité, déjà dans le bâtiment sans y être tout à fait, puisque les circulations sont extérieures aux façades. Mais ce cheminement le long des façades de verre du bâtiment est une invitation très forte à y pénétrer.

Les escaliers mécaniques sont tout autant une promenade dans la ville qu'un accès au Centre; les œuvres d'art, le matériel, empruntent les monte-charges de la façade opposée. Le public et les œuvres d'art, les livres, etc... après avoir emprunté des chemins différents, se rencontrent dans les lieux d'activités, libres et souples d'usage. Cette *souplesse*, on le voit, ne procède pas d'une absence d'idée architecturale, comme certains veulent bien le dire. C'est au contraire la conséquence logique du principe de base de l'architecture du Centre.

Les problèmes de communication interne ont été tout aussi attentivement et clairement résolus. Le programme a fait apparaître très tôt la variété des activités, la diversité des publics, donc des modes d'accès, la complexité des liaisons entre le public et les activités et entre les activités elles-mêmes.

Le parti architectural résoud très simplement ces problèmes. La logique du bâtiment par sa simplicité s'imposera aisément au public lorsqu'il pénétrera dans Beaubourg.

Il est des bâtiments où le public est renvoyé d'une hôtesse à l'autre, du rez-de-chaussée aux étages, sans jamais réussir à trouver ce qu'il recherche.

A Beaubourg, le public pourra en quelque sorte lire le bâtiment avec son corps en se promenant le long de la façade.

A Beaubourg, l'architecture est comme un grand livre — les architectes disent « diagramme » — ouvert sur la ville et accessible à tous.

Ainsi, la simplicité, la transparence et la souplesse répondent-elles à une fonction pédagogique. A elle seule, l'architecture du Centre est un acte culturel.

Un bâtiment ouvert ou fermé?

Le projet initial retenu par le jury prévoyait que la place se prolongeait librement sous tout le bâtiment. Cette disposition traduisait le souci d'intégrer le bâtiment dans son environnement urbain. Mais, il fallut se rendre à l'évidence que le public n'aurait pas été alors incité à accéder aux étages d'un bâtiment n'offrant aucune activité au rez-de-chaussée.

Commencèrent alors une série de recherches destinées à améliorer les conditions d'accès : tantôt les architectes remplissaient tout le rez-de-chaussée du bâtiment d'activités qui constituaient un obstacle à la transparence recherchée, tantôt ils dégarnissaient tout le rez-de-chaussée et reportaient sur la place publique certaines activités. Vint un jour, au printemps 1972, où ils proposèrent une solution-miracle : les activités étaient regroupées au rez-de-chaussée, mais la transparence était sauvegardée par la création sous le bâtiment d'un espace extérieur à air conditionné; la façade vitrée était remplacée par une sorte de « mur virtuel » invisible... Les problèmes de sécurité n'étaient pas évoqués... ni les difficultés techniques!

Il fallut faire la part du réel. Le choix se porta en définitive sur une solution fermant le rez-de-chaussée au moyen de vitres transparentes sur les 4/5 de la longueur du bâtiment. Mais le nord et le sud étaient constitués d'espaces non fermés où la place se prolongeait sous le bâtiment. Le C.C.I. et la galerie expérimentale de l'art contemporain pourraient y organiser certaines activités en contact direct avec la rue.

Voilà le type même du compromis dynamique : les principes étaient sauvegardés dans une solution réaliste qui facilitait la liaison du bâtiment et de son environnement immédiat. Cet exemple illustre très bien le cheminement architectural du projet.

Un plateau vide ou rempli?

Les recherches sur l'utilisation du rez-de-chaussée du bâtiment étaient intimement liées à celles relatives à l'utilisation du plateau Beaubourg que les architectes appelaient la « piazza ».

Au moment où ils envisageaient de laisser ouvert tout le rez-de-chaussée (ce qui aurait sans doute entraîné des courants d'air peu agréables pour les piétons) les architectes remplissaient au contraire la « piazza » d'activités qui devaient être, d'après le programme, en liaison étroite avec le public de la rue : il s'agit en particulier de la salle d'actualité de la bibliothèque, du C.C.I. et de la galerie expérimentale de l'art contemporain.

Par un jeu normal de vases communicants, lorsque le rez-de-chaussée fut fermé aux courants d'air, la place fut libérée de ces activités désormais intégrées dans le bâtiment, en des lieux où le public peut transiter avant de gagner les étages. Mais cette place désormais vide devait bien vite se remplir d'autres projets — la culture a horreur du vide. Ainsi prirent naissance l'idée d'un théâtre en plein air, celle d'une aire de jeux pour enfants, celle d'une brasserie, etc. le tout sur une place aménagée à 3 mètres au-dessous du niveau des rues avoisinantes, sans liens permanents avec elles et conçue comme un espace à géométrie variable...

Un compromis avec les architectes déboucha sur le projet d'une place en pente, avec des espaces verts, n'excluant pas des activités temporaires de plein air telles que marché aux fleurs, jeux d'enfants, cirque, brasserie; c'est-à-dire un espace plus classique.

Promenade dans une structure.

La répartition des activités entre les différents niveaux du bâtiment ne s'est pas faite aisément ni rapidement. Chaque activité a navigué au travers de cette structure mobile, recherchant son point d'ancrage définitif selon ses caractéristiques et les rapports qu'elle est appelée à entretenir avec le monde extérieur ou avec les activités voisines.

Ainsi les manifestations temporaires, avant d'être juchées au dernier étage firent-elles des séjours au rez-de-chaussée et dans d'autres étages. La cinémathèque voyagea du premier sous-sol au dernier étage, etc.

Cette « navigation intérieure » ressemblait un peu à un jeu. Les acteurs étaient les utilisateurs qui — chose normale — recherchaient chacun le meilleur emplacement. Leurs partenaires étaient les architectes qui étudiaient des solutions permettant de répondre à des demandes multiples et parfois contradictoires.

L'équipe de programmation apportait les conseillers techniques. L'arbitre était le Président Robert Bordaz.

La répartition finalement retenue est sans doute la meilleure possible. Mais il ne faudrait pas être étonné encore aujourd'hui si telle activité regrettait le nombre de ses étages, si telle autre voulait donner plus directement sur la rue, ou sur la place, ou si une troisième souhaitait accroître les surfaces qui lui ont été allouées...

Grandeur et misère de la mobilité. Elle permet aux besoins de s'exprimer a priori sans contrainte... jusqu'au jour où, la maturité aidant, il faut tenir compte des réalités.

Construire c'est aussi partir de ce rêve initial, pour le confronter peu à peu au réel.

Une façade déclinée.

L'organisation de la façade est commandée par la disposition des escaliers mécaniques. En cette matière, les architectes sont en quelque sorte passés de l'alphabet à la géométrie.

L'alphabet tout d'abord : dès la fin de 1971, la disposition des escalators figurait une sorte de S qui sillonnait la façade. Ce S se transforma quelques mois plus tard en un Y.

Vint ensuite la solution du V qui donnait une allure monumentale à cette façade. La solution définitive opta pour une simplicité toute géométrique : l'escalator formant sur la façade une diagonale, offrait la solution la plus rationnelle à la distribution du public dans les activités.

3° DES IDÉES AUX RÉALITÉS : UNE COURSE CONTRE LA MONTRE

Il faut savoir figer un projet.

Tout projet architectural, à mesure qu'il mûrit, risque d'être remis plus ou moins en cause. Des avatars de toute nature ont ainsi jalonné l'histoire de l'architecture.

Ce risque est bien plus important lorsqu'il s'agit d'un projet par nature évolutif et mobile. Il a été dans l'ensemble heureusement conjuré à Beaubourg. La petite histoire des différentes étapes par lesquelles le projet du Centre est passé successivement est instructive à plus d'un égard.

Diverses phases d'études ont permis tout d'abord de préciser les caractéristiques techniques préalables au lancement des appels d'offre auprès des entreprises.

Il y eut d'abord *l'avant-projet sommaire (APS)*. Un premier APS fut remis en décembre 1971. Mais il impliquait des coûts prohibitifs qui conduisirent l'établissement public à le refuser. En outre, le Président Pompidou à qui fut présentée la maquette demanda que la silhouette du bâtiment fût modifiée, dans le sens d'un léger abaissement de sa partie Sud, face à l'Eglise Saint-Merri. C'est là que furent créés deux niveaux de terrasses.

Le deuxième APS fut remis en mai 1972. Il s'insérait dans des enveloppes de coûts plus raisonnables et répondait aux vœux de Georges Pompidou.

Il y eut ensuite l'*avant-projet détaillé (APD)* qui constitua la base quasi définitive et contractuelle du projet.

L'APD fut remis en décembre 1972. Les architectes revinrent pour partie au dessin initial rejetant toutes concessions de caractère trop formel.

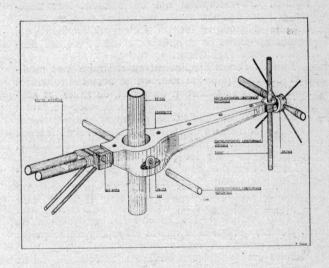

Un exemple de « gerberette ».
(Cf. page 92).

Lui succéda le *projet définitif,* constitué par des documents qui permettent le lancement des appels d'offres.

Il fut arrêté au printemps 1973. C'est en principe après ce stade avancé des études que sont lancés les appels d'offres et les consultations auprès des entreprises.

Dans la pratique, il peut y avoir un chevauchement entre certaines études et la réalisation. Ce fut le cas pour Beaubourg en raison de la rapidité des délais impartis. Les travaux de terrassement commencèrent en avril 1972.

Lorsqu'un chantier est ouvert, une dynamique naturelle pousse les architectes à renoncer aux études purement spéculatives pour suivre le rythme des travaux qui ne peut être interrompu, sauf à envisager l'indemnisation des entreprises qui immobilisent leur matériel et leurs équipes.

Cette dynamique fut un facteur déterminant qui permit au projet de se préciser et de se réaliser finalement assez rapidement.

Tant de choses l'inclinaient au contraire à se modifier! Sa conception permet, en associant étroitement l'utilisateur à la définition du projet, de situer les activités dans les meilleures conditions. Encore ne faut-il pas céder à la tentation de prolonger cet exercice à l'excès, à la manière de certains jeux où chacun reprend périodiquement sa mise, ce qui retentit sur la situation respective de tous les partenaires!

La présence du chantier tout proche était un excellent aiguillon pour figer les positions.

Au total, les changements de programme qui auraient eu des incidences sur les coûts, ont été rares. Le seul qui fût important fut effectué à la demande de P. Boulez, qui souhaita que la salle polyvalente puisse être également un espace musical.

Outre les utilisateurs ou les architectes, il fallait compter avec les Pouvoirs publics. Tant que Georges Pompidou qui était convaincu de la qualité du projet, était présent à l'Elysée, les risques de changements de programme étaient réduits.

Georges Pompidou disparu, il était à craindre que

Beaubourg ne fût remodelé, à l'instar de nombreux projets parisiens : le Panthéon, la Madeleine... la Villette.

Avec réalisme, le Président avait assigné pour objectif impérieux que le bâtiment fût achevé avant la fin de son septennat. Ainsi, à partir de 1971, le projet fut mené si rondement qu'après 1974, il apparut trop avancé pour pouvoir être remis en cause.

On comprend tout l'enjeu qui s'attache à ce qu'un projet soit rapidement arrêté et figé.

Et pourtant il est parfois difficile de faire comprendre aux architectes et aux utilisateurs que la recherche sans limites de solutions idéales peut se retourner contre le projet lui-même!

Un projet qui tarde à prendre sa forme définitive ne respecte plus aucun délai; la voie est alors ouverte aux remises en cause les plus fondamentales, aux polémiques. Tout retard encourage les adversaires d'un projet...

Il est un autre fait simple dont les hommes de l'art apprécient toute l'importance : tout changement, même mineur, postérieur à la passation d'un marché, conduit à des dépassements de coûts, les données du marché passé avec l'entreprise étant dès lors changées. Le projet sort alors de son cadre budgétaire et de nouvelles menaces pèsent sur lui.

Hormis quelques questions de détail, en général liées à l'aménagement intérieur du bâtiment, le projet fut figé dès le printemps 1973. Le Gouvernement en accepta définitivement toutes les caractéristiques : programme, architecture, techniques et coûts, à l'occasion d'un conseil restreint présidé par Georges Pompidou le 20 mars 1973. Il fut de nouveau confirmé au cours d'un Conseil restreint présidé par M. Valéry Giscard d'Estaing le 6 août 1974.

Il n'en est pas moins intéressant de tenter de décrire aujourd'hui les principales phases par lesquelles est passée cette « machine vivante » qu'est le Centre et de mesurer à cette occasion les avantages du parti architectural retenu.

De l'avant-projet sommaire au projet définitif : Les grandes phases de la construction.

Il est difficile et même impossible de retracer l'historique détaillé du projet : trop d'avancées et de reculs, trop de réussites et de difficultés se sont succédé. Mais il reste aujourd'hui un résultat : celui du succès conquis patiemment jour après jour, morceau par morceau.

Il y eut d'abord la « période héroïque » du concours international organisé dans l'allégresse, avec le bénévolat des uns et des autres et dans des conditions de travail précaires : les bureaux du maître d'ouvrage se limitant aux quelques pièces d'un appartement en location, les architectes découvrant Paris et la langue française, le soleil du mois de juin 1971 dans l'ambiance de la querelle des Pavillons Baltard, les premières critiques contre le choix du jury, le grand intérêt soulevé par l'exposition des 681 projets dans les Galeries du Grand Palais...

Vint ensuite la période des « pionniers ». La délégation s'installa dans des baraques de chantier sur le plateau Beaubourg lui-même. Le quartier était en pleine mutation. La démolition des pavillons Baltard commençait. Les boutiques laissées par les commerçants des Halles étaient rachetées et transformées. Une nouvelle animation apparaissait dans le quartier. Dans les bâtiments provisoires, programmateurs et architectes, ingénieurs et responsables administratifs, tous travaillaient dans une atmosphère de création. Les démolitions des Halles, le libre cours auquel se livraient les imaginations créaient un environnement qui n'était pas sans évoquer le Far West [7].

Les architectes rêvaient d'installer leurs bureaux sur une péniche amarrée le long des quais de la Seine. Ils échouaient en définitive dans une bulle gonflable sur le quai d'Austerlitz.

Les effectifs s'accroissaient : ils atteignaient la soixantaine de personnes. Lorsqu'en juillet 1972, les terrassements menacèrent de trop près les baraques du chantier, il fallut déguerpir et s'installer dans un immeuble de 6 étages, boulevard de Sébastopol.

Le regroupement des départements et des services communs embryonnaires du futur Centre devenait possible. Mais, à l'enthousiasme et au rêve allait succéder une période plus troublée. Le démarrage des travaux apportait des contraintes de plus en plus impératives. Il fallait figer le projet. Les architectes, installés dans un autre quartier parisien ne comprenaient pas toujours les exigences du maître de l'ouvrage. Celui-ci était conduit à demander aux utilisateurs de ne plus modifier leur programme.

Avec 1973, vint une nouvelle période, plus aride, mais aussi toute tendue vers la réalisation du projet dans le respect des contraintes de budget et de délai. Les architectes vinrent loger dans le même immeuble que le maître d'ouvrage. Les utilisateurs aussi. La préfiguration du futur Centre commençait à prendre corps. Beaubourg naissait déjà.

4° UN PEU DE TECHNOLOGIE

Le caractère technologique du bâtiment est suffisamment apparent pour être remarqué et apprécié, même par un non-technicien. Les techniques mises en œuvre sont indissociables de l'architecture qu'elles servent. Afin d'appréhender aussi complètement que possible cette architecture il importe de dresser un tableau, nécessairement simplifié, de ses prolongements techniques aussi bien dans la structure même du bâtiment que dans ses organes.

Le principe des ponts.

La structure du bâtiment se présente comme l'empilement de plusieurs ponts suspendus, constitués chacun par une grande poutre de 50 mètres de portée : 14 files parallèles sont composées chacune de 5 ponts suspendus les uns au-dessus des autres. Chaque poutre est équilibrée par deux balanciers supportés par deux poteaux et retenus par deux tirants : balanciers, poteaux et tirants sont extérieurs aux façades du bâtiment. C'est ce que les ingénieurs appellent une solution technique isostatique : chaque poutre est supportée par un sys-

tème de forces équilibrées (balanciers, poteaux, tirants).
Ce système offre de grands avantages architecturaux :
la structure du bâtiment apparaît au grand jour comme
dans les constructions gothiques; elle dispose de qualités dynamiques car elle est constituée d'éléments
légers.

Une construction isostatique présente toutefois ce
défaut d'être relativement fragile : la rupture de l'un
des éléments-supports rompt l'équilibre et peut entraîner l'effondrement du bâtiment. Aussi des dispositions
ont-elles été prises pour que dans cette hypothèse
l'ensemble porteur de la poutre reste stable. Chaque
balancier, appelé encore « gerberette » [8] est calé et ne
peut pas basculer autour de l'axe du poteau.

En définitive, la solution retenue est de principe
isostatique avec une correction la rendant hyperstatique
en cas d'incendie.

En d'autres termes, les architectes ont allié l'élégance du premier principe à la sécurité du second.
Les solutions techniques retenues pour l'application
de ces principes constituent de véritables prouesses.

Des poutres de 50 mètres de long et d'une largeur
de 3 mètres seulement forment le squelette du bâtiment. Ceci permet de dégager des étages de 7 mètres
de hauteur avec, tous les 12 mètres, une poutre située
à 4 mètres au-dessus du plancher.

Les surfaces sont, de ce fait, libres de tout poteau
intermédiaire.

Elégance et puissance caractérisent ce gigantesque
mécano. « Et l'on a quelque peine à croire que ces
balanciers, les « gerberettes », supportent une masse
de près de 14 000 tonnes!

Le métal en question.

Construire une charpente métallique de ce poids,
près du double de celui de la Tour Eiffel, soulève
des problèmes technologiques redoutables. Ils ont été
résolus d'une façon éblouissante.

A chaque époque son système d'assemblage de
métal!

Aucun rivet à Beaubourg à la différence des architectures métalliques du XIXᵉ siècle; place aux grandes pièces d'un seul tenant!

Deux techniques étaient en concurrence : celle de l'*acier mécano-soudé* qui consiste à souder des pièces d'acier afin d'obtenir la pièce définitive. Cette technique est traditionnelle; mais elle confère à la pièce d'acier un aspect extérieur qui manque de finesse.

L'acier moulé est une technique plus rarement utilisée, surtout dans les dimensions recherchées à Beaubourg. L'acier incandescent est coulé dans de très grands moules. La pièce est alors modelée dans la masse. La qualité de ses finitions est, de ce fait, excellente.

Cette technique avait la préférence des architectes. Mais elle risquait d'être plus coûteuse que l'autre. En outre, les entreprises françaises n'étaient guère accoutumées à cette méthode de fabrication.

L'appel d'offres, lancé au plan européen, suscita des réponses d'une très grande diversité au problème posé : contraintes techniques, délais relativement courts et nécessité d'une énorme capacité de production entraînèrent une envolée des prix.

Seule une entreprise allemande de taille internationale sut répondre dans les limites de prix souhaitées, selon les caractéristiques techniques et les délais prescrits. La qualité de l'architecture du Centre doit beaucoup à la rencontre des architectes et de cette entreprise.

Menaces sur la transparence.

Il fallut soumettre le projet architectural aux contrôles des divers organismes techniques, notamment les services de sécurité. L'intervention de ces derniers était d'autant plus importante que le bâtiment, étant sans précédent, appelait un examen particulièrement attentif. En outre, sa grande capacité d'accueil du public ainsi que la valeur inestimable des collections d'œuvres d'art appelées à y être abritées, concouraient à renforcer ces contrôles.

D'autre part, l'exemple de catastrophes récentes créait un climat dans lequel les commissions de sécurité devaient édicter des règles plus draconiennes que dans le passé.

Les exigences de la sécurité entrèrent en conflit avec certaines dispositions du bâtiment, en particulier la transparence des espaces.

A l'ouest, seuls quelques panneaux de verre durent être remplacés par des panneaux opaques d'acier plus résistants au feu, notamment le long des escaliers de secours, ce qui n'apportait que des atteintes mineures à la transparence.

En revanche, il fallut installer sur la façade Est des murs coupe-feu en acier. Le sacrifice fut important. Mais il fallut l'accepter pour la sécurité des 10 000 visiteurs quotidiens. Au moins la transparence fut-elle conservée au rez-de-chaussée ce qui pour le piéton était capital, ainsi qu'au dernier étage, de manière à conserver la vue magnifique sur Paris.

Un bâtiment à l'envers.

Plus le bâtiment avançait et plus son caractère révolutionnaire se confirmait. Il prenait le contrepied des constructions traditionnelles contemporaines qui masquent par des murs-rideaux leurs structures intérieures. M. Maurice Druon disait, non sans humour, que les architectes prenaient plaisir à exposer les tripes du bâtiment au soleil.

Au lieu de disposer les espaces autour d'un noyau central destiné aux circulations du public et des produits, ils les plaçaient au centre du bâtiment et rejetaient les circulations sur les façades.

Il y avait quelque entêtement de leur part, il est vrai, à vouloir systématiquement dégager les espaces intérieurs de toutes contraintes techniques et à reporter sur les façades toutes les dispositions constructives, notamment sur la façade Est de la rue du Renard.

Ce principe était excellent. Mais son caractère absolu pouvait aboutir à des conséquences paradoxales.

Ainsi, le rejet de toutes les gaines de climatisation, des monte-charge, des installations électriques, etc... sur la façade de la rue du Renard, donnait peu à peu à celle-ci l'allure d'un bâtiment industriel : cible de choix, pour certaines critiques, sujet d'approbation pour les partisans de l'esthétique industrielle (Dewasne, Vasarelly, Agam, etc...), et ce qu'il ne faut pas oublier, pour les utilisateurs eux-mêmes du bâtiment.

Ainsi la révolution architecturale de ce « bâtiment à l'envers » entraînait des solutions de principe a priori extrêmement favorables; leur mise en œuvre pratique se heurtait certes à des difficultés puisqu'il n'existait pas de précédent.

Mais jamais ces difficultés n'ont altéré le parti initial du bâtiment[9].

Les aménagements qui furent apportés en matière de sécurité ou de hauteur, ramenée à 45 mètres au lieu des 60 mètres initiaux, répondaient au souci d'apporter un confort maximum au public et d'améliorer l'insertion du Centre dans son quartier.

5° COMMENT FAIRE VIVRE LA MACHINE?
LES ORGANES ET LES INSTRUMENTS

L'architecture du Centre ne se limite pas à la seule construction; elle intéresse ses équipements techniques et même son fonctionnement.

L'approche fonctionnelle conduit à faire une part égale au contenant et au contenu.

A Beaubourg, l'architecture est avant tout une *enveloppe,* qui pour vivre doit disposer *d'organes* et d'instruments qui sont considérés par les architectes comme autant de rouages indispensables au bon fonctionnement de la « machine architecturale ».

Les *organes techniques,* c'est tout ce qui concourt au fonctionnement du bâtiment : climatisation de l'air, aménagement intérieur, gardiennage, sécurité.

Les *instruments techniques* concernent plus directement les rapports du Centre et du public. Il s'agit de l'audio-visuel, de l'informatique et de la signalétique.

Techniques ou gadgets?

Organes et instruments ne sont que des moyens. Mais

les spécialistes — c'est humain — tendent à privilégier et à mettre en valeur leurs techniques. Il est dès lors indispensable que s'instaure un débat sur leur utilité et leurs limites entre techniciens et utilisateurs. En cas de besoin, le responsable de l'opération tranche.

Son rôle est difficile. Il n'est pas technicien. Il doit faire face parfois aux demandes conjuguées des architectes, des utilisateurs et des ingénieurs. Il lui faut lutter contre le perfectionnisme sans céder aux excès d'une trop grande sobriété : il serait anachronique de retenir des techniques dépassées dans un bâtiment d'avant-garde.

Il doit faciliter la compréhension entre les ingénieurs et les utilisateurs. Or ceux-ci, habitués à la pénurie des musées ou des bibliothèques, n'aspirent pas à passer brutalement à l'âge de l'automatisation intégrale. Ils attendent de l'ingénieur des instruments simples et pratiques.

Les organes techniques.

La climatisation de l'air est à la différence d'autres équipements [10], une conséquence nécessaire du bâtiment, un organe vital. Elle n'était pas a priori demandée par le maître d'ouvrage. Mais elle était nécessaire dans un bâtiment d'une très grande largeur et où les deux tiers de l'espace doivent être dotés d'un éclairage artificiel permanent.

Cet éclairage comme l'échauffement provoqué par le soleil, entraîne l'accumulation d'une puissance calorifique assez considérable dont il convient d'atténuer les effets au moyen de frigories.

Le bâtiment, construit uniquement en verre et en acier, est d'autre part beaucoup plus sensible aux variations de températures externes qu'un bâtiment de pierre ou de béton; son inertie thermique est faible. Elle doit être compensée par un système perfectionné de régulation de la température intérieure.

Enfin, certains espaces, notamment ceux du musée, doivent faire l'objet d'un traitement d'autant plus rigoureux que la bonne conservation des œuvres d'art requiert des températures aussi constantes que possible avec des degrés d'hygrométrie impératifs.

La mise en place d'un système d'air climatisé apparut alors comme la contrepartie nécessaire de l'adoption d'une architecture de verre et d'acier.

En revanche *la technologie de l'aménagement intérieur* est le simple prolongement de l'idée de MM. Piano et Rogers.

Leur démarche fonctionnelle devait — et c'est logique — se poursuivre à un niveau plus fin dans chaque espace et pour chaque service rendu au public.

Ils imaginèrent au départ de nombreux projets très audacieux permettant d'assurer une mobilité optimale dans le bâtiment.

Ainsi, des mezzanines d'environ 60 m² furent proposées afin de tirer parti de l'existence d'une hauteur sous plafond de 7 mètres. Ces mezzanines accrochées à des rails situés au plafond auraient pu se mouvoir et ainsi s'adapter à des modes d'organisation variés des espaces intérieurs.

L'idée était ingénieuse et séduisante. Elle était une traduction technique de la mobilité des espaces intérieurs. Elle offrait la possibilité de créer de petits espaces isolés pour le public et pour le personnel du Centre.

Mais on pouvait douter qu'il fût nécessaire de construire, dès l'ouverture, un grand nombre de ces mezzanines puisque les espaces seraient alors suffisants pour répondre aux besoins. Il parut sage d'en limiter le nombre sans pour autant en refuser le principe.

Le souci d'industrialiser la construction, de rechercher des solutions faisant appel à l'esprit de système conduisit parfois à des excès. On peut citer, pour la petite histoire, l'idée qui fut avancée un moment, d'installer des toilettes sous forme de « containers » tout équipés mais mobiles (avec adaptation sur des roulettes et une grande variété de branchements!).

L'idée n'était pas mauvaise en soi, mais elle correspondait à un souci un peu exagéré d'industrialisation de la fonction. Il fallut exiger des toilettes, certes démontables, mais fixées en un point précis. La mobilité n'a de sens qu'autour de points fixes ou bien se perd en mouvements perpétuels! D'autres propositions furent en revanche très utiles. Il en fut ainsi des *poutres de service* accrochées au plafond et auxquelles peuvent être suspendues toutes sortes d'objets : une plateforme technique pour l'audio-visuel, un toit intérieur en des lieux où la hauteur du plafond doit être abaissée, etc. Ce dispositif pratique sera utilisé dans plusieurs endroits du bâtiment.

Les architectes voulaient concevoir eux-mêmes un *mobilier* qui participe de l'esprit du bâtiment. En général le mobilier est acheté par l'utilisateur. A Beaubourg il pouvait difficilement être conçu indépendamment de l'architecture. Un compromis retint le principe du choix du mobilier à partir d'études faites par les architectes, mais en tenant compte des besoins précis des utilisateurs et des contraintes de coût et de délais imposées par le maître d'ouvrage.

La protection contre les risques d'incendie requiert des techniques qui doivent être pour l'essentiel intégrées au bâtiment. Pour lutter contre le feu, il faut de moins en moins compter sur les seuls pompiers mais plutôt adopter des dispositions propres au bâtiment permettant de prévenir l'incendie et d'éviter sa propagation.

La difficulté du contrôle de la sécurité dans un bâtiment de cette nature provient de l'importance sans précédent des espaces d'un seul tenant (7 500 m²), de la nouveauté des matériaux utilisés (l'acier et le verre) et du nombre de visiteurs quotidiens (10 000 environ). Les organismes de contrôle de la sécurité imposèrent des prescriptions très strictes. Il fallut d'abord recouvrir la charpente métallique d'un produit isolant, lui-même revêtu de feuilles d'acier et assurant sa résistance au feu au moins deux heures. Ensuite, il fut décidé d'installer des murs coupe-feu en plusieurs endroits du bâtiment. Des sprinklers, sortes de poires d'arrosage susceptibles de projeter des jets d'eau ou de neige carbonique à partir du plafond, furent installés dans les espaces. Des escaliers de secours extérieurs au bâtiment furent érigés en plusieurs points de chacune des deux façades.

Enfin, la suggestion de M. Darlot, secrétaire général chargé de l'aménagement et de la construction, de ne recourir qu'à un mobilier incombustible, fut adoptée. Elle est susceptible de faire école en matière de prévention de l'incendie.

La gestion technique d'un bâtiment constitue un organe vital : elle a pour objet de veiller au bon fonctionnement de tous les réseaux techniques : air climatisé, courants faibles [11], installations mécaniques, circulation de l'eau, etc.

Elle s'intéresse plus largement à la surveillance du public, à la détection des incendies, à la sécurité des œuvres contre le vol...

Il convenait, en cette matière, d'assurer le contrôle permanent d'environ 4 000 points soumis à une surveillance et un contrôle. Un système manuel était impensable. Il fallait en outre un système de contrôle aussi rapide que possible : un bâtiment ouvert au public ne peut tolérer bien longtemps une panne d'air conditionné. Une gestion centralisée et automatisée apparaissait rationnelle dans la mesure où elle permettait de suivre les performances de divers équipements, de surveiller leur rythme d'usure et de mettre en œuvre une gestion optimale de ces équipements. Cet objectif était d'autant plus justifié que la valeur de ces équipements approchait la centaine de millions de francs. Leur coût de fonctionnement et leur entretien pourraient ainsi être réduit au minimum.

Mais la surveillance des œuvres et du public ne peut être totalement abandonnée à une machine. Elle doit faire appel à un gardiennage assuré par des individus.

Allait-on transférer à Beaubourg les gardiens habituels des Musées ? Cette question se posa dès 1972 et il apparut rapidement que la réponse serait négative. Il convenait donc de redéfinir un nouveau type de gardiennage. Ce problème apparemment mineur est de ceux qui en fait déchaînent les passions parmi les syndicats et jusqu'au Parlement !

C'est que le gardien est l'homme qui protège les œuvres de la société ; il est investi dans nos modernes temples de la Culture des missions dévolues autrefois aux vestales.

Redéfinir le rôle du gardien impliquait une réflexion préalable sur les missions de Beaubourg : le personnel y aura la charge non seulement d'un musée mais également d'espaces variés.

Une conception nouvelle du Musée était également nécessaire : non plus temple et lieu réservé qu'université et lieu de formation.

La polyvalence du Centre et la transformation du monde des musées conduisirent à une nouvelle organisation.

Le principe fut arrêté d'une surveillance faisant appel au contrôle par des caméras de télévision. Dès lors, le nombre de gardiens peut être réduit, leur profil modifié : il faut ouvrir les Musées à des surveillants ayant reçu une formation plus complète, soucieux de l'accueil et de l'information du public autant que de la garde des œuvres.

Pontus Hulten souhaita afin de bien marquer ce changement d'orientation, que l'on recrute des femmes plutôt que des hommes. La fonction d'accueil s'incarnera de ce fait dans les personnes les plus aptes à la remplir.

Ainsi, une combinaison harmonieuse des équipements techniques et des personnes permet de résoudre les problèmes posés par la sécurité du Centre mais aussi par la mission nouvelle donnée au Musée de demain. C'est dans cette mesure que l'architecture dispose d'organes qui l'animent et lui permettent de se mettre au service des hommes.

Les instruments techniques au service du public.

Le Centre veut repenser les rapports entre la création contemporaine et le public. Il doit, à cet effet, se doter des instruments les plus adaptés à sa mission.

L'audio-visuel, l'informatique et la signalétique sont ces instruments qui permettent de rendre des services au public.

Le Centre Georges Pompidou sera le premier centre culturel, en France et même à l'étranger, à disposer d'un « outil » *audio-visuel* développé. Le problème a été clairement posé par les architectes eux-mêmes : « le Centre pour nous, n'est pas résumé dans le bâtiment lui-même, mais réunit le bâtiment et son quartier. Nous avons travaillé sur une hypothèse : les activités de ce quartier ne devraient pas seulement concerner l'élite, c'est-à-dire demeurer des activités " culturelles " dans le sens traditionnel du terme. Nous voulons servir une information dans l'acception ouverte de ce mot ».

Qui dit centre d'information, notamment dans les domaines de la création contemporaine, implique nécessairement aujourd'hui l'utilisation très large de l'audiovisuel.

La photo, le cinéma, la télévision, l'enregistrement de la musique, des paroles, etc. autant de techniques certes courantes mais qui n'ont pas encore été utilisées systématiquement pour une large diffusion culturelle. Il restait en ce domaine beaucoup à faire. Le Centre a l'ambition de jouer cette carte essentielle à ses yeux.

L'audio-visuel servira tout d'abord de *support* logistique à certains services rendus au public : la bibliothèque offrira ainsi, outre ses livres, un fonds de 300 000 diapositives; le musée comprendra une documentation composée de photos, de films, d'enregistrements.

Mais l'audio-visuel interviendra également comme *source de création* car, de nos jours, la création passe de plus en plus par l'image et le son.

Ces techniques permettent de réunir les arts plastiques et la musique : ainsi le « synthétiseur-vidéo » permet-il de composer des images en rapport avec une musique pour approcher une sorte de spectacle total. La création audio-visuelle favorise enfin une large *diffusion* et une politique culturelle populaire.

L'audio-visuel n'est plus alors simplement un adjuvant, il devient un centre nerveux de la création et de la diffusion, ces deux missions principales du Centre.

En tant que support logistique permettant d'améliorer la qualité de certains services, l'audio-visuel intervient d'abord pour assister la fonction de *conservation*.

Aujourd'hui l'information est un tout : elle est écrite, mais elle est aussi visuelle et verbale. Ainsi la Bibliothèque dispose-t-elle d'une documentation sur les livres, complétée par une documentation photographique. Un service iconographique offrira au public une collection de photos utilisables à partir de postes de consultation où il pourra les faire lui-même défiler sous ses yeux.

La Bibliothèque publique *d'information* proposera également au public les services d'une *sonothèque,* ou *bibliothèque musicale,* où pourront être écoutés les disques les plus récemment parus.

De même, au Centre de Création industrielle, le public pourra consulter une *diathèque,* c'est-à-dire une documentation photographique dans le domaine de la création industrielle et architecturale. Il sera largement fait appel à l'audio-visuel dans le fonctionnement de la *galerie permanente de la création industrielle* : plutôt que de présenter des objets, comme dans un musée traditionnel, cette galerie présentera des photos, des films, des reportages, qui sont tout aussi riches d'enseignements et plus faciles à conserver que des objets.

A un degré supérieur, l'audio-visuel n'intervient plus simplement comme support, mais aussi comme élément d'*animation.*

C'est la raison pour laquelle le Centre disposera de petites salles de cinéma, certaines équipées pour des films en 16 mm (Musée, CCI), d'autres pour des films en 35 mm (une salle de 200 places et la salle polyvalente).

L'animation audio-visuelle intervient d'autre part pour appuyer et animer des expositions temporaires.

Enfin, et surtout, l'audio-visuel sera une *source de création et de diffusion.*

Le Centre disposera d'un *studio d'enregistrement* permettant de tourner indifféremment des films ou des émissions de télévision, de réaliser des interviews d'artistes ou de personnalités, d'enregistrer des débats, des commentaires de caractère pédagogique, etc.

Un atelier de production permettra aux animateurs du Centre ou à des artistes de fabriquer des montages audio-visuels, de développer des photos ou des films, etc. Des créations originales pourront ainsi être possibles à Beaubourg.

Ces productions pourront être ensuite diffusées auprès d'un large public.

Un *réseau interne de télévision,* en couleur, doit permettre de diffuser dans le Centre sur 60 téléviseurs,

3 programmes différents et constituer un canal de diffusion privilégiée.

Mais l'audio-visuel doit permettre également au Centre de rayonner vers l'extérieur. Il pourra ainsi diffuser des *copies* de ses films, de ses montages audio-visuels vers les centres culturels, les musées de province, etc.

Enfin, le Centre pourra également assurer une *diffusion* nationale grâce à une liaison avec les chaînes de télévision.

Pour mener à bien ces missions ambitieuses, le Centre sera doté d'un équipement incorporant les techniques les plus récentes et les plus performantes.

Le développement exceptionnel de l'audio-visuel sera toutefois conduit avec prudence : le type de « message » que ces techniques véhiculent n'a pas une valeur universelle. Or, les deux tiers du Centre environ devront recevoir des activités favorisant la contemplation, la réflexion et — n'ayons pas peur des mots — le recueillement.

Le recours à *l'informatique* était nécessaire à de multiples égards. Le souci d'apporter des services nouveaux ou plus complets au public a été le principal mobile.

Cela est particulièrement clair en matière de documentation; aussi trois services documentaires (bibliothèque, documentation des arts plastiques, documentation du Centre de Création industrielle) feront-ils largement appel à l'informatique.

La gestion informatisée de la bibliothèque porte sur un fonds qui devra approcher un million de volumes. L'idée des responsables de la bibliothèque est de permettre au public un accès aussi libre et complet que possible au fonds documentaire. La solution la plus séduisante est, bien sûr, celle où un lecteur peut poser toutes les questions qu'il veut à une console d'ordinateur qui lui indique en réponse les ouvrages qui l'intéressent.

Dans la pratique un système de ce type n'a pas de précédent au monde et se heurte à des difficultés de toutes natures.

Aussi, les objectifs initiaux doivent-ils être étalés dans le temps.

La documentation des arts plastiques est beaucoup plus avancée dans la voie de l'informatique.

Son traitement informatique correspond au souci de gérer de manière plus aisée un fonds qui sera assez important.

Mais il ne s'agit pas ici d'un système de recherche documentaire à proprement parler.

La documentation sur les produits du CCI devrait susciter le plus grand intérêt. Elle s'adressera aux consommateurs qui peuvent y trouver des informations sur 30 000 produits courants renouvelables par tiers tous les ans. Ils pourront aussi connaître les caractéristiques du marché pour une série de produits, trouver une solution à leur problème d'aménagement intérieur aussi bien que pour le choix d'un appareil ménager. L'informatique permettra d'approcher ce marché de concurrence parfaite, rêve des économistes libéraux.

Cette documentation sur les produits devrait alors constituer un instrument d'éducation sur la production et sur la valeur d'usage de ces produits ainsi que sur leurs qualités esthétiques.

La signalétique a pour objet de faciliter l'accueil du public en représentant de manière graphique ou symbolique les activités et services présents au Centre. Elle existe évidemment dans le Centre mais aussi à l'extérieur qu'il s'agisse des affiches, des annonces, bref de la publicité donnée à ses activités.

Elle recherche le mode d'expression le plus pertinent pour donner une image du Centre intéressant le grand public. A cet effet, un concours fut organisé en juin 1974 auprès d'une quinzaine d'équipes. La solution proposée par les lauréats consiste à affirmer l'unité du Centre tout en différenciant ses composantes au moyen de couleurs propres à chacune d'elle.

*
* *

Dotée d'instruments et d'organes, la machine architecturale peut dès lors vivre et s'animer.

Aussi la première préoccupation de ses « grands prêtres » et de ses « artificiers » est-elle son insertion harmonieuse dans le centre de Paris, où elle pourrait apporter une bouffée d'oxygène, vitale pour éviter l'asphyxie de la cité.

NOTES

1. Les fonctionnalistes, dans la perspective de Gropius, du Bauhaus, de Mies Van Der Rohe, de Le Corbusier adhèrent à cette déclaration de Piet Mondrian dans la revue de Stijl : « A vrai dire, ce n'est plus l'imperfection technique, la petite imprécision de la main humaine, comme une de nos revues architecturales l'appelait naguère avec approbation, qui produit l'émotion esthétique, mais au contraire, le miracle de la perfection machiniste (la grâce de la machine) qui mène l'esthétique à une beauté établie ».

2. Les expressionnistes tendent « à opposer tout naturellement à « la maison de verre » la fascination de la grotte, de la caverne, et du labyrinthe... A l'anti-art du Bauhaus, les expressionnistes répondent en imaginant leur architecture en sculptures » (Michel Ragon).

3. M. Bergerioux avait été candidat au concours du Centre, mais candidat malheureux. Son projet était l'un des cinquante projets monumentaux écartés par le jury : il représentait une grande main ouverte au-dessus des toits de Paris...

4. Diplômé par le Gouvernement.

5. Union Internationale des Architectes.

6. Le dernier chapitre de l'ouvrage en rend compte de façon détaillée.

7. Ainsi que l'a décrit Marco Ferreri, réalisateur du film *Touche pas la femme blanche*.

8. Du nom de son inventeur M. Gerber.

9. Ce que confirmèrent les membres du jury international qui, à l'occasion d'une réunion en décembre 1973, approuvèrent avec enthousiasme l'évolution du projet.

10. Les architectes avaient initialement conçu les façades comme d'immenses écrans audiovisuels dont la réalisation se heurta à des difficultés techniques et financières.

11. C'est-à-dire qui alimentent le téléphone, le système d'alarme, etc.

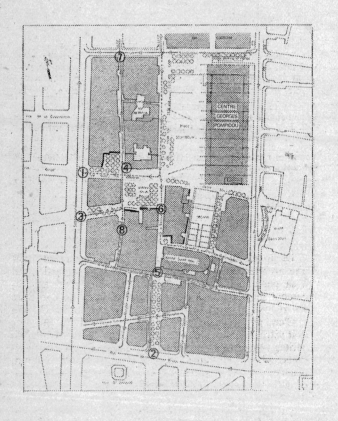

Le périmètre piétonnier du Centre Georges Pompidou.

CHAPITRE IV

AU CŒUR DE PARIS

> « L'une des raisons de la déculturisation
> du monde occidental, vient certainement de
> ce que la ville, depuis toujours milieu cultu-
> rel privilégié, a cessé d'être le lieu de la
> culture et de la fête, pour devenir un
> espace de circulations, un lieu de tra-
> vail. En détruisant la ville, la civilisation
> industrielle a du même coup détruit les
> « foyers de culture ».
>
> Michel RAGON,
> *l'Art : pour quoi faire?* 1971.

Le projet du plateau Beaubourg n'est pas simplement
une architecture audacieuse. C'est aussi un quartier qui
a sa personnalité et qui doit faire l'objet d'un aménagement de manière à offrir à ses habitants un cadre de
vie rénové et à pouvoir accueillir le public du Centre.

C'est pourquoi le caractère traditionnel du quartier
doit être sauvegardé et que certains équipements de
petites dimensions seront mis à la disposition des habitants : places publiques, espaces verts, salles de réunion,
piscine, etc. Une première étape fut franchie avec la
construction du complexe scolaire et sportif Saint-Merri
dès 1973.

La difficulté d'intervenir efficacement en cette matière
provient de la multitude des parties prenantes et de la
divergence des intérêts en présence. Alors que sur les
terrains dont il a acquis la propriété, l'établissement
public pouvait se comporter en véritable responsable,

il n'était plus, alentour, que l'un des nombreux partenaires de l'aménagement urbain du centre de Paris.

Mais, dira-t-on tout d'abord, pourquoi a-t-on voulu implanter le Centre sur le plateau Beaubourg? N'y avaitil pas d'autres emplacements possibles?

1° POURQUOI LE PLATEAU BEAUBOURG?

Le plateau Beaubourg est constitué par un quadrilatère bordé au nord par la rue Rambuteau, au sud par la rue Saint-Merri, à l'est par la rue du Renard et à l'ouest par la rue Saint-Martin. Cette dernière prolongée au sud de la Seine par la rue Saint-Jacques constitue l'axe historique de circulation nord-sud de Paris.

A l'emplacement de ce quadrilatère s'élevaient autrefois des immeubles insalubres qui furent démolis entre 1930 et 1940. Depuis plus de trente ans, le plateau Beaubourg constituait une sorte de terrain vague à usage de parc de stationnement distant de 300 mètres environ du Carreau des Halles.

Le gouvernement et la ville de Paris s'étaient penchés dès 1958 sur l'avenir du quartier des Halles. L'idée d'y installer la grande bibliothèque de lecture publique qui manquait à Paris avait été retenue [1].

A la même époque, le ministère des Affaires culturelles songeait à édifier un Musée du XXᵉ siècle dans le quartier de la Défense. La conception en avait été confiée au grand architecte Le Corbusier. La mort du maître, le 27 août 1965, entraîna l'abandon du projet. Le grand architecte avait certes été réticent vis-à-vis de ce site.

Peu de temps avant sa mort, dans un entretien avec Sylvain Zegel, il affirmait avec beaucoup d'intuition et de perspicacité : « Je ne veux pas construire le Musée du XXᵉ siècle à la Défense comme on l'a écrit. C'est trop loin. On peut y aller en métro : mais personne n'a envie de faire un voyage en métro pour se rendre à l'autre bout de la ville. En voiture, ce n'est guère commode avec les embouteillages. Un musée pour être vraiment ouvert à tous, doit être édifié au cœur de la cité [2]. » Mais Le Corbusier préconisait une solution radicale difficilement admissible : « Il y a toute la place que l'on veut à Paris pour l'accueillir comme il faut. Il y a même un emplacement idéal au bord de la Seine. Où cela ? A l'emplacement où subsistent encore le Petit et le Grand Palais, ce sont des barraquements provisoires. On veut nous faire croire qu'ils sont beaux parce qu'on a oublié de les démolir. Ils sont laids. En outre, ils sont incommodes et coûteux... C'est bien cet emplacement et nul autre qui convient au musée du XXᵉ siècle [2]... »

Des solutions radicales.

Ainsi la nécessité d'implanter ce musée au centre de Paris était déjà affirmée. Elle fut confirmée par Georges Pompidou qui fut séduit par l'idée que l'Art pût s'exprimer ainsi au cœur de la cité. L'emplacement du plateau Beaubourg, déjà dévolu à la bibliothèque, appelait à son tour le musée d'Art moderne; de là, l'idée de faire cohabiter dans un même bâtiment le musée et la bibliothèque, de faire bénéficier l'un de l'autre. Ainsi prit naissance l'idée d'un grand centre culturel.

Une volonté politique était nécessaire pour faire converger ces virtualités vers une réalisation. Georges Pompidou devait l'exprimer dès la fin de 1969 :

« Je voulais, passionnément, que Paris possède un centre culturel comme on a cherché à en créer aux Etats-Unis avec un succès jusqu'ici inégal, qui soit à la fois un musée et un centre de création où les arts plastiques voisineraient avec la musique, le cinéma, les livres, la recherche audio-visuelle, etc. Le musée ne peut être que l'art moderne puisque nous avons le Louvre; la création, évidemment, serait moderne, et évoluerait sans cesse. La bibliothèque attirerait des milliers de lecteurs qui, du même coup, seraient mis en contact avec les arts [3]. »

Le Conseil de Paris donna son accord à cette opération le 23 décembre 1969.

Georges Pompidou ajoutait à propos du choix de cet emplacement au centre de Paris :

« *Le plateau Beaubourg a été choisi uniquement parce que c'est le seul terrain disponible dans l'immédiat et que je voulais aller vite, sûr que si j'attendais rien ne se ferait jamais* [3]. »

Mais à cette raison purement pratique, s'ajoutait une préoccupation d'aménagement urbain tendant à développer la partie Est de la ville de Paris.

Le président de l'établissement public du Centre Beaubourg, M. Bordaz, la résume ainsi :

« *Pourquoi le cœur de Paris? demande-t-on, comme si, par force de l'habitude, le centre des villes ne devait plus être voué, désormais qu'à la vie économique, commerciale et financière...*

« *Et pourquoi pas? L'une des caractéristiques du Centre Beaubourg consiste en effet dans le choix heureux de son emplacement à la fois au milieu d'un grand cercle passant par la Bibliothèque nationale, le Louvre, le Théâtre de la Ville, les Archives et tourné vers le côté est de Paris. Laisser Paris se développer abusivement et exclusivement à l'ouest constituait en effet une erreur. Paris doit être équilibré. En construisant à l'est ou au centre comme à Beaubourg, nous maintenons sur place la population et nous régénérons des quartiers qui seraient, sinon, voués à la dégradation, puis à la disparition. Beaubourg permettra ainsi une accélération de la rénovation du Marais tout proche et le retour à la vie des maisons du quartier* [4]... »

Dès 1971, MM. Piano et Rogers avaient conçu un réaménagement du quartier autour du Centre. Là fut l'une des raisons du choix du jury [5].

Le bâtiment a été conçu dans une large mesure en fonction de son environnement : s'il est ouvert, si ses façades sont animées, si la place est piétonne, c'est afin d'assurer une communication aussi grande que possible avec le quartier.

Ce projet fut très favorablement accueilli par les différents responsables de l'aménagement du quartier, notamment ceux de l'aménagement des Halles.

Beaubourg et les Halles.

Si, dans la pratique, Beaubourg constitue un projet bien individualisé, il n'est juridiquement que l'un des éléments du plan d'aménagement du centre de la capitale conduit par la SEMAH mandatée à cet effet par la ville de Paris et financée en partie par l'Etat.

La volonté de Georges Pompidou jointe à la possibilité de libérer rapidement le plateau Beaubourg grâce à l'action de la SEMAH et de la Ville, fit que l'opération d'ensemble commença en fait par l'aménagement du plateau Beaubourg. Au moment où le projet lauréat était choisi, les pavillons Baltard étaient encore debout. La décision de réaliser le Centre allait être suivie par la démolition des pavillons, le creusement du forum souterrain, l'édification de la gare souterraine, par la restauration de l'îlot Quincampoix (bordant le plateau Beaubourg à l'ouest) et la rénovation de l'îlot situé au nord de la rue Rambuteau.

Aménager l'environnement du Centre revenait donc à entreprendre un travail complémentaire de celui de la SEMAH (Société d'économie mixte pour l'aménagement des Halles).

Il apparut assez vite que la SEMAH et l'établissement public du Centre Beaubourg concevaient de manière très voisine certains éléments de l'aménagement du quartier. Il en était ainsi par exemple de l'idée tendant à favoriser la circulation des piétons.

Il n'en existait pas moins des différences dans les perspectives des deux organismes. Et d'abord, les délais envisagés n'étaient pas les mêmes : Beaubourg visait 1976, la SEMAH 1980 et au-delà. Le statut des deux organismes était différent : d'un côté un établissement public à caractère administratif, habilité à entreprendre toutes opérations d'aménagement de son environnement immédiat, de l'autre une société d'économie mixte liée par convention à la Ville de Paris et pouvant emprunter sur le marché financier.

Entre les deux organismes et, par-delà, entre l'Etat et la Ville, les préoccupations n'étaient pas exactement semblables même si les hommes poursuivaient d'un côté comme de l'autre les mêmes buts et cherchaient à promouvoir un aménagement idéal du centre de Paris.

Premières décisions.

Dès 1971, les premières décisions engageant l'aménagement de l'environnement furent prises

Le creusement du tunnel Berger fut confirmé et la trémie de sortie du tunnel fut reportée rue du Renard, afin de dégager le plateau Beaubourg du flux des véhicules sortant de ce tunnel. L'Etat prenait à sa charge le déplacement de cette trémie d'une centaine de mètres.

A la même époque fut prise la décision de transférer l'école Saint-Merri rue du Renard afin de dégager une place d'environ un hectare ouvrant l'espace aux approches du Centre et permettant de découvrir le chevet de l'église Saint-Merri.

De même, il fut convenu de transformer en espace vert le plateau de la Reynie situé sur l'accès principal au Centre, de confier à l'établissement public la restauration de l'îlot de Venise, pâté de maisons de la rue Saint-Martin, faisant face au bâtiment du Centre.

Ces grandes opérations relevaient d'un *urbanisme de type ponctuel*. Elles étaient de ce fait relativement aisées à lancer. Chaque fois, un responsable particulier fut clairement désigné pour les mettre en œuvre.

Mais restaient à prendre les décisions relatives à *l'urbanisme diffus* : la création de cheminements piétonniers, le traitement des façades, la plantation d'espaces verts, la maîtrise de l'installation des commerces dans le quartier, etc. Ces décisions, qui prises une à une semblent de caractère mineur, présentent par leur nombre une difficulté à laquelle se heurtent souvent les responsables de l'aménagement urbain. L'expérience du plateau Beaubourg est à cet égard riche d'enseignements.

Peut-on maîtriser l'urbanisme d'un centre ville?

Le 4e arrondissement de Paris dans lequel est situé le plateau Beaubourg est l'un des arrondissements les plus populaires de la capitale. Il obéit à la loi générale qui régit l'évolution sociale des arrondissements du centre de Paris : à partir du XIXe siècle, le centre de la capitale a été peu à peu délaissé par les couches aisées de la population qui lui préféraient les arrondissements plus résidentiels de l'ouest. Une population composée de petits commerçants, d'artisans, d'ouvriers, de membres des classes moyennes, d'intellectuels, et de travailleurs étrangers est venue s'y installer dans des conditions d'hygiène et de salubrité assez médiocres, parfois même déplorables : on décida de démolir l'îlot insalubre du plateau Beaubourg en 1936 de crainte que les rats n'y propagent des épidémies. Il fut même question de menaces de peste [6].

Puis, durant les dernières années, et plus encore depuis dix ans, la composition socio-professionnelle du centre de Paris a subi une nouvelle et rapide évolution. Les classes aisées recherchent le centre de la capitale afin d'éviter des trajets devenus de plus en plus difficiles entre le centre et la périphérie. Cette évolution se traduit d'ailleurs sur le plan politique : Paris, l'ancienne « ville rouge » vote de plus en plus au centre ou à droite, alors que les électeurs de gauche diminuent.

Les quartiers des Halles et de Beaubourg n'échappent pas, bien qu'avec quelques retards, à cette évolution générale. Bien plus, le départ des Halles à Rungis en 1970, a accéléré cette tendance.

Les démolitions d'immeubles anciens entreprises par la SEMAH ont entraîné le départ de leurs occupants. La libération de plusieurs centaines de fonds de commerce qui suivit le départ des Halles suscita en revanche un appel d'activités nouvelles. Celles-ci, encouragées par la création du Centre Georges Pompidou, s'orientèrent vers des préoccupations d'ordre plus ou moins culturel : antiquaires, brocanteurs, galeries d'art remplacèrent les commerçants et les artisans. Parallèlement, certains immeubles anciens — notamment des hôtels particuliers du XVIIIe siècle — commencèrent d'être restaurés.

L'implantation de Beaubourg dans le centre de Paris s'insère dans le cadre d'une évolution plus générale. Sur le plan de l'urbanisme parisien, la construction du Centre n'est pas un phénomène neutre.

L'une des préoccupations du président Bordaz fut de limiter et, si possible, de contrarier l'évolution récente qui tendait à détruire le caractère populaire du quartier. Le président de la République souhaitait lui-même que Beaubourg fût implanté dans un quartier populaire et ouvert à un très large public : les manifestations culturelles contemporaines ne devaient pas rester dans son esprit le privilège d'une petite élite. Beaubourg devait être l'instrument de l'ouverture de la culture d'aujourd'hui au plus grand nombre.

Encore fallait-il se donner les moyens de cette ambition. A l'évidence, il apparaissait que si le Centre n'intervenait pas franchement dans l'aménagement du quartier voisin, les tendances naturelles s'accentueraient sous l'effet de la spéculation.

L'un des moyens dont dispose la puissance publique pour décourager la spéculation consiste en la création de zones d'aménagement différé (ZAD) à l'intérieur desquelles elle peut se porter acquéreur prioritaire de tous les immeubles en vente, en faisant usage d'un « droit de préemption ».

Mais ce « droit de préemption » requiert pour être efficace des crédits suffisants qui soient en rapport avec le nombre des ventes. En outre, ce fait a été constaté en de nombreuses circonstances, ce système a reporté la spéculation sur les zones extérieures au périmètre de la ZAD où elle peut s'exercer sans limites. La spéculation peut gagner ainsi de proche en proche des zones étendues.

Il existe une autre arme au service de l'Etat : la législation sur les sites classés et protégés qui, à défaut de stopper la spéculation, évite le remplacement systématique des immeubles anciens par des immeubles neufs et décourage ainsi certains spéculateurs. Mais les opérations de restauration conduisent très souvent à une hausse importante des loyers et des prix de vente, ce qui peut accélérer le mouvement de ségrégation sociale...

L'outil idéal dans l'attente d'une loi foncière efficace, manque donc. A défaut de pouvoir agir sur le logement, il était concevable d'agir sur les activités commerciales du quartier en essayant de freiner le départ des artisans et commerçants traditionnels.

Une action de l'Etat en cette matière est très délicate car elle se heurte au principe général de la liberté du commerce et de l'industrie. Dès 1971, on envisagea néanmoins la création d'un comité où seraient représentés les différents services compétents (service des Domaines, de l'Architecture, des Monuments historiques) et qui pourrait encourager l'implantation équilibrée de commerces et services dans le quartier.

Ce projet ne se réalisa pas parce qu'il aboutissait à confier aux services publics une mission qu'ils ne sont pas habilités à remplir.

La conclusion apparut en toute clarté aux responsables de l'opération du plateau Beaubourg : la législation en vigueur ne permet à l'Etat de bien maîtriser que les opérations d'urbanisme dont il a la responsabilité directe, ce qui signifie qu'il doit être propriétaire de terrains ou d'immeubles.

On ne maîtrise bien que ce que l'on possède.

Dans la mesure où il ne pouvait pas agir sur l'urbanisation diffuse du quartier — et ceci incombait d'ailleurs à la Ville de Paris ou son mandataire la SEMAH — l'Etablissement public s'efforça au moins d'assurer la maîtrise d'opérations ponctuelles. Il chercha à en acquérir la propriété ou à en assurer le financement.

2° LORSQUE L'ÉTAT DEVIENT AMÉNAGEUR URBAIN...

C'est à ce titre que le Centre entreprit plusieurs opérations dans son environnement immédiat. Parallèlement, au cours du dernier Conseil restreint où il examina l'opération du Centre Beaubourg, le 6 décembre 1973, Georges Pompidou décida de confier à l'Etablissement public la réalisation et le financement d'une amélioration des voies et espaces publics situés à proximité du plateau Beaubourg.

Cet aménagement fut en définitive réalisé de concert avec la Ville de Paris et la SEMAH en 1976. Paris disposera enfin d'un quartier piétonnier.

Le complexe scolaire et sportif Saint-Merri.

Il peut paraître étonnant *a priori* qu'un établissement public chargé de la construction d'un centre culturel ait entrepris préalablement, à proximité, la réalisation d'un bâtiment comprenant une école maternelle, une école primaire et un gymnase.

La construction du complexe Saint-Merri a été en réalité une opération d'urbanisme qui s'est doublée d'une expérience pédagogique. Elle a permis la réalisation du *premier équipement public intégré* de la Ville de Paris.

Parmi les raisons qui ont milité en faveur de ce projet figure d'abord le souci de dégager les abords du Centre qui aurait, sinon, approché de moins de dix mètres la façade de l'ancienne école Saint-Merri.

Dès 1971, il apparut souhaitable de compléter la place située à l'ouest du Centre par une autre place qui aurait été située au sud, à l'emplacement de l'ancienne école.

A l'origine de ce projet résidait en fait une conception originale de l'aménagement des abords immédiats du Centre. Les architectes étaient très favorables à la création de plusieurs petites places, ponctuant le cheminement des piétons et permettant à la fois de découvrir le bâtiment sous des angles différents et d'organiser une animation urbaine complémentaire de celle prévue dans le Centre culturel.

A cette première raison s'ajoutèrent des considérations de caractère architectural. L'arrivée de Pierre Boulez dans l'équipe de Beaubourg conduisit rapidement à envisager la construction d'un bâtiment autonome pour l'Institut de Recherche et de Coordination Acoustique-Musique (IRCAM).

Les dimensions du projet, les hautes performances acoustiques requises du bâtiment, son caractère de centre de recherche et d'expérimentation rendaient nécessaire une architecture distincte et enterrée.

Une troisième raison milita pour le transfert de l'école et fut exprimée par la commission des sites et par le Conseil de Paris.

L'architecture totalement enterrée de l'IRCAM allait

ouvrir la vue sur l'admirable chevet de l'église Saint-Merri.

Le projet finalement retenu nécessitait ainsi, avant tous travaux de démolition, la construction d'une nouvelle école.

Cette opération complémentaire du projet Beaubourg proprement dit, exigea la réunion d'un certain nombre de conditions.

Il fallut trouver un terrain dans le voisinage immédiat. L'implantation de la nouvelle école dans l'environnement immédiat de Beaubourg permit d'aménager à la fois le terrain libéré au profit de l'IRCAM et le terrain occupé par l'école. Les problèmes d'urbanisme de l'est et du sud du plateau Beaubourg étaient ainsi réglés.

Mais, qui connaît les difficultés de l'action administrative mesurera quelle gageure il y avait à vouloir démolir une école pour la reconstruire... cent mètres plus loin!

Les contraintes se conjuguèrent; il fallut assurer dans cette école la sortie du parc de stationnement du Centre, l'intégrer à un ancien hôtel particulier du XVIII° siècle, tout en construisant un nombre de classes dont la surface totale excédait de beaucoup celle du terrain...

On mesure à cette énumération toute la difficulté de construire aujourd'hui dans le centre de Paris!

L'établissement public proposait, parallèlement, de profiter de cette opération, où le maître d'ouvrage disposait d'une certaine liberté d'action, pour entreprendre une expérience pédagogique originale.

Avec le concours des services de l'Education nationale, fut alors lancée une opération pilote : celle d'une *école à aires ouvertes*. Le principe de telles écoles, dont peu ont été réalisées en France, est de traduire dans l'architecture un nouveau type de rapports pédagogiques entre élèves et maîtres.

Le système traditionnel de la classe où une trentaine d'enfants sont regroupés autour d'un même professeur, dans un même espace clos, est abandonné.

On lui substitue de grandes aires, dans lesquelles peuvent prendre place plusieurs groupes d'élèves. L'espace peut varier selon des besoins. Un mobilier adéquat permet tantôt de constituer des petits groupes de travail, tantôt de regrouper toute la classe ou même plusieurs classes.

Il en résulte une atmosphère de plus grande liberté et d'auto-discipline. Les enfants ne doivent pas faire de bruit exagéré afin de ne pas gêner leurs camarades. Le travail en équipe est favorisé : les rapports entre maîtres et élèves sont moins hiérarchisés que dans l'enseignement traditionnel.

Ce type d'organisation de l'espace conduit au décloisonnement : entre discipline, entre groupes, entre classes. Nous sommes au cœur des préoccupations présentes dans la réalisation de Beaubourg.

A cette école furent adjoints une piscine et un gymnase ouverts non seulement aux sept cents élèves de l'école, mais aussi aux habitants du quartier.

Ce complexe scolaire et sportif a été conçu comme un *équipement intégré* dans un même bâtiment. Les équipements scolaires et sportifs sont placés sous une responsabilité unique.

Le complexe scolaire et sportif Saint-Merri, décidé au début de 1972, fut commencé en juillet 1972 et ouvert aux élèves en mars 1973.

Ainsi, dès le début de 1973, l'aménagement de l'environnement immédiat du Centre était réglé dans ses principes, au sud et à l'ouest du Plateau Beaubourg. Restaient alors le nord et l'est.

Au nord, la SEMAH avait confié à une société privée, la COGEDIM, le soin de rénover entièrement un énorme îlot d'habitation. Pour que cette opération puisse s'harmoniser avec l'environnement du Centre, il fallait que l'architecture des constructions nouvelles prévues le long de la rue Rambuteau soit conçue avec précautions.

Les pouvoirs publics souhaitaient même maintenir les façades anciennes afin de sauvegarder une unité d'architecture sur trois côtés de la place Beaubourg.

A l'est, il convenait de restaurer au mieux les immeubles du xviiie siècle bordant la rue Saint-Martin. Au sud de la rue de Venise, cette restauration était entreprise par la SEMAH. L'établissement public se porta acquéreur de l'îlot de Venise, dont les façades qui prolongeaient vers le nord celles restaurées par la SEMAH font face au bâtiment du Centre.

La rénovation de l'îlot de Venise.

En assurant lui-même la rénovation de l'îlot de Venise, l'Etablissement public se comportait, vis-à-vis de la SEMAH qui vendait cette parcelle, comme un promoteur public.

L'idée sous-jacente était d'assurer en un point stratégique le contrôle sur l'aménagement des abords. Ce groupe d'immeubles dont la surface utile s'élève à environ 4 000 m² permettait en outre de compléter certains éléments du programme, notamment une dizaine de studios destinés à héberger des artistes ou des personnes de passage. Beaubourg pouvait à cette occasion favoriser l'implantation à proximité du Centre d'activités culturelles, telles que des cinémas d'art et d'essai.

A cette préoccupation, s'ajoutait un objectif de caractère purement urbanistique : l'aménagement de la petite rue de Venise allait permettre de créer en ce lieu un accès au Centre de caractère sympathique. L'îlot de Venise permettait ainsi d'assurer une liaison entre le plateau Beaubourg et les Halles.

La construction de l'IRCAM.

Le choix de construire le bâtiment de l'IRCAM en souterrain permit de dégager, au sud du plateau Beaubourg, une nouvelle place publique complétant l'aménagement du quartier.

Pierre Boulez appelle l'IRCAM « petit Beaubourg » par opposition au « grand Beaubourg » qu'est le bâtiment principal. Les deux bâtiments contrastent par leur vocation et leur conception architecturale. Le « grand Beaubourg » est essentiellement un centre d'information tourné vers le grand public, le « petit Beaubourg » est plutôt un centre de recherche et de création. L'architecture du premier est aérienne, celle du second enterrrée.

La construction de l'IRCAM s'effectue selon les mêmes principes que ceux qui régissent le « grand Beaubourg » : même maître d'ouvrage, même maître d'œuvre, même répartition des responsabilités.

Toutefois, la nature particulière du bâtiment, sorte de laboratoire très spécialisé, a conduit à donner à l'utilisateur futur un rôle renforcé.

Certaines caractéristiques méritent d'être mentionnées plus particulièrement qu'il s'agisse de l'implantation géographique du bâtiment, de la conception du programme de la complexité technique de son fonctionnement, des difficultés d'évaluation financière ou enfin des données architecturales.

Il est probable que du point de vue strictement financier et fonctionnel l'IRCAM aurait été mieux implanté hors d'une zone urbaine qu'en plein centre de Paris. L'isolement acoustique n'aurait pas eu à lutter contre les multiples bruits urbains : trépidations du sol, du métro, circulation automobile. Mais la réalité est quelque peu différente.

L'IRCAM, éloigné du bâtiment principal, ce serait tout un pan de l'esprit de Beaubourg qui disparaîtrait.

Renoncer à la collaboration de la musique avec les autres disciplines priverait ces dernières d'une source créatrice essentielle. Ce serait également couper l'IRCAM d'une grande partie de son public. Or la recherche, et plus encore la création, nécessitent pour être fécondes, un contact, un dialogue avec le public.

Certes, le choix d'une architecture totalement enterrée, outre qu'il présente des difficultés d'adaptation pour les personnes appelées à y vivre, dans des conditions voisines de celles d'un sous-marin, entraîne des aléas architecturaux et des risques financiers.

Mais il ne s'offrait guère de solution alternative valable.

Concevoir le programme d'une bibliothèque, d'un musée, même s'ils s'inscrivent dans un cadre nouveau, relève du domaine du connu. L'IRCAM au contraire, en l'absence de tout précédent, c'était l'aventure. La définition du programme impliquait une recherche profonde préalable, une maturation progressive au sein de la petite équipe peu à peu constituée autour de Pierre Boulez. L'une des difficultés consistait à coordonner les travaux des différents conseillers techniques : acousticiens, électro-acousticiens, informaticiens, musiciens, dont les domaines d'intervention très spécalisés devaient pourtant s'intégrer à l'ensemble du programme de manière aussi harmonieuse que possible. Si l'on ajoute que les personnes qui ont participé à la définition du programme étaient originaires pour la majorité d'entre elles de pays étrangers, on mesure la difficulté qu'il y eut à créer un véritable langage commun.

Mais la construction d'un bâtiment possède heureusement cette vertu particulière de susciter des énergies très fortes. Celui qui participe directement à la construction de son futur laboratoire de recherche se sent concerné et adopte naturellement un comportement responsable.

L'opération était difficile à maîtriser car, au fur et à mesure de l'avancement des études, elle apparaissait toujours plus complexe. Des exigences et des contraintes nouvelles qui n'étaient pas évidentes au départ, apparaissaient peu à peu. C'est ainsi qu'au début de 1973, fut décidée la création d'un « espace de projection musicale », c'est-à-dire une salle de 15 mètres de hauteur environ, pouvant accueillir 300 personnes et dont le plafond, le plancher et les murs pourraient être modifiés dans leur position ou dans leur aspect extérieur de manière à transformer les conditions habituelles de propagation du son.

Cet « espace à géométrie variable » serait en quelque sorte un immense instrument, une grande caisse de résonnance mobile dans laquelle pourraient pénétrer le public et les musiciens.

L'extension des surfaces initiales, le perfectionnement de certains équipements, l'imprécision des premières évaluations obligèrent en 1974 le maître d'ouvrage à prendre une décision drastique.

Ceci se traduisit par la conception d'un programme allégé, et surtout, d'un projet architectural différent qui put entrer dans l'enveloppe arrêtée un an et demi plus tôt.

Le dernier projet arrêté à la fin de 1974 apparaît finalement d'une plus grande qualité que le précédent. Les contraintes financières ont, jusqu'à un certain point, la vertu d'aiguillonner l'imagination des architectes...

Le nouveau projet est moins profond que le précédent du fait des réductions de volumes opérées. Le rapport entre surfaces utiles et surfaces hors œuvres qui mesure l'importance des « espaces perdus » passe de 1,9 à 1,3, soit une économie sensible.

L'espace de projection est légèrement réduit.

Quant à l'accès au bâtiment, il est totalement modifié puisqu'il se fait le long d'un corridor descendant par paliers successifs du niveau de la rue au bas de l'espace de projection situé au pied du chevet de l'église Saint-Merri.

Pour le piéton, le bâtiment de l'IRCAM sera pratiquement invisible : le toit du bâtiment sert en effet de place. Une partie de ce toit, recouverte de verre, permettra à la lumière naturelle d'éclairer certains des espaces.

L'adjonction de l'IRCAM au projet initial du « grand Beaubourg » est non seulement un complément apporté aux activités du Centre Georges Pompidou, sa réalisation architecturale est aussi le moyen d'améliorer la qualité de l'environnement du Centre.

*
**

Beaubourg, point de rencontre de l'animation culturelle, de la recherche architecturale et de l'aménagement urbain, est à la croisée des chemins : le voyageur peut s'y arrêter et réfléchir. Les questions sont nombreuses : Quels sont les responsables de l'opération ? qui décide ? Pour quels buts ? Comment peut-on conduire une multitude de projets à la fois si différents et si ambitieux ?

Pour comprendre l'enjeu considérable du Centre, il faut, comme l'homme de la caverne de Platon, rechercher la réalité derrière les ombres, loin du vacarme des chantiers, au-delà des projecteurs de la publicité.

NOTES

1. Cf. chapitre II.
2. *Figaro littéraire*, n° 1 011, 28 septembre 1965, p. 7.
3. Déclaration au journal *le Monde* du 17 octobre 1972.
4. Déclaration du président Bordaz *Déjà Paris demain*, Lintas France, La Table Ronde.
5. « En ne s'attachant qu'à la construction, on ne juge que la moitié du projet. En effet, les architectes n'ont pas seulement conçu une construction qui n'a guère d'équivalent dans le monde, ils ont recherché un équilibre juste et subtil entre un bâtiment de grande envergure, ouvert et exposé largement, et d'autre part, des espaces extérieurs — places, jardins, cheminements divers, étagements des terrasses couvertes de verdure — à la fois dégagés, intimes et protégés. » (Rapport du jury du concours international d'architecture.)
6. Cf. Michel Ragon, *Histoire de l'architecture*.

CHAPITRE V

QUI DÉCIDE?
MAITRE D'OUVRAGE, MAITRE D'ŒUVRE
ET UTILISATEURS

> « Ainsi me parlait mon père :
> — Force-les de bâtir ensemble une tour
> et tu les changeras en frères. »
>
> Antoine de SAINT-EXUPÉRY,
> *Citadelle.*

Conduire un projet d'urbanisme, c'est réunir et maîtriser toutes les données multiples qui concourent à sa réalisation. Dans le cas particulier du Centre Georges Pompidou, cela implique un ensemble d'actions conduites sur une durée d'environ 6 années consécutives. Cela nécessite également une répartition des responsabilités, telle que les décisions puissent être prises au moment voulu, tout en tenant compte des exigences les plus diverses des utilisateurs [1], de la volonté des pouvoirs publics et des réactions de l'opinion.

C'est pourquoi les compétences qui doivent être réunies intéressent des domaines aussi différents que l'esthétique, l'architecture, les problèmes techniques, financiers ou juridiques...

Seule une équipe soudée, de formation polyvalente et rompue à l'exercice de la décision peut faire face à toutes ces tâches, car seule une volonté commune permet d'agir dans la continuité. La qualité principale doit être l'enthousiasme, canalisé par des méthodes de gestion, qui en définitive sont proches de celles des chefs d'entreprise.

Il demeure cependant une différence de taille : Beaubourg a une finalité publique. Il s'insère dans un milieu culturel complexe et sensible.

Les mécanismes qui ont assuré la conduite de ce projet apportent des leçons intéressantes à plusieurs égards.

D'abord, parce que ce projet n'a pas de précédent, et qu'en revanche, il connaîtra des prolongements, des imitations dans d'autres villes, d'autres pays.

Ensuite, parce que les méthodes adoptées peuvent être appliquées à d'autres programmes plus ou moins similaires : de caractère culturel, mais plus généralement à tous grands projets publics.

Enfin, parce qu'une telle étude peut contribuer à détruire certaines idées reçues : si le grand public ne comprend pas toujours, c'est en vérité qu'il est mal informé, des conditions d'exécution, des projets d'envergure.

Par exemple, il ne pourra imaginer que des années d'études très poussées soient indispensables avant le début des travaux.

Une construction est comme un iceberg dont la partie immergée correspondrait aux études et la partie visible au chantier.

La connaissance et le pouvoir d'organisation sont les deux armes principales dont dispose celui qui a la responsabilité de la conduite d'un projet : *connaissance* des différents éléments qui composent le projet et *organisation* des moyens qui en permettent la réalisation.

Armes bien faibles apparemment : qui trop embrasse, mal étreint...

Personne n'est en mesure de connaître tous les différents aspects techniques (technologiques, juridiques, financiers, etc.) d'un grand projet.

Mais ce n'est pas un problème en soi : il suffit que le responsable soit entouré d'une équipe, en qui il ait confiance et qu'il affecte à chacun un domaine d'action en rapport avec ses compétences.

Cette connaissance ne doit pas être abstraite. Elle est intimement liée à l'action. La bonne connaissance d'un projet c'est finalement celle qui résulte naturellement d'un travail d'équipe maîtrisé où chacun tient son rôle.

Un seul homme peut-il prétendre diriger un projet aussi vaste? Il faut déjouer les obstacles financiers, juridiques, techniques et politiques qui ne manquent pas de s'élever sur son chemin...

Témoigner des difficultés rencontrées, des solutions imaginées c'est apporter une contribution à la bonne gestion des dossiers publics.

La difficulté de direction d'un projet ne se mesure pas en réalité à l'importance de son budget.

La construction du Centre Georges Pompidou est beaucoup moins onéreuse que bien des opérations militaires, urbaines, ou touristiques [2].

Les difficultés de l'opération du Centre Georges Pompidou tiennent essentiellement aux quatre facteurs suivants :

— la conjonction d'un grand nombre d'innovations : au plan des techniques, architecturales, juridiques, et au plan des finalités elles-mêmes;

— le caractère culturel de l'opération : le service public que doit rendre le Centre ne peut pas s'apprécier en termes de rentabilité économique, d'autant plus qu'il est difficile à comparer à d'autres projets publics plus directement utilitaires : autoroutes, écoles, hôpitaux, etc.;

— l'implantation du Centre au cœur de la capitale expose sa réalisation à des contraintes particulièrement lourdes de site, de circulation, de droit, de compétences. Construire dans le centre d'une grande ville est, aujourd'hui, une chose à la limite du possible;

— l'existence de partenaires multiples, aux responsabilités et aux intérêts parfois contradictoires : le maître d'ouvrage (c'est-à-dire l'établissement public qui finance l'opération), le maître d'œuvre (les architectes et leur bureau d'études), les utilisateurs (c'est-à-dire les activités culturelles du futur Centre), et les autorités de tutelle (les différents ministères concernés).

De cette expérience unique, des enseignements peuvent être retirés qu'il s'agisse du rôle des responsables ou des modalités de conduite du projet (ces dernières seront examinées au chapitre suivant : chapitre VI).

L'organisation rationnelle des responsabilités suppose l'adoption *de règles du jeu* et la mise en œuvre d'une *organisation* qui s'impose à toutes les parties intéressées.

En outre, l'organisation doit pouvoir s'adapter et se réformer en permanence au fur et à mesure de l'évolution du projet. La mise en œuvre de la *préfiguration* des activités futures est une manière de répondre à ce type de problèmes.

1° LES RÈGLES DU JEU

L'opération du Centre Georges Pompidou ressemble, à certains égards à un vaste jeu de l'oie. D'où l'importance des règles du jeu : celle *de la tension et de l'entente,* celle *du bon dosage du contrôle et de l'autonomie,* enfin celle de *la juste anticipation de toutes les contraintes.*

La première n'intéresse que les partenaires directement liés à l'opération, la seconde concerne les rapports entre l'organisme constructeur et les autorités extérieures auxquelles il doit rendre des comptes, la troisième a trait à la manière de faire des choix tout au long de la réalisation de l'opération.

La règle de la tension et de l'entente.

Elle s'applique particulièrement aux trois partenaires que sont le maître d'ouvrage, l'utilisateur et le maître d'œuvre. Le maître d'ouvrage est le client, celui qui passe la commande et qui la paye. Le maître d'œuvre est l'architecte qui l'exécute. L'utilisateur est celui à qui est livré le bâtiment.

Cette première règle peut atteindre une certaine complexité lorsque le nombre des utilisateurs du bâtiment est important, comme c'est le cas au Centre Georges Pompidou.

Les intérêts propres à chacun de ces trois partenaires peuvent diverger ce qui explique des tensions. Mais un intérêt supérieur doit s'imposer aux intérêts particuliers, chaque fois que risquent d'être mis en cause la réalisation et le bon fonctionnement du bâtiment, ce qui conduit à l'entente.

Les difficultés rencontrées dans le passé par certaines opérations de construction ou d'aménagement provenaient, en général, d'une mauvaise répartition des responsabilités entre ces trois partenaires.

Plusieurs cas de figure sont possibles.

D'abord le cas où le rôle de l'utilisateur est sousestimé ou surestimé.

Dans une opération comme la construction des abattoirs de la Villette, tristement célèbre, les utilisateurs prévus exigèrent des contraintes particulièrement sévères, puis, finalement se désintéressèrent d'une opération lancée de leur fait dans une mauvaise direction.

La construction de certaines préfectures dans les nouveaux départements de la Région parisienne entre 1967 et 1972 donna aux préfets de ces départements les rôles simultanés d'utilisateurs et de maîtres d'ouvrage.

Dans l'un et l'autre cas, les pouvoirs excessifs accordés aux utilisateurs aboutirent à des dépassements de crédits importants.

Certaines opérations souffrent parfois au contraire d'utilisateurs trop peu influents, voire même absents. Ainsi « l'agora » de la ville nouvelle d'Evry qui comporte un grand centre commercial, des logements, mais surtout des équipements collectifs (sportifs, culturels, sociaux) fut conçue et réalisée par un architecte agissant pour le compte d'utilisateurs potentiels mais souvent inexistants au moment de son intervention.

Il faut s'attendre alors à voir apparaître de nombreuses difficultés au moment de la mise en service des bâtiments : l'utilisateur réel fait valoir des besoins qui n'ont pas été pris en compte à temps par l'architecte. Et il est souvent trop tard pour des corrections. Entre ces deux extrêmes il convient de rechercher une voie moyenne qui tienne compte à la fois de la personnalité de l'utilisateur et de celle de l'architecte mais qui jamais n'accorde de prééminence à l'un ou l'autre.

Une autre hypothèse : celle d'un maître d'ouvrage trop faible.

Le succès d'une opération de construction implique l'affirmation d'un maître d'ouvrage fort, c'est-à-dire qui puisse faire prévaloir l'intérêt supérieur de l'opération aussi bien auprès de l'utilisateur futur qu'auprès de l'architecte.

Les exemples d'échecs dus à un maître d'ouvrage faible cédant à des exigences trop fortes de l'utilisateur, de l'architecte ou des deux réunis, sont multiples.

L'utilisateur peut alors présenter toutes ses demandes à l'architecte qui propose des solutions sans s'inquiéter autrement des contraintes financières, puisqu'elles relèvent de la mission du maître d'ouvrage qui, dans cette hypothèse, est mis hors circuit. Or ces contraintes n'ont pas une signification purement négative : elles traduisent les choix, les préférences de la collectivité, bref l'intérêt général.

Il est enfin *l'hypothèse assez fréquente de l'utilisateur et du maître d'ouvrage trop faibles* et qui laissent au maître d'œuvre, l'architecte, le soin de définir les besoins, de fixer un coût et d'arrêter les modes de réalisation.

Il n'y a pas de bonne architecture sans contraintes ni besoins exprimés au départ, bref sans « client ». Or, trop souvent, le « client », surtout s'il est public, se borne à exprimer un besoin général et flou; il se désintéresse du reste, quitte à se scandaliser, trop tard, des résultats obtenus.

L'équilibre entre les trois partenaires est difficile à réaliser. Leurs intérêts sont partiellement contradictoires : maître d'œuvre et utilisateur donnent la priorité à la qualité; ils sont peu concernés par les coûts ou les délais. C'est au contraire une préoccupation du *maître d'ouvrage* qui doit arbitrer et faire valoir les contraintes de coût et de délais. Il existe entre tous un jeu de tensions naturelles qui, s'il débouche sur des compromis positifs, peut se révéler dynamique et favoriser l'avancement du projet.

La bonne architecture exclut en effet les compromis bâtards. Elle requiert des partenaires à forte personnalité. Si leurs volontés sont orientées dans le but commun d'aboutir et de réussir, leur rencontre ne peut être que positive. Ainsi s'exerce la dialectique de la tension et de l'entente.

Elle trouve des points d'application privilégiés en matière de programme, de coûts et de délais.

L'un des risques les plus graves, qui peut menacer un projet réside dans *les changements de programme* effectués en cours d'opération.

Une sorte de course de vitesse est engagée entre le responsable de la réalisation qui doit veiller à la bonne exécution du projet sur la base d'un programme inchangé, et l'utilisateur qui, certes, a fixé ses besoins au départ, mais peut être tenté d'introduire, en cours d'opération, des demandes nouvelles issues d'un défaut de prévision, ou d'une modification des objectifs.

Et ces tentations augmentent avec la durée du projet. Le maître d'ouvrage doit veiller tout au long de l'opération à la bonne adéquation du projet au programme. Elaborer un projet architectural qui respecte le budget sans respecter le programme, n'est pas acceptable. L'inverse non plus.

Ainsi, la première esquisse des architectes, en décembre 1971, proposait-elle environ 125 000 m² au lieu des 100 000 m² demandés. En outre, les prévisions de budget étaient excessives. Cet avant-projet fut refusé. Les architectes durent imaginer un projet différent, respectant le programme.

Les débats autour du programme sont plus complexes lorsqu'ils portent sur des dispositions constructives de caractère technique.

Ainsi lorsque Pierre Boulez demanda que la salle polyvalente, essentiellement destinée dans le programme initial à des conférences et des représentations théâtrales, puisse être également utilisée comme salle de concert, ce changement de programme parut acceptable parce qu'il correspondait à un service nouveau très utile, nettement localisé, et qu'il intervenait dans des délais raisonnables sans dépassement excessif des coûts.

De même, la proposition des architectes de créer un forum fut-elle retenue moyennant quelques aménagements, car elle apparut comme un complément intéressant du programme.

En revanche, d'autres propositions de changement de programme furent refusées par le maître d'ouvrage lorsque les inconvénients susceptibles d'en résulter apparaissaient supérieurs aux avantages attendus.

Telle est l'influence subtile qu'exerce sur l'évolution du *programme,* la dialectique de la tension et de l'entente.

Elle joue également en matière de *coûts.*

La difficulté consiste alors à éviter de n'enregistrer que des augmentations. Il convient, pour respecter une enveloppe financière, de compenser toute augmentation non prévue par une réduction équivalente : qui veut le plus doit le moins.

Cela peut obliger à des sacrifices, que les utilisateurs et les maîtres d'œuvre sont enclins, dans un premier mouvement, à juger impossibles : pour un temps, le consensus entre les trois partenaires peut être rompu. Mais ce dernier se rétablit bien vite par la force des choses et grâce au bon sens de chacun.

Enfin, en matière de *délais,* le jeu de la tension et de l'entente est directement conditionné par les décisions prises pour le programme et les coûts. Tout changement de programme, sauf s'il est négatif, ce qui est rare, tend à accroître les coûts et à allonger les délais de réalisation : « le temps est de l'argent ».

En définitive, si cette dialectique s'exerce tout au long de la construction c'est bien la preuve qu'une opération de construction est une opération vivante; la vie, ce sont des imprévisions, des hésitations, et aussi heureusement, des évolutions.

Ceci est encore plus vrai lorsque l'opération sort des normes traditionnelles et bénéficie, comme dans le cas de Beaubourg, d'une certaine autonomie d'action.

La règle du bon dosage du contrôle et de l'autonomie.

Cette règle a pour objet de définir la marge d'action des responsables de l'opération.

La dévolution au chef de projet de moyens d'action

propres est justifiée par la nature et la taille des opé-rations de construction.

C'est ainsi que l'aménagement des villes nouvelles de la région parisienne a donné lieu à la création d'éta-blissements publics, à la tête desquels sont nommés des responsables de projet, dotés de pouvoirs importants.

Pour le Centre, un établissement public a été éga-lement créé en 1972 qui confiait à un seul organisme maître d'ouvrage, la responsabilité de l'opération, notamment au regard des trois ministères de tutelle : Affaires culturelles, Education nationale et Finances.

Une règle du jeu essentielle pour qu'un projet public puisse être mené à bonne fin consiste à confier aux responsables directs, suffisamment d'autorité pour agir. L'exercice des contrôles, assez développé dans l'admi-nistration habituelle, ne doit pas les ligoter.

Une opération de construction nécessite en effet la mobilisation directe et rapide des moyens mis à leur disposition.

Il y a contrôle et contrôle. L'établissement public s'est imposé tout naturellement un contrôle interne, c'est-à-dire une discipline lui permettant d'assurer la maîtrise de ses actes, notamment sur le plan financier. Mais il subit aussi un contrôle extérieur à l'établisse-ment public.

C'est celui qui nous intéresse ici.

Il y a d'abord le contrôle sur les affaires quoti-diennes : visa a priori du *contrôleur financier* sur les engagements de dépenses, contrôle des pièces justifica-tives de la dépense par l'*agent comptable* de l'établis-sement public.

Les ministères chargés de suivre l'opération exercent un contrôle plus occasionnel sur le *budget* et les prin-cipales conventions qui engagent l'établissement public (notamment les marchés soumis *à l'avis préalable* d'une *commission particulière*).

Enfin, Gouvernement et Parlement peuvent faire excercer des contrôles spécifiques directs ou par l'entre-mise de *la Cour des comptes* ou de *l'Inspection des finances*.

A ce contrôle en quelque sorte général, s'ajoute un contrôle spécifique exercé par certaines commissions spécialisées sur l'opération d'aménagement et de construction. Juridiquement, il s'agit en général de simples avis. Dans la pratique, bien qu'il puisse théoriquement le faire, il est bien rare qu'un responsable prenne le risque de transgresser ces avis [3].

Ces avis ne sont pas de pure forme. Ils ont parfois conduit à des modifications importantes, notamment en matière de sécurité. La responsabilité financière de l'établissement public se trouve ainsi parfois engagée en quelque sorte malgré lui. L'addition de ces contrôles, pour justifiés qu'ils soient pris séparément, entrave et gêne le pilotage d'une opération d'envergure.

Qui trop est contrôlé, mal conduit. Ceci pose un problème de responsabilité : la personne qui contrôle n'est en fait responsable ni des délais, ni même le plus souvent des coûts.

L'abus de contrôle conduit à une confusion des responsabilités : le contrôleur, théoriquement investi d'une simple mission de vérification de la régularité, se substitue finalement au responsable et juge de l'opportunité de ses actes.

Il existe souvent entre la régularité et l'opportunité un pas que l'on a tôt fait de franchir.

Le Centre Georges Pompidou est sans doute l'une des opérations publiques qui aura été la plus contrôlée. On peut en comprendre les raisons.

En premier lieu, la crainte que ne se renouvellent des scandales qui s'étaient produits quelques années auparavant (La Villette, les préfectures de la région parisienne) inclina le Gouvernement à une extrême prudence.

En second lieu, l'absence de référence possible à un établissement existant ou à des procédures habituelles donnait à cette entreprise un caractère novateur et expérimental. En langage administratif, l'innovation est hélas bien souvent synonyme d'aventure. Et qui dit aventure, dit risque, contre lequel il faut se prémunir.

En troisième lieu, le Centre battait en brèche beaucoup de situations acquises. En d'autres termes, le dynamisme de l'entreprise suscita des réticences notamment, et c'est compréhensible, de la part de ceux malgré lesquels elle avait été décidée. D'où des rumeurs aussi invraisemblables qu'alarmantes bien que démenties.

Mieux vaut, dira-t-on, trop de contrôles que pas de contrôles du tout. Peut-être. Mais des contrôles excessifs arrivent à se nuire les uns aux autres. Ils peuvent détourner également, ce qui est plus grave, l'attention des responsables de leur mission principale qui est de diriger le projet : justifier que ce qu'ils font est bien fait, risque alors de devenir une tâche qui s'exerce au détriment des autres.

Trop de contrôles nuisent à l'action. Un excès de liberté n'est pas non plus tolérable lorsque l'argent public est engagé dans une opération. Ici aussi un équilibre doit s'établir entre le contrôle et l'autonomie.

L'autonomie doit avant tout permettre à l'établissement public d'affirmer la responsabilité et la volonté d'une équipe tendue vers la réussite du projet.

La bonne conduite du projet nécessite, en outre, une anticipation constante des événements afin de réduire les risques d'erreurs. Toute difficulté dans le cheminement d'un projet provient, à la limite, d'un problème insuffisamment prévu.

Chaque décision doit être précédée d'une analyse complète des contraintes qui pèsent sur le projet.

La règle de l'anticipation de toutes les contraintes.

Cette règle a pour objet de réduire les risques d'erreurs par omission. Or la construction est une opération qui comporte un très grand nombre d'éléments complexes.

A la source des dépassements de coûts, se trouve souvent l'omission d'un ou de plusieurs de ces éléments.

Il est donc essentiel d'assurer un « balayage systématique » de tous les éléments du projet afin d'éclairer les choix qui doivent être synthétiques.

Le « balayage systématique » est une question de méthode et de discipline.

Pour un même bâtiment qui comporte un grand nombre d'éléments (gros œuvre, équipements techniques, mobilier), il peut y avoir plusieurs maîtres d'œuvre.

Il s'instaure alors une pluralité de responsabilités.

Cette pluralité peut être très dangereuse : un bâtiment est un tout indissociable.

L'apparition d'une zone d'imprécision, à la frontière des domaines de responsabilité, peut être génératrice d'oublis et donc de mécomptes.

Dans le cas particulier du Centre Georges Pompidou, il fut initialement envisagé de confier à MM. Piano et Rogers une responsabilité complète mais limitée à la seule construction, ce qui excluait les équipements audio-visuels, informatiques, et le mobilier, dont l'établissement public aurait été le maître d'œuvre. Ces équipements, étant directement liés à la vie de l'utilisateur, requéraient de ce fait une intervention plus importante de sa part.

Bien vite, les défauts de la dualité qui risquaient d'apparaître, conduisirent l'établissement public à renforcer la mission des architectes en leur confiant la maîtrise d'œuvre générale du mobilier, et aussi la possibilité d'agir sur l'environnement immédiat du plateau Beaubourg.

L'unité des responsabilités est la condition nécessaire du balayage systématique du projet qui doit être fait contradictoirement par le maître d'œuvre et par le maître d'ouvrage.

C'est pourquoi une fonction de coordination doit intégrer des tâches aussi différentes que la répartition des études entre les responsables, le respect du planning et le contrôle du budget. Dans la phase de démarrage de l'opération, l'établissement public adopta une structure répartissant ces différentes tâches entre plusieurs services. Lorsque le projet commença à avancer, une cellule de « coordination-planning-budget » fut constituée afin de veiller à la bonne intégration de tous les éléments des projets suivis de manière détaillée par les services opérationnels proprement dits.

Le souci de ne pas omettre un seul élément important du projet est également à la base de la méthode synthétique de prise de décision.

Il est difficile, voire impossible, à une seule personne de pouvoir analyser tous les éléments d'un problème surtout lorsqu'il est d'une grande technicité comme c'est le cas général en matière de construction. Les choix doivent donc s'appuyer sur des études préalables aussi larges que possible qui font l'objet de débats contradictoires.

Toute décision est arbitrage. Les différents partenaires s'efforcent de faire triompher leur point de vue auprès du chef du projet quitte à exécuter ensuite la décision même si elle leur est contraire : cette discipline est indispensable.

L'exercice de la décision s'effectue dans un cadre traversé par plusieurs lignes de force entre lesquelles des arbitrages doivent être rendus. Il faut, par exemple, trancher *entre les aspirations des futurs utilisateurs et celles des concepteurs.*

L'expérience montre qu'un concepteur, architecte ou ingénieur, a souvent tendance à rechercher la perfection, « le nec plus ultra » de la technologie. Ce point de vue doit être confronté avec les besoins de l'utilisateur, qui, souvent en matière d'activité culturelle, a tendance à récuser les excès du perfectionnisme : il préférera des équipements robustes et simples à des prototypes complexes.

L'arbitrage porte également sur les *coûts et les délais.*

Coûts et délais sont étroitement imbriqués. La volonté de réduire les coûts peut se traduire par un prolongement des délais qui entraîne à son tour un accroissement des coûts. Celui-ci est en général heureusement inférieur à l'économie recherchée!

Veut-on réduire le coût d'un marché? Il va falloir reprendre les négociations avec les entreprises, tenter d'obtenir des rabais supplémentaires et, à défaut, modifier certaines spécifications du marché, toutes opérations qui allongeront les délais.

Veut-on, en sens inverse, réduire le délai de réalisation d'une construction? Il faudra par exemple accepter de passer les marchés sur la base d'études insuffisantes pour reporter l'adoption de solutions définitives au stade du chantier, ce qui peut coûter plus cher; il faudra envisager d'utiliser des techniques plus efficaces, mettre en œuvre des moyens plus importants; il conviendra même éventuellement de recourir à des heures supplémentaires qui accroissent les coûts de revient. Il est bien d'autres interactions entre les coûts et les délais. Par exemple un ralentissement du rythme de la construction sur telle partie du chantier, s'il permet peut-être d'effectuer des économies, peut avoir des répercussions considérables sur les coûts des autres marchés à venir : les entreprises qui ont prévu d'immobiliser leur matériel, d'affecter un certain personnel pour une date donnée, devront prolonger cette immobilisation et ces affectations sans objet, ce qui entraînera automatiquement un surcoût. De ce fait, l'économie initiale peut se révéler illusoire.

Reste l'arbitrage fondamental entre *la préférence apportée au présent ou au futur.*

Le chef du projet doit toujours choisir entre une logique plus satisfaisante à court terme mais plus dangereuse à long terme et une logique opposée présentant plus d'inconvénients immédiats (en général coût plus élevé ou technique peu expérimentée) et plus d'avantages futurs.

La prise en considération de l'ensemble de l'horizon économique parmi les éléments du choix est la condition d'une bonne décision. C'est une règle du jeu essentielle.

Pour appliquer cette règle, il est nécessaire de rationaliser les choix, budgétaires ou non. Une alternative courante oppose les dépenses d'équipements immédiats et les dépenses de fonctionnement futures. Une autre alternative distingue les dépenses de matériel et les dépenses de personnel. Cette seconde alternative mesure le degré d'automatisation auquel l'on souhaite parvenir.

Il peut être tentant pour un constructeur qui n'est responsable que du seul budget d'investissement de limiter les dépenses exposées à ce titre, en les reportant sur le budget de fonctionnement du bâtiment qui sera placé sous une autre responsabilité. Ce transfert de charges peut lui permettre de respecter ses contraintes financières au prix d'un artifice de présentation.

Une telle attitude est d'ailleurs renforcée par des arguments financiers qui s'opposent aux arguments économiques : les crédits de construction sont ouverts dans la loi de finances une fois pour toutes, ce qui revient à dire qu'une fois utilisés ils ne sont pas renouvelés. C'est une raison supplémentaire pour veiller à leur bon emploi. En revanche, les crédits de fonctionnement (matériel, personnel) sont reportés d'une année sur l'autre : le budget qui fait l'objet de discussions annuelles ne porte que sur l'accroissement de la masse, qui n'est en principe pas remise en cause parce qu'elle correspond à des moyens permanents.

Cette distinction, inhérente à la logique des finances publiques, peut susciter un type de décisions qui n'est pas nécessairement conforme à la logique économique.

C'est pour y remédier que les Pouvoirs publics ont développé depuis quelques années les études de rationalisation des choix budgétaires. Mais il ne faut pas tomber de Charybde en Scylla et, au nom de la logique économique, aboutir à des aberrations financières. Plaider qu'il est préférable de réaliser tout de suite un important investissement permettant de réaliser des économies futures c'est parfois oublier le risque inhérent à tout calcul faisant intervenir des considérations de temps.

Ainsi, propose-t-on d'utiliser pour le Centre, des peintures garanties dix ans. Mais qui pourrait assurer que cinq ans après elles plairaient encore ?

L'arbitrage consistera alors dans ce cas à préférer une peinture garantie cinq ou sept ans, c'est-à-dire un investissement moindre dans l'immédiat mais avec un coût de réfection éventuelle plus proche.

En outre, un tel raisonnement s'il était généralisé, aboutirait à concentrer tous les investissements sur une même période, ce qui entraînerait le dépassement des capacités de financement. Un étalement de l'effort d'investissement, est la conséquence de toute logique financière.

Cette règle du jeu, qui cherche en définitive à équilibrer les impératifs respectifs du présent et du futur, trouve un autre point d'application lorsqu'il s'agit de choisir, pour l'exécution d'une tâche donnée, entre des moyens en matériels et des moyens en personnels.

Il s'agit d'une variante du cas précédent qui est illustrée par la façon dont a été résolu le problème du gardiennage du Centre.

Deux types de solutions étaient en lice : l'automatisation maximale du gardiennage au moyen de caméras de télévision qui impliquait un investissement immédiat important que compenserait par la suite une économie durable sur les frais de personnel ou bien une faible automatisation, se traduisant par une charge de personnel immédiate et future élevée.

C'est une solution intermédiaire qui a été en définitive adoptée. Le nombre d'agents a été réduit à la moitié de ce qu'il aurait été sans surveillance automatisée : son profil a été repensé et modifié dans la perspective d'un système global de surveillance comportant davantage de techniciens et d'hôtesses que de gardiens traditionnels.

L'installation de caméras et d'un système de détection automatique de l'incendie et même du vol complète ce dispositif. Un calcul économique a montré que ce type d'investissement sera amorti en un petit nombre d'années.

Telles sont les principales règles du jeu qui s'imposent aux partenaires d'une opération d'aménagement et de construction. Elles n'apparaissent pas toujours aussi clairement dans la fièvre de l'action.

Mais il appartient au responsable de les définir et de les faire respecter. A lui de mettre en œuvre des modes d'organisation adéquats permettant le meilleur respect de ces règles du jeu.

2° L'ORGANISATION DES RESPONSABILITÉS

Elle repose sur un certain nombre *de principes* et fait appel *à des procédures particulières de mise en œuvre*.

Les principes d'organisation.

. Un premier principe concerne la répartition des responsabilités et la mise en œuvre de la *trilogie : coûts, qualité, délais*.

Tout maître d'ouvrage doit atteindre trois objectifs simultanés : obtenir la construction d'un bâtiment conforme au programme prescrit — la qualité — dans le respect des coûts et des délais impartis.

Cette triple préoccupation se traduit directement sur l'organisation.

La garantie de la qualité c'est, dès le départ, le programme. S'il avait été architecte, le baron Louis aurait dit : « Faites-moi un bon programme, je vous ferai un bon bâtiment. »

Le respect de la qualité requiert un contrôle permanent de la bonne adéquation du projet réalisé au programme initial.

Une équipe chargée de la programmation doit traduire en termes opérationnels les besoins des utilisateurs, et servir de lien entre les utilisateurs et l'architecte.

Le respect des délais se conquiert sur les planches à dessin et sur le chantier.

C'est essentiellement l'affaire des ingénieurs chargés de préparer les études nécessaires à la passation des marchés et de contrôler la bonne marche des entreprises. Il implique chez le maître d'ouvrage la constitution d'un service technique chargé de l'aménagement et de la construction. Reste le respect des coûts. C'est dira-t-on l'affaire des financiers. Bien sûr. Mais encore faut-il distinguer : entre l'intervention d'un financier du ministère de l'Economie et des Finances et celle d'un financier engagé sur le terrain. Dans le premier cas, il est à l'abri de la forteresse de la rue de Rivoli.

Dans le second cas, il doit tenir tête sur le terrain à tous ceux qui engagent directement la dépense : architectes, ingénieurs, programmateurs.

Un service financier, s'il intervenait au même niveau que les autres services, dégénérerait vite en simple service comptable, enregistrant après coup la dépense. Le seul moyen de maîtriser la dépense est au contraire d'intervenir en amont, de confier à ce service une mission horizontale et de rendre chaque service opérationnel responsable des coûts qui le concernent.

C'est précisément à ce souci que correspond l'adoption d'un système de gestion « par objectifs ».

La gestion par objectifs est un second principe d'organisation qui a pour objet de découper l'opération en autant de sous-projets que d'éléments susceptibles de constituer un ensemble homogène tant sur le plan technique que sur le plan fonctionnel.

La responsabilité de chaque sous-projet est donnée à une personne devant rendre des comptes à la direction de l'Etablissement public, sur les plans de la qualité, des coûts et des délais.

Cette méthode s'impose dès que l'on est en présence d'un vaste projet. A Beaubourg, il fut mis en œuvre en 1974, à un moment où les études étaient suffisamment avancées pour laisser la place à une organisation plus opérationnelle.

Ainsi, la construction du bâtiment principal constitue-t-elle un sous-projet, tout comme l'IRCAM, ou encore l'environnement. Mais, à l'intérieur du bâtiment, l'audiovisuel constitue également un sous-projet, tout comme l'informatique, ou l'aménagement intérieur.

Organisations verticales et horizontales se superposent; d'un côté des services sectoriels : études et programmes, aménagement et construction, administration et finances; d'un autre côté des chefs de projets placés sous l'autorité d'une cellule de coordination générale et qui rendent compte de leur action devant le Comité de direction.

Mais il ne suffit pas de définir des responsabilités précises. Il faut que l'organisation arrêtée puisse vivre.

Comment organiser un maître d'ouvrage?

Toute organisation est d'abord un ensemble de moyens. La meilleure des organisations, si elle vient à être érigée en finalité, est condamnée à dépérir. Une bonne organisation est essentiellement contingente : elle doit disposer d'une souplesse lui permettant d'évoluer.

Le caractère évolutif de l'organisation est l'une des clefs du succès de toute opération d'aménagement et de construction. Sa mise en œuvre est très difficile. Il faut lutter sans cesse contre les tendances que l'on retrouve dans toute entreprise, privée ou publique, à figer et à stratifier des procédures.

La principale évolution nécessaire à la bonne conduite d'une opération consiste en un transfert progressif de responsabilité du service de la programmation au service chargé de la réalisation. Cela implique que le premier, placé au cœur de l'opération, reçoive des moyens importants au départ dont il s'allège peu à peu, jusqu'à n'être plus qu'une petite cellule contrôlant le respect du programme et des objectifs initiaux.

Chargé de la synthèse des besoins et du contrôle du projet architectural, ce service se transforme en gardien des objectifs et du programme.

Cette évolution se produit en sens inverse au profit du service de réalisation qui doit peu à peu se renforcer en faisant appel à des personnes d'un autre profil, des ingénieurs plus que des architectes. Ce service devra à son tour disparaître lorsque la construction sera achevée.

Le contrôle des coûts, lui, subsiste d'un bout à l'autre de l'opération. Mais son caractère évolue également. Il est au départ essentiellement un cadre chargé de cerner et d'évaluer les divers postes du budget et il devient, lorsque la réalisation commence, un mode de contrôle des différents engagements de dépenses.

Ces évolutions ne sont possibles que si l'organisation *bénéficie d'une grande souplesse dans la gestion du personnel.* Trop souvent, surtout en France les meilleures intentions des responsables d'organisation se heurtent aux rigidités inhérentes aux statuts des personnels.

Si l'on veut que l'organisation et les procédures puissent évoluer et s'adapter aux exigences des différentes phases du projet, il faut pouvoir disposer de moyens de recrutement temporaire.

Or, ce type de recrutement est en contradiction avec les principes de la gestion administrative auxquels les établissements publics sont assujettis. La nature humaine qui tend, c'est bien naturel, à la sécurité de l'emploi s'y oppose également. Pourtant, la conduite d'un grand projet exige le recours à des personnels liés par des contrats de courte durée. Mais il existe des impossibilités : on trouve difficilement, par exemple, un contrôleur de gestion expérimenté acceptant la perspective d'un licenciement deux ans après son recrutement, à moins de lui accorder une rémunération très avantageuse.

Force est alors de concilier des personnels recrutés

142

à titre permanent avec des personnels recrutés à titre temporaire. Et cela soulève de nombreux problèmes de coexistence.

3° UN EXEMPLE D'ORGANISATION VIVANTE :
LA PRÉFIGURATION

La mission initiale de l'établissement public était de construire le bâtiment. Mais le décret instituant l'établissement public à compter du 1ᵉʳ janvier 1972, précisait qu'il devait livrer un bâtiment en état de fonctionner.

Cette disposition pouvait être interprétée plus ou moins largement.

Certains n'auraient pas refusé de considérer que la réalisation du Centre soit séparée en deux opérations : une mission de construction proprement dite dont l'établissement public aurait été responsable et une mission de préfiguration de sa gestion et de ses activités culturelles qui auraient été confiées à un service du ministère des Affaires culturelles.

Ceci eut été conforme à une manière de pratiquer, fréquente dans le secteur public.

Mais une telle décision n'aurait pas été cohérente avec le processus de programmation générale adopté dès le départ et intégrant non seulement l'architecture, mais aussi le fonctionnement du Centre.

Il paraissait indispensable aux yeux des responsables de l'opération que le maître d'ouvrage, investi de la mission de construction, fût aussi chargé de la préfiguration. C'est ce dernier parti qui a été retenu.

La logique le voulait puisque c'était le seul moyen d'assurer une cohérence de décisions entre la construction présente et le fonctionnement futur, en plaçant la responsabilité des deux missions sous l'autorité d'une même équipe. Le responsable de la construction était ainsi chargé de prévoir le coût et les conditions de fonctionnement du futur Centre plusieurs années avant son ouverture, ce qui était prudent.

Le réalisme également devait l'imposer : à distinguer construction et gestion l'on s'exposait, comme trop souvent dans des opérations de construction, à construire

La rue Saint-Martin, rue piétonne.

puis à laisser inoccupé, un bâtiment plusieurs mois,
voire plusieurs années, en attendant la mise en place
toujours longue des moyens de fonctionnement (recrutement des personnels, mise en place des statuts, etc.).

Les finalités poursuivies par Beaubourg conduisaient également vers cette voie : le Centre pouvait difficilement prétendre être une opération pilote d'équipements intégrés sans en donner des preuves tangibles. Il fallait pour ce faire mettre à profit les années consacrées à la construction pour créer un état d'esprit nouveau pour mettre en place des services communs et des départements dont certains comme l'IRCAM et le CCI devaient être entièrement constitués et d'autres comme le Musée être réorganisés.

Cette nouvelle orientation donna lieu à débats tout au long de l'année 1973. Elle se concrétisa dès juillet 1973 pour le CCI qui, par convention passée avec l'UCAD, devint officiellement un département du Centre.

La préfiguration commença véritablement le 1er janvier 1974 lorsque tous les moyens en matériel et en personnel des futurs utilisateurs furent inscrits au budget de l'établissement public.

Cette nouvelle mission s'avéra rapidement fructueuse : sur le plan de la construction tout d'abord, parce qu'elle permit d'associer plus étroitement les utilisateurs à la conception de leur bâtiment; sur le plan politique également, elle permit à Beaubourg d'exister avant son bâtiment; sur le plan de la simple pratique enfin, car les incertitudes qui pesaient sur les modalités de fonctionnement du futur Centre et sur son succès auprès du public purent être plus aisément levées.

Ainsi, par essais et erreurs, de manière très empirique, les différents responsables du futur Centre, se livrèrent-ils à une expérimentation du projet dans cette sorte de laboratoire d'essais que devint l'établissement public.

L'unité du futur Centre a été de ce fait progressivement réalisée ce qui était la meilleure garantie de son succès.

Voici les étapes de cette préfiguration.

La situation en 1971.

En 1971, il n'existait pas d'établissement public mais simplement une « Délégation chargée de la réalisation du Centre du plateau Beaubourg ».

L'établissement public lui succéda le 1er janvier 1972. A cette date, il comprenait une quinzaine de personnes : des ingénieurs, des architectes, un service de programmation et un léger service administratif.

Les utilisateurs du futur Centre étaient en contact étroit avec cette équipe puisque, depuis 1970, ils avaient été associés à l'élaboration du programme. Au fur et à mesure que le projet se précisait, ils étaient invités à exprimer leurs réactions et leurs préoccupations.

Mais chacun de ces utilisateurs disposait de son statut propre.

Le musée national d'Art moderne tout d'abord avait le statut de musée national, placé sous l'autorité du directeur des Musées de France. Il était dirigé par son conservateur en chef, M. Jean Leymarie.

Le Centre national d'Art contemporain disposait d'un statut hybride, à la fois service extérieur du Service de la Création artistique dirigé par M. Anthonioz, et association de la loi de 1901 chargée d'organiser des expositions dans l'ancien hôtel de Rothschild. Il était dirigé par M. Blaise Gautier.

La Bibliothèque publique d'information s'appelait alors « bibliothèque des Halles » et après avoir été installée dans un immeuble de la rue Richelieu, proche de la Bibliothèque nationale, avait emménagé dans l'un des pavillons Baltard, le pavillon n° 1. Elle comprenait une quarantaine de personnes sous l'autorité de M. Jean-Pierre Seguin. Le Centre de Création industrielle n'existait pas... juridiquement. Mais, dans la pratique, il était un département de l'Union centrale des Arts décoratifs animé par M. François Mathey.

L'IRCAM était en gestation : Pierre Boulez imaginait la création d'un Centre de Recherche acoustique, virtuellement association de la loi de 1901, mais à l'époque, simple lieu de rencontres épisodiques de ses futurs collaborateurs.

Les départements du futur Centre Georges Pompidou étaient donc soit rattachés à leur organisme d'origine soit en voie de création. Leur personnel était extrêmement réduit. Les services communs du futur Centre n'existaient pas encore; si ce n'est une petite cellule administrative mise en place dans le cadre de la Délégation, à partir de 1970.

L'évolution vers la préfiguration de la gestion du futur Centre.

La préfiguration s'est mise en place progressivement.
Elle a commencé tout d'abord par un premier embryon de service commun : le service budgétaire. Dès le début de l'année 1972, le budget de 1973 fut préparé en liaison avec les différents utilisateurs sous l'égide de l'établissement public. Ceci amena M. Bordaz à mesurer déjà les besoins de chacun des futurs départements et à négocier les demandes budgétaires avec le ministre des Affaires culturelles d'abord et le ministre des Finances ensuite.

Au cours de cette même année, au printemps de 1972, l'établissement public apporta également un autre service aux utilisateurs : l'informatique.

Il s'agissait essentiellement d'aider la Bibliothèque à formuler ses besoins d'informatisation qui étaient considérables qu'il s'agisse de la gestion du fonds de livres ou de la recherche documentaire encore à l'état de prototype.

Ces services vivaient à l'étroit dans des baraques de chantier implantées sur le plateau Beaubourg. L'installation dans un immeuble voisin du chantier, en juillet 1972, fut déterminante pour le développement de la préfiguration [4].

En effet, la Bibliothèque put s'installer dans cet immeuble, ainsi que le Centre de Création industrielle. Le musée national d'Art moderne et le CNAC y envoyèrent une délégation.

Dès lors, les différents départements, ou ce qui en tenait lieu à l'époque, furent réunis en un même lieu.

Il allait en résulter des habitudes de vie commune qui, mieux encore que les textes juridiques, sont un préalable au bon fonctionnement d'une maison.

Parallèlement, dès le printemps 1972, le futur Comité de direction du Centre était mis en place sous forme d'un Comité des utilisateurs réuni périodiquement.

Le budget de 1973 contenait également un certain

nombre de mesures traduisant sur le plan juridique un début de préfiguration. Ainsi les moyens du Centre de de Création industrielle, de l'IRCAM et du CNAC étaient déjà rattachés au budget de l'établissement public. Toutefois, les emplois de ces départements restaient inscrits au budget des Affaires culturelles où ils étaient gérés par la direction de l'Administration générale.

De ce fait, les emplois des services communs et ceux des départements obéissaient à des règles de rémunération différentes. Cette dualité de gestion et cette dualité de traitement étaient difficiles à maintenir.

Un autre service commun prit naissance en 1973 : le service d'édition des catalogues et des lithographies. L'ouverture du hall d'information, boulevard de Sébastopol, permit de mettre en place un premier point de vente. Dans le même temps, un service audio-visuel se mettait en place avec une double mission : concevoir le matériel du futur Centre et répondre aux besoins de production des différents départements.

Au milieu de l'année 1973, un premier bilan de la préfiguration était dressé. Il apparaissait alors que la dualité des niveaux de gestion entre le Ministère et l'établissement public présentait un lourd handicap pour le bon fonctionnement futur du Centre. Par ailleurs, le ministère des Finances était favorable à une unité de gestion susceptible d'empêcher des doubles emplois de moyens et de personnels.

Une nouvelle étape fut décidée avec l'arrivée de M. Maurice Druon à la tête du ministère des Affaires culturelles en mai 1973. Du côté du Centre de Création industrielle, une convention était préparée avec l'Union centrale des Arts décoratifs afin d'assurer un transfert complet du Centre de Création industrielle au Centre Beaubourg.

Cette convention fut signée en juillet 1973. Elle donnait au Centre de Création industrielle le statut de département de l'établissement public.

Parallèlement, en ce qui concerne le musée d'Art moderne et le CNAC, il était décidé de procéder à un regroupement des moyens et de créer un département des Arts plastiques qui fut placé sous l'autorité de M. Pontus Hulten.

Ce dernier arriva en France en septembre 1973. Désormais, le département des Arts plastiques comportait plusieurs services : un service des collections correspondant à l'ancien musée d'Art moderne, un service des manifestations correspondant aux activités temporaires du CNAC et du musée d'Art moderne, et un service de documentation regroupant les services de documentation du Musée et du CNAC.

La dualité préexistante était également supprimée pour les acquisitions d'œuvre d'art. Les crédits d'acquisition d'œuvres d'art pour le Centre Beaubourg inscrits à la direction des Musées de France et au service de la Création artistique étaient regroupés sur une seule ligne budgétaire et utilisés dans le cadre d'une seule commission placée sous l'autorité du directeur des Arts plastiques. Ces progrès dans l'édification du futur Centre furent poursuivis en 1974.

En février 1974, Pierre Boulez réunit une conférence de presse annonçant la création de l'IRCAM, tandis que le ministre des Finances acceptait, quelques mois plus tard, la création d'une association lui permettant de gérer certains de ses moyens de manière autonome préfigurant son statut futur.

Mais surtout, à partir de janvier 1974, le budget de l'établissement public regroupa désormais les moyens de tous les futurs départements. L'ensemble du personnel était transféré à ce budget qu'il s'agisse des départements ou des services communs. Seul le musée d'Art moderne restait encore largement géré par la direction des Musées de France.

L'année 1974 vit également se créer d'autres services communs : un service du personnel outillé notamment en matière de recrutement et un service juridique.

En janvier 1975, une nouvelle étape fut franchie. Désormais, l'établissement public exerça son autorité sur le musée national d'Art moderne, ses personnels, ses œuvres et son bâtiment. L'immeuble du boulevard Sébastopol se remplit massivement et apparut alors trop petit.

Rue des Francs-Bourgeois fut créé « un atelier pour enfants » et engagée une expérience de formation en direction des enfants d'une dizaine d'écoles de Paris.

Les manifestations des différents départements furent

désormais présentées sous l'étiquette du Centre Georges Pompidou. Ce qui permit de dire que Beaubourg existait avant même d'être construit.

On mesure, à la lumière de cet historique rapide, toutes les difficultés qu'a pu engendrer une telle évolution. On constate également combien celle-ci s'est faite de manière systématique et combien le cap a été gardé inexorablement dans la voie de l'unité du Centre.

Les leçons de la préfiguration.

L'expérience effectuée dans le cadre du Centre Georges Pompidou permet de dire que toute opération de construction de quelque importance devrait être précédée d'une préfiguration. Celle-ci, surtout si l'organisme hébergé n'est pas nouveau, ne nécessite pas toujours un nombre d'années d'expérience aussi grand.

Mais en cas de création, notamment par exemple l'Agora d'Evry et les équipements intégrés, il est indispensable que l'ouverture soit précédée d'une très large préfiguration; faute de quoi on s'expose à des difficultés non seulement dans la gestion mais, ce qui est beaucoup plus grave, dans la politique même de l'organisme et dans ses rapports avec son public.

L'expérience de préfiguration à Beaubourg a été très enrichissante à trois points de vue : par rapport aux textes du statut du futur Centre, par rapport à la construction du bâtiment et enfin, par rapport au fonctionnement du Centre.

En ce qui concerne les textes, la loi votée en décembre 1974, reposait sur trois années de préfiguration et les dispositions les plus originales qu'elle contenait avaient déjà été expérimentées dans la pratique.

Ainsi en est-il du conseil de direction, du rôle du président, des relations entre départements et services communs.

Par rapport au bâtiment, la préfiguration permettait d'éviter ce que l'on a trop souvent rencontré : un hiatus entre l'achèvement du bâtiment et son ouverture. La préfiguration fut entreprise dans le souci non seulement de répondre aux besoins du public mais aussi d'assurer une bonne gestion des deniers publics, de manière à ce que le plus petit délai possible séparât l'achèvement du bâtiment de son ouverture. Mais bien plus, la présence des utilisateurs dans un même immeuble, leur association à la vie quotidienne du Centre permit une adéquation aussi minutieuse que possible entre le bâtiment tel qu'il était conçu par les architectes et leurs besoins.

D'ailleurs, dès la fin de 1973, les architectes s'installèrent dans le même immeuble, si bien qu'une osmose très grande put naître entre eux et les utilisateurs.

Certes, il convenait de conserver le schéma de fonctionnement selon lequel les rapports entre utilisateurs et maître d'œuvre passent par le truchement d'un médiateur qui est le maître de l'ouvrage et notamment ses services de programmation et de construction.

Aux regards du fonctionnement futur du Centre, l'expérience de préfiguration est également riche d'enseignements. Elle montre d'abord qu'une structure fédérale dans un centre culturel de grande taille ne peut pas fonctionner sans crises de croissance et sans une dynamique permanente de la confrontation.

Toute institution est soumise aux vicissitudes de l'exercice de l'autorité. Il convient de trouver un équilibre entre une trop grande indépendance et une trop grande centralisation. C'est dans la pratique que cet équilibre se trouve.

Mais surtout, la préfiguration a permis l'établissement de rapports qui définissent déjà ce que sera l'esprit du Centre Beaubourg.

En premier lieu le fonctionnement du conseil de direction.

Celui-ci, initialement chargé des seules questions relatives aux manifestations d'ouverture, s'occupa progressivement des rapports d'activités des différents services communs, des départements, de la politique d'accueil, des problèmes pédagogiques, des recrutements des principales personnalités du Centre, etc. Si bien que progressivement s'établit une véritable co-gestion du Centre.

Il est certain que la dualité des missions de l'établissement public : construction et préfiguration, est délicate car elle implique des types de rapports différents.

La maîtrise de la construction exige une autorité

extrêmement forte, la préfiguration de la gestion une autorité beaucoup plus souple.

C'est sans doute l'obstacle essentiel auquel s'est heurté l'établissement public pendant cette période. Mais cet obstacle n'était sans doute pas insurmontable puisque la préfiguration a réussi.

*
* *

Il ne suffit pas de savoir qui dirige le projet, quelle est l'organisation des responsabilités. Si l'on continue à soulever le voile c'est pour répondre à la question : comment est conduit un projet de l'envergure du Centre Georges Pompidou et, au-delà, tout grand projet public ?

Certaines des méthodes de gestion adoptées à Beaubourg constituent une innovation dans l'administration française : c'est le cas de la programmation architecturale et de la réforme de l'ingénierie; d'autres, comme la stratégie budgétaire au sein de l'Etat, sont plus traditionnelles mais peu connues.

NOTES

1. Il s'agit des utilisateurs du bâtiment : Musée, bibliothèque, CCI et IRCAM.

2. Beaubourg est, toutes proportions gardées, peu de chose au regard d'un budget comme celui de l'Education Nationale dont la masse dépasse 20 % du budget de l'Etat. C'est en revanche un investissement considérable si on le compare au budget du Secrétariat d'Etat à la Culture qui représente moins de 0,60 % de l'ensemble du budget de l'Etat.

3. Doivent être notamment consultés les organismes suivants : Commission nationale ou régionale des opérations immobilières et d'architecture (CROIA), Commission des sites, Comité de décentralisation, Commission du permis de construire, Commissions de sécurité, Commission du Marais, Bureau des marchés, Commissions spécialisées des marchés, Bureau de contrôle technique (SOCOTEC par exemple), etc.

4. Elle devait prendre fin le 20 septembre 1976, date à laquelle les premiers services et la direction du Centre purent s'implanter dans le nouveau bâtiment partiellement achevé.

CHAPITRE VI

PROGRAMMATION ET ARCHITECTURE

> « La manière disparate par laquelle nous
> nous efforçons aujourd'hui de résoudre les
> problèmes de collaboration pour de grands
> projets se ramène à réunir quelques archi-
> tectes éminents, en espérant que cinq per-
> sonnes produiront automatiquement plus
> de beauté qu'une seule... Il est évident
> que nous avons à apprendre de nouvelles et
> meilleures façons de collaborer. »
>
> Walter GROPIUS.

Le recours systématique à la programmation architecturale et technique dans la réalisation du Centre Georges
Pompidou constitue un progrès considérable dans la
manière d'aborder un projet public de construction.

Si l'on voulait étudier en détail cette méthode scientifique d'analyse, il faudrait sans doute lui consacrer
de longs développements [1]. L'exposé qui suit doit être
considéré comme une présentation générale, une sorte
d'introduction à la programmation.

1° L'INNOVATION DE LA PROGRAMMATION

Celle-ci est conçue comme un processus général de
réflexion qui mène de l'analyse des besoins présents
tels qu'ils sont exprimés par des individus, à leur
projection dans l'avenir et à leur formulation en des

·termes compréhensibles pour les personnes chargées de la conception architecturale du projet.

C'est également une technique de gestion qui permet de contrôler les propositions de l'architecte par rapport aux objectifs du projet.

Cette méthode peut s'appliquer de manière générale au cadre de vie, trop souvent conçu indépendamment des besoins auxquels il est censé répondre.

La méthode de programmation est avant tout un outil facilitant l'exercice de la décision.

Elle correspond à une conception élargie de l'opération architecturale : elle intervient dès la définition précise des objectifs assignés au bâtiment; elle cesse non pas avec l'achèvement des travaux, mais avec la prise de possession des locaux par les utilisateurs, à qui ils sont destinés. Son champ d'application déborde le bâtiment stricto sensu et englobe le choix de ses équipements et sa gestion.

Elle repose sur une conception scientifique de l'architecture selon laquelle ne doivent pas seulement être traités les problèmes du « contenant », mais également ceux du « contenu » du bâtiment. Elle recourt à l'analyse fonctionnelle et à l'analyse de systèmes. Avec elle, l'architecture n'est plus seulement une pratique esthétique, reposant principalement sur l'intuition et qui conduit à des « gestes » symboliques plus ou moins gratuits.

Sa mission est de traduire les aspirations des utilisateurs en besoins quantifiés et d'analyser les différentes fonctions du bâtiment en rapport avec ces besoins.

Dès lors, le responsable de l'opération, *le maître d'ouvrage,* est à même de procéder le cas échéant aux arbitrages nécessaires en toute connaissance de cause.

Elle permet, de ce fait, une adéquation aussi exacte que possible entre les besoins et le projet tel qu'il est conçu par les architectes, c'est-à-dire *le maître d'œuvre.*

La méthode de programmation commande un processus opérationnel qui peut comporter plusieurs phases.

La phase *d'orientation générale* est celle au cours de laquelle sont analysés les objectifs du projet. Elle associe les utilisateurs du bâtiment et le maître de l'ouvrage, responsable de l'opération, notamment sur le plan financier.

La phase de *programmation proprement dite* lui succède et s'achève par l'établissemsent du programme, c'est-à-dire de la commande passée à l'architecte; elle concilie les besoins des utilisateurs avec les contraintes techniques.

La conception des volumes et des formes, sur la base des prescriptions du programme et du budget, relève du maître d'œuvre, l'architecte et son bureau d'étude.

Au cours de la phase de réalisation sont conclus les marchés permettant la construction proprement dite : la programmation permet alors de veiller à la bonne adéquation entre le programme initial et la réalisation du projet.

Ainsi, la programmation s'exerce-t-elle tout au long de l'opération : analytique au départ, elle devient ensuite synthétique pour suivre le projet du stade de l'avant-projet sommaire jusqu'à son achèvement.

Le recours à cette technique pour le Centre Georges Pompidou était d'autant plus justifié que le caractère interdisciplinaire du projet suscitait naturellement de nombreuses interférences, incertitudes, que seule une méthode d'analyse rigoureuse pouvait permettre de maîtriser.

Si cette méthode avait déjà été utilisée partiellement dans le passé, son utilisation systématique, dans le cas du Centre Georges Pompidou a constitué une innovation et un progrès indubitables.

L'initiative en revient à la direction de l'Architecture du ministère des Affaires culturelles qui constitua, dès 1970 un groupe de programmation placé sous la direction de François Lombard [2].

Les avantages de la programmation.

On souhaitait ainsi éviter certains errements qui s'étaient produits à l'occasion de la réalisation d'autres projets publics. Les objectifs poursuivis sont les suivants :

— *Veiller à ce qu'il y ait continuité entre les objectifs et le résultat final :* trop souvent, des distorsions s'introduisent au cours des quatre à six années au moins qui séparent la définition de l'objectif initial et l'achèvement. L'équipe de programmation est ainsi la conscience et la « vestale » du programme.

— *Assurer la participation des futurs utilisateurs et usagers à l'élaboration du programme :* il est essentiel que les utilisateurs réfléchissent au préalable sur leurs besoins avec le maximum de précision. Dans le cas contraire, les architectes sont conduits à définir un bâtiment que la pratique risque de révéler trop contraignant, voire totalement inadapté à l'activité qu'il doit recevoir. La liste est longue des erreurs de cette sorte.

La participation active des utilisateurs à l'élaboration du programme d'ensemble favorise, en outre, le développement d'une conscience globale de l'opération. Ceci était capital dans une opération qui aurait pu n'être que la juxtaposition d'activités indépendantes.

— *Préparer la mise en service rapide du bâtiment et de ses équipements par un personnel préalablement formé à les utiliser et à les gérer :* la programmation conduit les utilisateurs à définir leurs besoins, et donc à se familiariser avec les instruments qui seront ensuite mis à leur disposition. Elle possède donc également cette vertu pédagogique de préparer le personnel à ses tâches futures.

En définitive, une bonne programmation favorise le respect de la qualité, des coûts et des délais.

En effet, cette trilogie des objectifs de toute opération de construction est d'autant plus perturbée que la programmation est mauvaise.

Les différentes étapes :

Le programme de base du Centre Georges Pompidou a été élaboré en juin 1970 par les futurs responsables

des départements du Centre aidés par l'équipe de programmation; il comprenait :
— La définition des objectifs;
— La description des fonctions et des activités;
— Le schéma fonctionnel d'ensemble;
— Les principales caractéristiques des espaces.

Le programme de base a servi de base au concours international d'architecture.

Le programme spécifique architectural et technique a été élaboré en août 1971 par l'équipe de programmation, avec l'aide des utilisateurs.

Il a permis, en mai 1972, la mise au point de l'avant-projet sommaire et surtout l'élaboration de l'avant-projet détaillé (janvier 1973).

Il comprenait les performances détaillées du bâtiment au niveau général et au niveau de chaque activité.

Le document dit « *programme définitif* » reprend

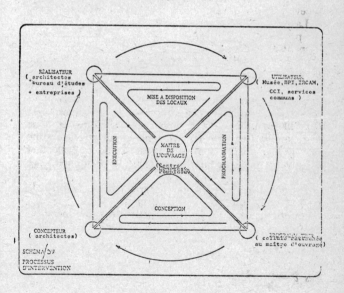

l'ensemble des informations contenues dans les deux précédents programmes, mais remises à jour et complétées pour tenir compte des dispositions constructives décidées par les architectes à ce stade de l'avancement du projet.

Ce programme a également intégré les résultats d'avis et de consultations plus élargies effectuées auprès de spécialistes (techniciens, artistes, etc.) et du public.

Il fait référence aux programmes des équipements et du fonctionnement en cours d'élaboration au moment de sa rédaction.

Les principes du programme du Centre Georges Pompidou.

Le programme du Centre a été élaboré autour de *trois objectifs* principaux :

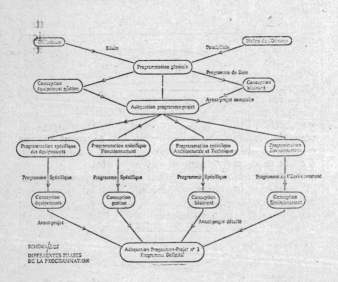

SCHÉMA
DIFFÉRENTES PHASES
DE LA PROGRAMMATION

— accueillir tous les publics, quel que soit leur degré de connaissance et de spécialisation dans le domaine artistique et les informer de la manière la plus complète possible sur les activités et tendances artistiques de notre époque tant en France qu'à l'étranger.

— présenter les produits de la *création artistique* d'une manière qui soit vivante et accessible à tous; renouveler et favoriser les échanges entre public, artistes et personnel.

— mettre à la disposition du public et des artistes des *moyens* suffisants en équipement et en personnel.

A ces objectifs, correspondent les *trois fonctions* principales du Centre :

— *Fonction d'accueil et d'information* regroupant les activités assurant la liaison entre le Centre et le quartier, et, à l'intérieur du Centre, entre les différents secteurs : attente, circulation, repos-détente, restauration, commerce, information.

— *Fonction de présentation et d'échange* permettant au public de prendre contact avec la création artistique à des stades et sous des formes différentes : salles d'actualités, galeries expérimentales, expositions temporaires, présentations permanentes du musée et de la bibliothèque, services documentaires...

— *Fonction logistique assurant le fonctionnement du Centre :* gestion du bâtiment, du personnel et des activités, commodités offertes au personnel, surveillance et contrôle, exploitation et entretien du bâtiment et des œuvres. A cette fonction logistique doit s'ajouter celle d'accès et de stationnement des véhicules.

Pour répondre aux objectifs fixés et pour remplir chacune des fonctions, *23 activités* ont été définies et réparties en 4 catégories :

A. — Activités d'accueil et d'information (A 1 à A 4).

B. — Activités de présentation et d'échange (B 1 à B 9).

C. — Activités logistiques (C 1 à C 6).

D. — Activités d'accès et de stationnement des véhicules (D 1 à D 4).

Les personnels et équipements relatifs à ces activités ont été ensuite répartis dans les 105 000 m² du bâtiment, suivant un schéma fonctionnel d'ensemble, véritable organigramme de fonctionnement du Centre dont la lecture montre comment ces activités s'organisent par rapport aux circulations du public, du personnel et des œuvres.

2° LA PORTÉE DE LA PROGRAMMATION

Méthode d'analyse fonctionnelle, la programmation trouve dans le Centre sinon un champ d'intervention idéal du moins un point d'application nécessaire : les activités culturelles, plus que toutes autres activités, sont par nature difficilement quantifiables, ce qui rendait une programmation indispensable. Mais s'il est relativement aisé de programmer une usine, un complexe de logements, un hôpital, cela devient très difficile lorsqu'il s'agit d'un centre culturel dont les fonctions sont par nature plus floues et, par vocation, dans le cas du Centre Georges Pompidou, très complexes.

La programmation s'est efforcée de dissiper ce flou, de rendre compréhensible cette complexité. Elle le pouvait jusqu'à un certain degré seulement. Elle a dû s'arrêter aux frontières de l'inexprimé, du subtil, de la mobilité extrême...

La programmation a permis de mieux cerner le problème posé et a dû elle-même s'affiner afin de s'adapter à l'objet de son analyse. La nature même du Centre constituait donc une première limite à son utilisation.

D'autre part, si la programmation est une méthode d'analyse, elle ne contient pas en elle-même le moyen de diriger un projet. Par nature, en effet, elle enregistre les besoins, tous les besoins — et c'est l'un de ses mérites — et les additionne. Mais elle ne soustrait que rarement. Fondamentalement, elle analyse, révèle et traduit les besoins des utilisateurs qui doivent recourir à un intermédiaire qui exprime leurs désirs. Or des réductions sont pourtant parfois nécessaires. Le responsable du projet doit exercer un arbitrage permanent : entre des fonctions d'abord (un même besoin exprimé par plusieurs utilisateurs ne donne pas nécessairement lieu à la décision de satisfaire ce besoin autant de fois

160

qu'il est exprimé); entre des impératifs distincts ensuite et notamment ceux des coûts et des délais.

La programmation peut jouer un rôle précieux pour éclairer la décision du chef de projet : dans l'exercice de cet arbitrage, elle doit être présente du début à la fin de l'opération, enregistrer tous les besoins et proposer des éléments de décision.

L'introduction de la programmation bouleverse bien des habitudes et soulève quelques problèmes d'harmonisation avec les procédures et les réglementations administratives courantes. C'est un autre obstacle à son intervention.

Pour conduire à de bons résultats, elle suppose une nouvelle approche des problèmes de construction par les administrations. Asseoir le fondement de l'architecture sur une analyse approfondie des besoins des utilisateurs implique en effet une transformation des comportements. L'architecture ne repose plus alors sur une vision a priori prescrite d'en haut, mais plutôt sur une analyse faite à la base au niveau de l'utilisateur et de l'usager. Il peut en résulter des surprises.

Ainsi, l'analyse des besoins du complexe scolaire et sportif Saint-Merri, effectuée en liaison directe avec les enseignants, a conduit à retenir le principe d'un équipement intégré.

Mais celui-ci une fois achevé, de sérieuses difficultés sont apparues au niveau de son fonctionnement. Les règles relatives à la gestion des établissements scolaires se révélèrent inadaptées ou inapplicables à un bâtiment de type nouveau.

En principe, l'architecture doit se soumettre aux règles générales de gestion des services auxquels elle est destinée.

Mais la programmation, en donnant la parole au futur utilisateur, introduit un germe dynamique dans l'adaptation de l'architecture, voire même de l'organisation, aux besoins.

Enfin, la programmation contient en elle-même ses propres limites. Tout peut être programmé dans un univers clos, statique et totalement rationnel. Tel n'est pas, et moins que tout autre, l'univers culturel.

Bien au contraire, la programmation doit laisser en

blanc certains éléments du fonctionnement d'un bâtiment, a fortiori lorsqu'il s'agit d'un Centre où la vie doit compter avec les réactions d'un public dont le comportement est, et doit être, imprévisible.

Il y aurait eu d'ailleurs quelques paradoxes à vouloir programmer, prévoir dans le moindre détail, le fonctionnement de Beaubourg dont l'architecture a été arrêtée précisément pour s'adapter à l'évolution, à la malléabilité, à la diversité des activités culturelles.

Quelles que soient ces limites, il n'en reste pas moins que dans le cas du Centre Georges Pompidou, la programmation a facilité dès le départ la maîtrise du projet, l'évaluation des enveloppes financières. Le problème se déplaçait alors du programmateur au responsable financier qui doit jouer avec les finesses de la stratégie budgétaire, finesses classiques sans doute, mais trop souvent méconnues.

NOTES

1. On pense notamment aux articles écrits par François Lombard dans différentes revues : Architecture, Mouvement et Continuité; Architecture aujourd'hui (1971); Industrialization Forum (1974); Technique et Architecture (1975).

2. Il poursuivit son activité au sein de l'Etablissement Public constructeur jusqu'à l'achèvement de la construction.

CHAPITRE VII

L'ART DE LA STRATÉGIE BUDGÉTAIRE

> « Pour gouverner un Etat, il faut beau-
> coup de juges, beaucoup de gendarmes,
> beaucoup de soldats... beaucoup d'écus. »
>
> NAPOLÉON.

Le budget est un acte politique : il obéit aux lois de la stratégie politique et... militaire. Les données de cette stratégie sont simples et connues de tous les fonctionnaires qui exercent peu ou prou des responsabilités financières.

Deux camps s'affrontent. L'un dispose d'une armée peu nombreuse, mais aguerrie. Il occupe une citadelle fortifiée, le ministère des Finances.

L'autre dispose de troupes, qui doivent camper sous les murailles de la citadelle, exposées aux coups de ses défenseurs. L'objet du combat est de s'approprier une partie du trésor de guerre abrité dans la citadelle.

De plus ou moins nombreuses passes d'armes qui se déroulent au rythme des saisons permettent à l'assaillant de rançonner quelque peu les défenseurs du trésor.

Vient un deuxième temps : lorsque le ministre des Finances s'est laissé dépouiller de quelques crédits, la troupe assaillante regagne son château. La fortune tourne : d'assaillante elle devient assaillie. Les confidents, les courtisans, les serviteurs, chacun se précipite alors pour obtenir une part du butin. Le combat est sans merci. Autant, entre adversaires reconnus, il obéissait à

163

des règles claires, autant entre partenaires, tous les coups sont hélas permis; tout dépend alors de l'autorité du chef militaire sur ses compagnons!

Dans les temps héroïques, ces combats pouvaient être meurtriers. Dans notre société, ils se sont policés.

L'arme devient plus subtile : l'argument, la persuasion sont de rigueur, parfois aussi la force qui réapparaît pour rappeler aux partenaires, même s'ils s'estiment, qu'ils sont toujours des adversaires.

Bref, la procédure budgétaire est une sorte de jeu, au sens de la théorie des jeux, qui obéit à des règles très particulières.

Pour pratiquer au mieux ce jeu, l'idéal est de connaître la stratégie de l'adversaire, mais aussi celle plus difficile à cerner de ses propres alliés, afin de développer une *stratégie externe* victorieuse (la conquête du butin) et une *stratégie interne* avisée (le partage du trésor de guerre). La reconnaissance d'un droit à dépenser dans le premier cas, l'exercice du devoir de bien dépenser dans second, tels sont les enjeux.

1° LA STRATÉGIE EXTERNE
OU L'ART DE SE FAIRE RECONNAÎTRE UN DROIT A DÉPENSER

La stratégie budgétaire s'exerce dans une cadre policé, réglementé, où chaque partenaire cherche d'abord à se placer dans les conditions les plus avantageuses. Ce climat général conditionne souvent l'issue du combat. Ce n'est certes pas encore la guerre. C'est la « drôle de guerre ».

La « drôle de guerre ».

Les hostilités sont déclarées. Les adversaires se connaissent. Et pourtant non seulement les combats n'ont pas commencé, mais il est impossible de fixer les limites du terrain de bataille. Cette situation fluide, où tout est encore possible, caractérise bien le climat général dans lequel va se dérouler le duel budgétaire.

C'est qu'il s'agit d'abord de gagner une guerre psychologique, non par le « bourrage de crâne » comme en

1914, mais de manière plus subtile comme en 1939. Il faut avant tout asseoir sa réputation.

Les troupes assaillantes sont nombreuses et rivales. Celles qui « présenteront le mieux » auront des chances de mieux réussir que les autres. Une réputation, dans l'Etat, cela se construit, s'asseoit et s'entretient.

Elle se mérite aussi : les adversaires s'estiment. La meilleure réputation va sans doute à celui qui a utilisé à bon escient la part du trésor de guerre qui lui est revenue l'année précédente, mais aussi à celui qui sait le dire et l'expliquer, bref qui utilise le langage de ces gardes du Trésor que sont les fonctionnaires de la Direction du Budget.

L'estime réciproque n'est jamais indifférente non plus aux rapports de forces : le puissant sera respecté. On est puissant par nature ou on le devient. Le ministère de l'Education nationale dont le budget représente 25 % du budget total de l'Etat est plus volontiers entendu que celui de la Justice qui n'atteint pas 1 % du budget de l'Etat; à moins qu'il ne compense sa faiblesse originelle par l'intervention d'une force politique.

Le Premier ministre ou le président de la République font connaître aux gardes du Trésor qu'il est dans leur volonté que leur protégé soit bien traité ou du moins mieux traité que ne l'indiquerait a priori sa seule taille.

Arrivent les grandes manœuvres de la « drôle de guerre » : on éprouve la capacité de l'adversaire, on esquive l'attaque, on se place, on noue des alliances; le tout dans une atmosphère euphorique de détente apparente : chacun sait que le combat approche, mais feint de l'ignorer.

Certains annoncent des réformes qui chaque année sont la justification de demandes budgétaires nouvelles, d'autres convoquent la presse, rendent des visites ou organisent des déjeuners.

Ces manœuvres sont tenues pour dérisoires par les fonctionnaires du ministère des Finances qui, du donjon de leur citadelle, les observent et les mesurent d'une toise qui est en principe la même pour tous.

Mais à défaut de résultats immédiats, elles créent un climat dont l'importance peut être ultérieurement décisive.

La reconnaissance du terrain.

Les hostilités commencent à se déclarer au jour de l'an de chaque année. Le ministère des Finances élabore son plan de bataille. Les troupes assaillantes les plus avisées en profitent pour se placer, car c'est le moment propice.

Ces préparatifs se font dans le secret; ceux qui l'ignorent perdent un atout considérable.

Dans la pratique, le mois de janvier est celui des « perspectives budgétaires » : pendant que la Garde du Trésor (la Direction du Budget) fait le compte du magot si convoité, chaque troupe assaillante (chaque département ministériel) avance ses prétentions.

La carte de la discussion budgétaire commence à s'esquisser, à la fois « carte du Tendre » avec ses méandres et ses palliers vers l'objet convoité et « carte d'état-major » avec ses positions et ses tranchées.

C'est le moment où telle troupe particulièrement ambitieuse envoie des émissaires, précise ses exigences, et n'hésite pas à annoncer, par la voix de ses hérauts, ses plus forts atouts. C'est le moment aussi où la Garde du Trésor apprécie les mouvements comparés des assaillants, suppute les chances des uns, la fragilité des autres, et organise ses retranchements. Sa force est d'être seule contre tous; sa faiblesse — et son honneur — de ne pas connaître toutes les intentions des adversaires et de sous-estimer parfois leurs ruses.

Mais déjà le cadre général du combat s'esquisse...

La préparation du combat.

Début mars, au sortir de l'hiver — période peu propice aux combats qui ne débutent réellement qu'à la belle saison — chaque assaillant arrête son plan de bataille.

Dans chaque armée, chaque lieutenant (chef de service) pour se donner de la vaillance, imagine ce qu'il fera de sa part de butin : s'attacher des hommes en plus (créations d'emplois), renforcer son indépendance (crédits de matériel), accroître son parc de machines de guerre (investissements).

Chacun fourbit ses armes selon son tempérament; le méthodique recense, analyse, additionne, puis arbitre; l'enthousiaste bâtit des plans sur la comète, y associe ses hommes, leur communique la soif de vaincre; le rêveur, comme Pérette, compte déjà ses veaux, vaches, cochons et poulets; l'intrigant calcule, multiplie les démarches; le désabusé ne fait rien... et n'aura rien.

Avant de se ranger en ligne de bataille, les lieutenants doivent encore, selon la coutume féodale, rendre hommage à leur suzerain : secrétaire d'Etat, ministre, voire Premier ministre. L'hommage consiste à se placer sous la protection du tuteur, à obtenir son accord sur le plan de bataille proposée, ou à se soumettre à ses propres exigences tactiques.

C'est également le moment où se nouent les alliances. Si chaque troupe est rivale de l'autre — car il y a beaucoup de demandes face à un Trésor de guerre limité — certaines pensent qu'il est de leur intérêt de se coaliser et de partir au front de concert.

Ainsi en était-il des Affaires culturelles et de l'Education nationale qui participaient conjointement (respectivement pour deux tiers et un tiers) au financement du Centre Georges Pompidou.

Ces préparatifs terminés, les combats s'engagent. Ils obéissent à des règles particulières, sorte de code de bonne conduite qui fait la loi des parties et qui constitue une manière d'art militaire, ou du moins budgétaire.

Un art militaire particulier.

La topographie des lieux de l'affrontement est une donnée de base essentielle : la citadelle, juchée sur un piton, est elle-même une sorte de labyrinthe au hasard des couloirs et des salles duquel est caché le Trésor.

La victoire d'un assaillant est toujours partielle et susceptible d'être remise en cause.

Une autre donnée de cet art militaire tient au caractère singulier des combats; nous sommes loin de la guerre populaire des armées de la Révolution, mais plus proches des guerres aristocratiques d'avant Bouvines et mieux encore des tournois du moyen âge.

A des affrontements massifs, on préfère le recours

à l'ordalie. Deux capitaines, deux généraux, entourés de leurs pages, se mesurent en des lieux clos, sur le terrain même de la garde du Trésor, ce qui place d'emblée — c'est l'une des lois du genre — l'assaillant en position psychologiquement difficile. Cet avantage donné au départ à la garde du Trésor est justifié par l'infériorité relative dans laquelle la place l'obligation de faire face, seule, à tous ses assaillants successifs.

La forteresse du ministère des Finances : ses points forts et ses points faibles.

Premier point fort : la compétence. Tous les assaillants reconnaissent en général cette supériorité des fonctionnaires des Finances.

Dans les réunions interministérielles, si le représentant des Finances intervient souvent dans des domaines dont ses partenaires jugent qu'ils ne sont pas de son ressort, c'est en raison de sa compétence quasi-universelle...

En second lieu, en matière budgétaire, les gardes du Trésor ont une position relativement confortable par rapport à celle de leurs assaillants : investis d'une mission défensive pour l'essentiel, la cohésion dont ils font preuve dans le combat les met à l'abri de toute défaillance.

Un autre élément de supériorité réside dans la connaissance principalement abstraite des problèmes de l'adversaire. Cette connaissance est faite de règles et de chiffres et met la garde du Trésor à l'abri des scrupules que ne manqueraient pas de susciter chez elle sa fermeté ou ses refus face à un assaillant dont elle connaîtrait toutes les misères.

C'est pourquoi l'une des armes de l'assaillant réside dans sa capacité à émouvoir son adversaire.

La garde du Trésor est également renforcée par la présence auprès de chaque troupe assaillante d'ambassadeurs plénipotentiaires : les contrôleurs financiers.

Ces hauts fonctionnaires, chargés de donner leur avis sur l'utilisation du butin, connaissent, eux, très en détail les problèmes de chaque service dont ils rendent compte à leur souverain. Leur position est délicate, exposés qu'ils sont aux coups de l'assaillant, et leur mission ambivalente : ils sont parfaitement informés de tous les mouvements de l'assaillant, de ses forces et de ses faiblesses, mais également chargés de le conseiller surtout lorque celui-ci parvient à leur faire partager son point de vue. A la fois médiateurs entre lui et les gardes du Trésor, il sont également des sortes de chevaux de Troie, connaissant de l'intérieur les forces et les faiblesses de l'assaillant.

En sens inverse, l'assaillant envoie ses agents de renseignements au sein de la Citadelle. Relations personnelles, sympathie de corps, amitiés politiques permettent de tisser un réseau complexe de circulation des informations entre les assaillants et les gardes du Trésor. L'efficacité de ce réseau est d'autant plus grande que personne n'est en mesure d'en assurer la totale maîtrise.

La citadelle des Finances n'est pas malgré tout sans faiblesses. L'excessive concentration du pouvoir entre les mains d'un petit nombre de gardes est l'une d'entre elles. De ce fait, la connaissance des problèmes de l'assaillant reste commandée par des informations trop générales et partielles. Il peut en résulter des erreurs de jugement voire une surestimation des besoins exprimés par un adversaire suffisamment habile.

Une autre faiblesse résulte du caractère abstrait et quelque peu répétitif de la tactique des gardes du Trésor : l'assaillant astucieux peut en empruntant des chemins nouveaux, tromper la vigilance et contourner les défenses.

Fort heureusement au total, ces faiblesses restent l'exception. Sa réputation, qui n'est pas exagérée, est d'être imprenable. L'assaillant n'obtient que ce qu'elle veut bien lui abandonner. Encore doit-il le mériter.

Dans la pratique, les tournois auxquels sont conviés les assaillants ne sont pourtant pas désespérés.

Les tournois budgétaires.

Ce sont des tournois qui procèdent par éliminatoires successives. Les combattants suprêmes, c'est-à-dire le ministre « dépensier » et le ministre des Finances, ne s'affrontent personnellement que lorsque les duels entre leurs vassaux, leurs adjoints, restent indécis. Ainsi la finale, en général passionnante, est-elle précédée par toute une série d'épreuves éliminatoires.

La première épreuve éliminatoire est la conférence budgétaire qui se tient dans le bureau d'un sous-directeur du Budget, face aux chefs de services d'un même ministère. Elle se situe aux environs du mois de mai. Comme les tournois de jadis, elle obéit à un rituel précis. Le garde du Trésor fait entrer la troupe adverse. Il prononce la formule rituelle selon laquelle les règles de combat seront cette année plus draconiennes encore que l'année précédente mais moins cependant que l'année suivante; il s'agit de mettre l'adversaire en condition de le placer, a priori, en position sinon de vaincu, du moins de demandeur inquiet.

L'affrontement peut être extrêmement bref. Il peut au contraire durer très longtemps. Tout dépend de la tactique adoptée par les assaillants. S'ils se jugent trop faibles, ils peuvent refuser le combat sur un grand nombre de figures — c'est-à-dire les demandes de crédits — laissant à leurs supérieurs le soin de régler ces différends à leur niveau. Si, en revanche, ils s'estiment capables de gagner, l'affrontement peut durer très longtemps.

C'est alors une guerre d'endurance qui s'engage et peut se poursuivre jusqu'à des heures avancées de la nuit. Après le combat, chaque camp fait ses comptes : du côté des Finances de ses pertes, c'est-à-dire de toutes les concessions qu'il a fallu faire aux arguments de l'adversaire; du côté du ministère dépensier de ses gains, c'est-à-dire des crédits obtenus en réponse à ses demandes. On apprécie également l'importance des questions qui restent encore à régler à un niveau supérieur. Mais il n'est jamais de victoire totale. Si la garde du Trésor a subi des pertes, elle conserve en général la satisfaction secrète de n'avoir pas « lâché » autant qu'elle le craignait. Les gains de l'assaillant sont en général tempérés par l'amer sentiment de n'avoir pas obtenu autant qu'il le désirait.

Les secondes éliminatoires se tiennent si nécessaire chez le directeur du Budget. Chez ce général valeureux du Trésor, l'assaillant envoie un challenger de très haut niveau, le conseiller le plus proche du ministre, le directeur de son cabinet. Le combat est plus bref. Il est mieux circonscrit. Les ruses respectives sont mieux connues.

L'affrontement final se tient en général au niveau des ministres au mois de juin. Il porte sur les figures-clefs du tournoi : la création des emplois du ministère de l'Education nationale, la subvention allouée aux grandes entreprises publiques, les aides à l'agriculture, etc.

Si l'issue du combat est douteuse, il reste aux deux adversaires qui, étant membres du même gouvernement, sont en général des amis politiques l'arbitrage suprême du Premier ministre ou du président de la République.

Celui-ci, après avoir assisté à l'affrontement des deux héraults, désigne un vainqueur... ou souvent, tel Salomon, une moitié de vainqueur, une moitié de vaincu.

La réalité de la victoire est parfois difficile à apprécier : tel ministre aura pu présenter comme une grande défaite une demi-victoire qui en son for intérieur peut être un succès sans précédent.

Il reste que les tournois se déroulent en fin de compte sous le regard du public... c'est-à-dire des parlementaires. Mais, pour retracer l'intervention des élus du peuple dans la stratégie budgétaire, il faudrait tout un autre chapitre. Tel n'est pas l'objet de ce propos qui se limite à décrire la stratégie interne à l'administration et des éléments de tactique budgétaire.

Eléments de tactique budgétaire.

En premier lieu, le jeu de l'enveloppe : il est au centre de toute la tactique budgétaire. Le but de la direction du Budget est d'enserrer dans une limite financière, appelée enveloppe, les crédits alloués aux ministères dépensiers. Ces derniers vont donc s'ingénier à placer certains crédits « hors enveloppe », moyen d'obtenir un traitement privilégié et donc une rallonge de crédits.

La discussion sur les enveloppes concerne essentiellement les dépenses d'investissement. Les crédits de fonctionnement obéissent plutôt à la règle du *plafond* qui ne doit pas être dépassé.

Ainsi la construction du Centre Georges Pompidou fut-elle financée en dehors de l'enveloppe des crédits du ministère des Affaires culturelles. Georges Pompidou ne voulait pas, en effet, en raison de l'étroitesse des crédits de ce ministère, que la réalisation du Centre pénalisât son budget normal.

La période des arbitrages se conclut au printemps par l'envoi par le Premier ministre à chaque ministre dépensier d'une lettre, dite « lettre-plafond », qui notifie les limites maximales des suppléments de crédits qui lui seront accordés.

La discussion ne pourra désormais porter que sur la répartition de l'enveloppe entre les différentes actions projetées dont le montant et la nature peuvent donner encore lieu à discussion.

La règle de l'abattement forfaitaire intervient souvent au terme de la discussion budgétaire.

Dès que le Premier ministre a rendu les derniers arbitrages, le ministre des Finances fait ses additions et découvre souvent qu'il ne lui est pas possible, compte tenu des prévisions de recettes, d'équilibrer le budget de l'Etat. Une réduction du montant des crédits à inscrire dans la loi des Finances qui sera soumise au vote du Parlement apparaît nécessaire. Un abattement forfaitaire, c'est-à-dire, 1 %, 5 % ou 10 % de tous les crédits qui viennent d'être accordés en principe, est alors opéré, à charge pour chaque ministre, de répartir lui-même cette économie. L'abattement forfaitaire se retrouve en d'autres circonstances et en particulier chaque fois que le ministre des Finances doit réduire la masse des dépenses publiques.

Dès que l'on parle d'économie apparaît *le jeu du gage :* tout service dépensier peut être conduit en cours d'année à accroître les moyens alloués à une action prioritaire ou urgente. Le ministère des Finances acceptera d'autant plus cette mesure qu'elle sera gagée par une économie d'un même montant. Evidemment, cette économie est difficile à opérer en fin d'année lorsque tous les crédits ont été engagés. « Rien ne se perd, rien ne se crée », la recherche de moyens budgétaires répond à la loi des vases communicants.

Face aux injonctions qui lui ont été faites, il reste

au ministère « dépensier » à invoquer l'ultime recours du *principe de la mesure exceptionnelle.*

« Le règlement s'impose absolument, sauf dérogation tout à fait exceptionnelle. » Cette formule pourrait être presque inscrite au fronton de la direction du Budget. On la retrouve souvent dans des lettres signées par le ministre des Finances. Elle constitue une sorte de soupape de sécurité dans l'arsenal des règles générales et uniformes qui s'appliquent aux services dépensiers. Elle est un tempérament apporté au principe de l'abstraction. Lorsqu'une règle ne permet pas de résoudre un problème particulier, il n'y a que trois solutions possibles : ou bien s'y soumettre, ce à quoi l'on se résoud neuf fois sur dix, ou s'en évader en imaginant un stratagème permettant de la tourner à ses risques et périls, ou bien obtenir une dérogation exceptionnelle.

Celle-ci permet de sauvegarder les principes tout en permettant à un problème concret de trouver une solution pratique. Mais la formule est solennelle. Elle implique l'intervention du Ministre et nécessite avant d'être retenue, des trésors de persuasion.

L'avantage est en général acquis au profit de ceux qui connaissent le *principe du raccourci.*

Tout problème posé au ministre des Finances est toujours dans l'esprit de celui qui le pose, absolument vital et urgent. La garde du Trésor que l'expérience a aguerrie, a tendance à compter avec le temps pour résoudre les problèmes, surtout s'ils sont particulièrement complexes. C'est pourquoi, il n'est pas rare de voir tel dossier important mis de côté sur une pile : il y sera progressivement enfoui.

Cela s'appelle « mettre un dossier sous le coude ».

L'expérience montre que cette méthode est souvent efficace : quelques mois plus tard ou bien le demandeur a trouvé un meilleur interlocuteur dans un autre service, ou bien a imaginé une solution ne nécessitant pas l'intervention du ministère des Finances, ou bien a changé de ministre et son successeur n'est plus motivé par une demande déjà ancienne...

Les dossiers sont ainsi passés au crible des lois de l'inertie. Ne restent en instance que les affaires vraiment importantes, qui peuvent alors recevoir une instruction appropriée, et faire l'objet d'un règlement d'autant plus rapide que le dossier aura été mieux préparé.

Certains imaginent même de proposer une solution en même temps qu'ils soulèvent leur problème. C'est en effet fort sage et cela facilite un dénouement rapide.

Poser un problème, en laissant à autrui la recherche de la solution, c'est évidemment s'exposer à des retards!

2° LA STRATÉGIE INTERNE, OU L'EXERCICE DU DEVOIR DE BIEN DÉPENSER

Le tournoi achevé, la troupe assaillante retourne, plus ou moins heureuse dans ses terres. Son chef va alors s'employer à utiliser la partie du trésor de guerre qui lui est revenue. Sa première précaution sera d'abord de garder le silence sur la richesse du butin, puis d'en minimiser l'importance, afin de ne pas trop exciter les appétits.

Pour ne pas avoir observé cette règle de prudence élémentaire, combien de chefs militaires ont vu se dérouler autour d'eux des luttes intestines et des règlements de comptes sanglants...

Heureusement l'exercice de la dépense publique ne se fait ni en terre vierge, ni au Far-West.

Quoi qu'il en soit, l'assaillant devient assailli et est à son tour obligé d'adopter le comportement de la garde du Trésor qu'il connaît bien pour l'avoir affronté. Il lui faut en quelque sorte mentalement changer de camp. Et le ministère des Finances, adversaire d'hier, devient, le cas échéant, son meilleur allié, son recours en cas de difficultés. Comme lui, mais sur un terrain plus exposé, loin des redoutes de la citadelle, l'assaillant d'hier doit pratiquer l'art périlleux de la répartition.

L'art de la répartition.

Dans une administration traditionnelle où chaque service est assis sur la pratique de nombreuses années de fonctionnement, la répartition traduit simplement les décisions prises au cours des négociations budgétaires. Elle ne porte d'ailleurs que sur les « mesures nouvelles »,

La perspective du Centre Georges Pompidou,
vue de la rue Berger.

lesquelles ne représentent qu'un faible pourcentage du butin. Le restant, les « services votés » sont en général automatiquement reportés d'une année sur l'autre.

Pour un service neuf, tel le Centre Georges Pompidou, la répartition se présente en des termes très différents, du moins dans la période de création : les services ne sont pas véritablement constitués, les habitudes ne sont pas prises.

Alors que dans une administration traditionnelle, il faut lutter contre les habitudes acquises, il faut ici, au contraire, œuvrer en faveur du développement d'habitudes communes.

La répartition doit alors, pour être optimale, être effectuée par programmes, c'est-à-dire sur la base d'une gestion par objectifs, et non pas seulement par nature de dépenses ce à quoi conduit l'application des règles de la comptabilité publique.

L'idée d'un budget de programme est apparue en France, voici quelques années, lorsque certains fonctionnaires des Finances s'intéressèrent aux résultats obtenus par l'administration américaine grâce au PPBS (Planning, programming, budgeting system).

Ce système, devenu en France RCB (Rationalisation des Choix Budgétaires) est entré peu à peu dans les mœurs de l'administration. La répartition des crédits s'effectue entre des programmes correspondant chacun à un service (ou un groupe de services), un objectif (ou un groupe d'objectifs), mesurés au moyen d'indicateurs non seulement financiers, mais également physiques.

L'analyse des écarts entre les objectifs visés et les résultats obtenus permet de juger du bon emploi des crédits ou de la plausibilité des objectifs retenus. L'exercice de la dépense devient ainsi plus conscient.

La répartition n'est plus seulement le résultat du jeu de l'offre et de la demande entre services financiers et services dépensiers. Elle n'est plus simplement le résultat d'un rapport de force mais d'une réflexion en commun sur des objectifs et des moyens.

Cette réflexion se place dans cette perspective au cœur des préoccupations des responsables des dépenses publiques.

C'est ainsi que le devoir de bien dépenser commence par celui de bien répartir.

Mais quels que soient les efforts de rationalisation, l'art de dépenser doit tenir compte de mécanismes inconscients, mal connus ou difficiles à maîtriser. Parmi ceux-ci figure la dynamique de la hausse dont la thérapeutique est la discipline de l'économie.

La dynamique de la hausse.

Elle fait partie de ces mécanismes plus ou moins automatiques qui se glissent dans toute réalisation publique. Aussi est-il important d'en bien saisir les ressorts intimes.

En matière de fonctionnement, il s'agit du phénomène bien connu des lois de Parkinson : tout service en se créant tend à s'accroître et bientôt à oublier ses finalités initiales ou du moins à les faire passer au second plan. Il peut alors se développer en quelque sorte indépendamment de l'activité à laquelle il doit concourir. La conséquence est la multiplication des effectifs et l'apparition de comportements bureaucratiques très bien décrits par Michel Crozier.

Le phénomène est plus complexe quand il touche à la hausse des coûts de construction. Il s'agit d'un problème de fond qui affecte les constructions publiques ou privées et selon lequel le coût définitif de l'ouvrage exprimé en francs constants est souvent très supérieur au coût initialement prévu et annoncé.

Cette tendance au dépassement des coûts fait le délice périodique de la presse lorsqu'elle publie les conclusions du rapport annuel de la Cour des comptes. Une analyse précise des facteurs de hausse peut être à cet égard instructive car connaître les raisons d'un phénomène c'est déjà pouvoir le maîtriser.

Les raisons les plus évidentes sont les imprévus — *les vrais imprévus* — qui s'imposent de l'extérieur aux responsables d'une opération. Très différents sont les *faux imprévus* qui sont un habillage d'erreurs ou de fautes de gestion. Leur origine est souvent difficile à saisir et provient parfois d'un *défaut dans l'organisation des responsabilités*.

Les vrais imprévus.

Si l'on vivait dans un univers totalement rationnel et prévisible, il n'y aurait pas ou peu de problèmes de dépassement des coûts. La maîtrise plus ou moins grande des coûts traduit la capacité du maître d'ouvrage d'anticiper les événements et leur enchaînement.

Certains éléments des projets qui échappent totalement aux responsables constituent de véritables imprévus.

Parmi ceux-ci figurent au premier chef *les cas de force majeure.* Il s'agit d'événements dont l'origine est étrangère au processus de construction mais qui l'affectent subitement et durablement : ainsi une grève comme celle de la cimenterie en 1973 ou la décision du tribunal administratif de surseoir à l'exécution du permis de construire ont-elles entraîné des interruptions du chantier du Centre Georges Pompidou, c'est-à-dire des retards et des surcoûts dont la responsabilité échappait aux responsables directs de l'opération.

Les *aléas* sont plus difficiles à apprécier. Il s'agit toujours d'événements qui affectent les coûts ou les délais mais qui ne sont pas nécessairement étrangers au processus de construction. Les aléas doivent être en principe prévus et sont en général évalués à environ 15 % du coût définitif.

Ainsi, la découverte en sous-sol, au cours des travaux de terrassement, d'un sol plus dur que prévu, ou les échecs rencontrés dans la mise au point d'un procédé technique essentiel pour la construction sont-ils des aléas.

Si ceux-ci ne peuvent être prévus ni évalués avec précision au départ, il importe de « s'assurer » contre ce risque par l'inscription d'une provision au budget.

Les faux imprévus constituent, en revanche, des erreurs de gestion que l'on essaye de faire passer pour des cas de force majeure ou des aléas. Il peut arriver que des responsables soient surpris par un défaut de prévision, ou tentés de faire passer leur sous-évaluation volontaire ou leurs changements de programme pour de vrais imprévus.

La sous-évaluation volontaire est une tactique souvent

pratiquée par les ministères dépensiers. Face à un ministère des Finances qui a tendance à refuser l'engagement de toute opération coûteuse, une habileté consiste à annoncer un coût minoré au départ, permettant d'entraîner la décision financière et de faire commencer les études et les travaux. L'opération une fois amorcée, il sera difficile de la stopper. Le ministère dépensier pourra alors annoncer le vrai coût, et progressivement obtenir les crédits qui, sur la base d'une évaluation plus sincère, auraient été différés ou rejetés... Cette tactique revient à placer, à son insu, le ministère des Finances dans un engrenage qui le conduira à ouvrir des crédits d'un montant supérieur à celui qu'il prévoyait.

Inutile de dire qu'elle est pourchassée sans tendresse.

Les changements de programme sont en général conscients.

Mais ils ne sont pas toujours avoués car ils peuvent traduire une erreur de conception ou de prévision.

Ils sont la plaie des opérations de construction.

La construction des abattoirs de la Villette a ainsi connu de nombreux changements de cap qui entraînaient chaque fois l'arrêt des travaux, éventuellement des démolitions, en tous les cas de nouvelles études donc des retards et en définitive des sur-coûts.

Il est donc fondamental d'adopter une procédure permettant de déceler le risque de changements de programme à temps car ils peuvent se glisser subrepticement dans une opération.

Ces changements se traduisent inéluctablement par des retards et des sur-coûts.

C'est pourquoi, pendant la réalisation des travaux, un maître d'ouvrage doit exiger que les modifications même minimes, soient aussi rares que possible.

Son intransigeance doit être grande, même si elle court le risque d'être mal comprise.

Les hausses de coût proviennent également parfois, de manière plus confuse, d'un *défaut d'organisation des responsabilités dans la conduite d'une opération.*

Pour éviter cet écueil, il faut d'abord qu'un maître d'ouvrage ait été clairement désigné comme responsable et *seul* responsable.

Le principe est simple, la réalité plus complexe : quand il s'agit d'un maître d'ouvrage public, les intervenants sont nombreux, les exigences variées. Une même opération peut dépendre de plusieurs ministères, de plusieurs services et même de plusieurs ministres successifs [1].

Il est à craindre que du fait de la multiplicité des autorités conjointes ou successives, la responsabilité de l'opération soit diluée entre de multiples centres de décision.

Tous ces facteurs de hausse se conjuguent pour entraîner un dépassement des devis initiaux.

Des techniques récentes de gestion s'efforcent de mieux maîtriser ces problèmes.

Il s'agit dans une large mesure d'opposer à la dynamique de la hausse, la discipline de l'économie; mais aussi de modifier le cadre général d'organisation dans lequel s'exerce toute opération. La maîtrise des coûts est d'abord un problème d'organisation.

La discipline de l'économie.

Il s'agit d'une discipline collective efficace, mais qui doit éviter l'écueil de conduire aux excès des solutions au rabais.

La discipline de l'économie est différente selon qu'elle s'exerce dans le cadre de la stratégie externe ou dans celui de la stratégie interne du budget. Le ministère des Finances peut aisément réduire l'ouverture de ses crédits. Il en est seul maître. Il lui suffit de faire acte d'autorité. En revanche, le responsable d'opération doit compter avec ses partenaires qui sont tous par définition dépensiers. Il ne lui suffit pas de réduire le volume des crédits, il lui faut contrôler la nature des travaux engagés.

Il doit donc obtenir, par la persuasion, le respect d'une discipline de la part de tous ceux qui, chacun dans leur domaine, engagent des dépenses : les ingénieurs, les architectes, les responsables de projets, les administrateurs eux-mêmes. Le responsable financier ne peut suffire à contrôler une opération si son souci n'est pas partagé par tous.

Il existe toutefois des circonstances où des mesures autoritaires d'économie doivent être prises.

Livré à lui-même, chaque responsable d'un secteur d'opération tend à faire le mieux possible : le technicien à recourir aux derniers perfectionnements de la technique, l'architecte à rechercher les raffinements les plus rares, et chaque responsable à entreprendre plus qu'il n'est possible de· faire. Le chef de projet doit alors opposer la règle du possible à la tentation du souhaitable.

C'est à ce prix que l'on respecte une enveloppe de crédits et que l'on évite de réaliser des choses inutiles. A cette fin, les responsables d'opération sont aidés par les mécanismes mis en œuvre par la réforme de l'ingéniérie qui constitue une arme nouvelle pour la direction d'un projet.

3° — LE CONTRÔLE DES COÛTS
ET LA RÉFORME DE L'INGÉNIÉRIE

Pour que les coûts d'une construction soient respectés, le contrôle financier externe, c'est-à-dire exercé de l'extérieur sur le maître d'ouvrage a été complété à Beaubourg par un contrôle interne; par ailleurs il a été décidé de mettre en place la réforme de l'ingéniérie qui conduit à confier au maître d'œuvre une responsabilité importante dans le respect des coûts.

Contrôle externe et contrôle interne des coûts.

Pour être bien maîtrisées, les dépenses doivent être anticipées. C'est dans cet esprit qu'ont été conçues les règles de la comptabilité publique qui instituent un contrôle financier « a priori ». Mais en matière de construction, le contrôle a priori externe s'avère insuffisant.

Il doit être précédé par un contrôle interne fonctionnant dans le cadre du service constructeur sous la responsabilité propre de l'ordonnateur des dépenses et en étroite liaison avec le contrôleur financier.

Dans la pratique, les prévisions budgétaires sont

arrêtées bien avant la préparation des marchés, au moment où les études techniques sont suffisamment avancées.

En cas de dépassement du budget prévisionnel, le contrôle financier intervient au moment du lancement des appels d'offres auprès des entreprises.

Deux hypothèses peuvent alors se présenter : ou bien les propositions des entreprises sont très au-dessus du budget prévu, et le principe même des études doit être revu; mais ceci entraîne alors plusieurs mois de retards certains pour une économie incertaine (car l'on est pas toujours assuré du résultat de la concurrence); ou bien, le dépassement est jugé acceptable, et l'on est contraint de chercher une compensation par prélèvement sur une réserve ou, ce qui est plus grave, par réduction d'un autre poste du budget pour lequel le marché n'est pas encore passé.

Aussi est-il prudent de compléter le contrôle officiel externe par un contrôle exercé plus en amont par l'établissement public lui-même, qui permet de limiter toutes ces difficultés.

Il est plus aisé en effet de refaire une étude qui n'a pas encore abouti si une erreur peut-être débusquée assez tôt, que de reprendre l'intégralité d'un marché.

Il apparaît possible alors de réduire l'incertitude aux seuls aléas du jeu de la concurrence.

Cette méthode permet de mesurer les écarts entre coûts prévisionnels et budgets réels aux différents stades d'évolution du projet. Elle peut être utilement complétée par un suivi attentif de l'exécution du marché postérieurement à son contrôle. Le montant initial peut être en effet accru par des modifications qui donnent lieu à des « ordres de services » (les commandes passées aux entreprises), et augmentent le coût total.

D'une manière générale, lorsque les études préliminaires ont été bien conduites, les modifications apportées en cours de chantier sont restreintes, ce qui prouve bien l'intérêt de concentrer toutes les énergies sur les études préalables. La réalisation s'en trouve facilitée.

La réforme de l'ingénierie s'inspire de cette analyse en donnant aux études du maître d'œuvre une place très importante.

La réforme de l'ingéniérie : une maîtrise d'œuvre renforcée et responsable.

En 1972, l'établissement public du Centre Beaubourg a décidé d'appliquer par anticipation une réforme qui était en cours de préparation au moment du choix du projet : elle avait pour objet d'accroître la responsabilité des architectes en ouvrant au maître d'ouvrage la possibilité de les pénaliser, c'est-à-dire de réduire leurs honoraires, en cas de dépassement du coût initialement prévu.

En contrepartie de cette responsabilité, les maîtres d'œuvre percevaient une rémunération correspondant aux études nécessaires pour assurer la maîtrise du projet.

Le renforcement du potentiel de maîtrise d'œuvre est l'axe principal de cette réforme.

Jusqu'alors, en France, le maître d'œuvre c'est-à-dire l'architecte et son bureau d'études techniques, intervenait insuffisamment dans la réalisation de l'ouvrage qu'il avait conçu.

Les architectes Piano et Rogers étaient associés à un bureau d'études techniques anglais de renommée mondiale, le bureau Ove Arup.

L'idée naquit de retenir, dans le cas particulier, le système britannique qui consiste à pousser les études jusqu'au stade des dessins d'exécution, les entreprises ayant surtout une mission d'exécution des travaux.

Cette méthode de travail parut garantir une plus grande sécurité contre les aléas liés à une opération de grande envergure.

Encore fallait-il s'assurer que les études et les techniques mises en œuvre par des étrangers étaient effectivement réalisables par des entreprises françaises. Il convenait alors d'associer aux architectes et aux ingénieurs l'appui d'une grande entreprise française de bâtiment. Ce dispositif permettrait de vérifier le caractère réaliste des études et de mettre en place une véritable « maîtrise d'œuvre renforcée ».

En contrepartie de ce supplément de responsabilité, il fut versé au maître d'œuvre un supplément de rémunération : 10,3 % du coût d'objectif, au lieu de 4 à

6 % en moyenne. Ce taux s'explique également par le fait que les architectes sont désormais pénalisés en cas de dépassement du coût et des délais.

Cette initiative allait se traduire par le déploiement de toute une *panoplie* de contrôles des coûts.

Jusqu'à une date récente, la législation qui commandait la rémunération des architectes allouait à ceux-ci des honoraires plus élevés en cas de dépassement des coûts puisqu'ils étaient calculés sur la base d'un pourcentage (il est vrai, en général plus faible que ceux pratiqués dans les pays étrangers), du coût réel des travaux.

Ce système était malsain parce qu'il confortait l'accusation parfois faite aux architectes de favoriser les dépassements de coûts et de n'effectuer qu'une partie des études, celles-ci étant poursuivies mais aussi, parfois reprises, au stade des dessins d'exécution, par les entreprises elles-mêmes.

La tentative de « verrouillage » des coûts a été faite dans le cadre de l'opération du Centre Georges Pompidou, par anticipation sur une réforme en préparation.

Au stade de l'avant-projet sommaire, établi par les architectes au cours du premier semestre 1972, ceux-ci s'engagèrent sur un *coût d'objectif* (et non plus prévisionnel comme cela était pratiqué jusqu'ici) assorti d'une tolérance de plus ou moins 20 %.

Cette tolérance traduisait les incertitudes inhérentes à ce stade des études. Ce coût d'objectif provisoire devint définitif lorsque fut établi et accepté l'avant-projet détaillé.

Les architectes et l'entreprise générale à laquelle ils sont liés seront pénalisés si le coût final, déduction faite des glissements dus à la hausse des prix, est supérieur de 12 % à ce même coût.

Ils recevront en revanche une prime si le coût final des travaux reste compris dans la tolérance de plus ou moins 12 % du coût d'objectif.

Ainsi la rémunération réelle des architectes est désormais connue avant le résultat des décomptes définitifs de travaux. Le système de pénalisation adopté introduit une dissuasion que l'on peut espérer efficace.

Le tableau suivant résume ce nouveau dispositif :

PÉNALISATIONS DES ARCHITECTES SUR LES COUTS DE CONSTRUCTION

Coût d'objectif de base (COB) = 259 MF (valeur mars 1972).
Coût d'objectif définitif (COD) = 298 MF (valeur janvier 1973)[1].
TOUS LES CHIFFRES CI-DESSOUS SONT EN MILLIONS DE FRANCS

JANVIER 1973

Dépassement du COD		Rémunération des architectes	Pénalisation		Rémunération réelle		Rémunération réelle
%	Valeur		Valeur	$\% \dfrac{P}{29,31}$ 100	Valeur	$\% \dfrac{RR}{29,31}$ 100	% du coût final
12	35,76	29,31	0	0	29,31	100	8,78
20	59,60	29,31	1,07	3,65	29,24	96,35	7,90
25	74,50	29,31	2,08	7,10	27,23	92,90	7,31
30	89,40	29,31	3,42	11,67	25,89	88,33	6,68
40	119,20	29,31	6,10	20,81	23,21	79,19	5,56
50	149,00	29,31	8,78	29,96	20,53	70,04	4,59

1. Obtenus de la manière suivante :
259 — 7 (I.R.C.A.M.) = 252.
252 + 11 (finitions spéciales) = 263.
263 + 17 (tolérance de 6,5 % admise) = 280.
280 en valeur mars 1972 = 298 en valeur janvier 1973.

En cas de dépassement de 30 % du coût d'objectif définitif, la rémunération des architectes passerait de 29,3 MF à 25,9 MF et le taux de rémunération ne serait plus que de 6,68 % (au lieu de 10,3 % sur le coût d'objectif lui-même). Une telle perspective est suffisamment grosse de risques, puisque les architectes perdraient alors tous les bénéfices, pour pouvoir être dissuasive.

Bien mieux, en cas d'un dépassement de 50 % la pénalisation réduit le montant des honoraires à 20,5 MF soit, en pourcentage à 4,6 % seulement.

Ce système a en outre le mérite de clarifier la mission du maître d'œuvre désormais responsable de l'ensemble des études, et de faire apparaître les coûts réels de l'ingénierie, trop souvent difficiles à appréhender, parce que partagés entre les architectes et les entreprises.

De plus, il confie au maître d'ouvrage une responsabilité nouvelle : le coût du projet n'est plus arrêté sur la base d'un plafond budgétaire, souvent calculé arbitrairement pour un montant inférieur à celui arrêté sur la base du programme. Désormais, il est établi par négociation directe entre le maître d'ouvrage et le maître d'œuvre, à charge ensuite pour le maître d'ouvrage d'obtenir l'accord de ses autorités de tutelle.

Le coût d'objectif correspond à un programme précis établi par le maître d'ouvrage dont la responsabilité est accrue : d'où la nécessité pour lui de recourir aux techniques, ci-dessus décrites, de programmation.

Les architectes responsables conjoints avec l'entreprise principale qui leur est associée, partagent cette responsabilité selon les conditions suivantes :

	Coûts	Délais
Architectes et bureau d'études techniques	9/10	1/10
Entreprise générale [2]	1/10	9/10

La mise en place du système de « maîtrise d'œuvre renforcée » permet donc un contrôle plus efficace des coûts de construction.

***

Dans la pratique, ces techniques de gestion ont donné de bons résultats puisque le coût de construction du Centre reste à l'intérieur des limites budgétaires initialement fixées. Ce fait est assez rare pour être signalé.

Une opération de cette nature exige des hommes ouverts à toutes ces pratiques et soucieux de dialoguer avec leurs partenaires de disciplines différentes.

Pour assurer une bonne maîtrise dans la gestion d'un grand projet public, il faut que les financiers et les ingénieurs, les architectes et les entrepreneurs, les utilisateurs et les contrôleurs, aient recours à un langage commun.

Et ce qui est vrai de toute opération d'aménagement, l'est plus encore d'une entreprise de caractère culturel. Le projet du Centre Georges Pompidou peut être qualifié « d'action culturelle concertée ». Il suppose en effet, au stade de la conception et du fonctionnement du Centre, ce vocabulaire commun à tous les participants.

Cela est difficile. C'est pourquoi l'expérience apportée par d'autres actions culturelles concertées réalisées en France ou à l'étranger peut être riche d'enseignements.

NOTES

1. La réalisation du Centre Georges Pompidou aura connu sept ministres successifs des Affaires culturelles : M. Michelet, M. Bettencourt, M. Duhamel, M. Druon, M. Peyrefitte, M. Guy et Mme Giroud.

2. L'entreprise générale qui a conduit le chantier est le GTM (Grands Travaux de Marseille).

CHAPITRE VIII

UN CAS D'ACTION CULTURELLE CONCERTEE

> « Il ne s'agit pas d'étendre une culture
> — inévitablement bourgeoise — au peuple,
> mais de réveiller son pouvoir créateur. Ce
> qui importe ce n'est pas la qualité esthé-
> tique de la culture, mais son originalité et
> sa spontanéité. Il vaut mieux un art popu-
> laire médiocre qui soit vraiment créé par
> le peuple qu'une culture splendide plaquée
> sur sa passivité; car si la seconde est une
> fin, le premier est un commencement. Le
> commencement d'une évolution dont le
> terme est un art — une civilisation —,
> qui n'est ni populaire, ni bourgeois parce
> qu'il est le bien commun de chaque
> homme. »

> Bernard CHARBONNEAU,
> *Le paradoxe de la culture*, 1965.

On a vu comment le Centre plongeait ses racines dans
des institutions culturelles plus anciennes.

Il se rattache également à une tradition d'action culturelle qui met l'accent sur le regroupement d'activités
diverses, souvent complémentaires.

Beaubourg est l'aboutissement d'une longue évolution
en ce domaine. C'est aussi la résurgence au XXᵉ siècle
de préoccupations presque constantes au cours des
siècles.

Dès lors il importe de situer le Centre parmi ces anté-
cédents que sont les expériences d'action culturelle
concertée en France et à l'étranger.

Le présent propos n'a pas la prétention d'épuiser un sujet aussi vaste mais simplement d'esquisser des tendances et d'apporter quelques éléments d'explication.

La vie dans la société actuelle est cloisonnée. L'activité de l'homme contemporain est écartelée entre des préoccupations et des lieux distincts voire même antagonistes : domicile et lieu de travail, ville et campagne, vie professionnelle et loisirs, vie imaginaire proposée par les mass media et vie réelle, etc. Autant de petits mondes obéissant à leur logique propre et appelant des comportements différents à des moments donnés.

L'homme moderne, cet homme toujours surmené, s'efforce de jeter des passerelles entre ces univers clos, afin d'essayer de reconstruire l'unité de son monde personnel.

On est bien loin d'un type de société telle qu'elle pouvait exister au Moyen Age : société totale, globale, intégrée au point d'être totalitaire, où chaque individu, chaque chose avait une place au sein d'un ensemble cohérent. Certes l'envers de la médaille résidait dans l'intolérance, car ceux qui s'éloignaient de la ligne de conduite générale s'exposaient à être parqués dans un domaine limité (tels les juifs ou les Lombards), à être exclus (d'où l'importance de l'excommunication), voire détruits (par le bûcher de l'Inquisition en particulier).

Et, d'une certaine manière, notre société éclatée, atomisée est le résultat du développement de la tolérance qui a accompagné l'ascension de la classe bourgeoise au pouvoir. La tolérance limitée à l'élite, telle que l'envisageait Voltaire, ne remettait pas en cause l'organisation sociale.

Mais dès qu'elle s'est étendue à tous et à toutes choses, elle a introduit des germes de destruction des structures idéologiques et sociales.

Aujourd'hui un certain nombre d'expériences tendent à décloisonner les parties de vie qui se juxtaposent sans toujours constituer une vie authentique. On retrouve là, l'origine des efforts poursuivis par les organisations de masses qu'il s'agisse du monde du travail, de la vie culturelle, ou de la politique.

L'analyse de la société diffère selon qu'elle émane de marxistes ou de non-marxistes. Pour le marxiste, les divisions sociales sont le résultat direct de l'évolution divergente des forces productives et des rapports de production; la bourgeoisie domine la classe ouvrière en encourageant la création de cloisonnements idéologiques permettant de mieux asservir l'homme-consommateur et de mieux exploiter l'homme-travailleur.

Elle provient également du processus de concentration du capital qui se traduit sur le plan de la géographie, de l'urbanisme, des transports, des entreprises capitalistes...

La philosophie structuraliste propose une analyse fondée sur une perception de la réalité sociale décomposée en structures ayant chacune son dynamisme propre et constituant un système de relations complexes.

Vue sous cet angle, la société apparaît souvent éclatée parce que non hiérarchisée dans ses éléments composants et parce que incapable de définir un lien, notamment celui du langage, entre chaque structure sociale qui tend à se constituer en élément autonome.

Quoiqu'il en soit, le phénomène de cloisonnement social que les marxistes ramènent à la lutte des classes, s'est amplifié en même temps que s'est développée l'industrialisation de l'économie. Des réactions sont alors apparues.

Il y eut d'abord la constitution d'organisations syndicales dès la fin du XIXᵉ siècle. Il s'agissait d'amorcer une réaction collective à une situation dans laquelle la société bourgeoise tendait à opposer, au nom de l'individualisme, l'ouvrier isolé au patronat organisé.

Il y eut également le développement de grandes organisations politiques qui, lorsqu'elles répondent à des préoccupations idéologiques globales, reconstituent des sortes de micro-sociétés au sein de la société.

Il y eut enfin des réactions de caractère culturel. Avec le déclin de l'influence de l'Eglise dans la vie sociale tout au long du XXᵉ siècle, s'est développé le goût pour l'action culturelle, comme si celle-ci se substituait peu à peu à l'Eglise. Mais il est vrai que l'Eglise constituait et continue à constituer un monde relativement clos sur le plan idéologique, à l'abri de cette tendance au démantèlement des structures sociales.

Ceci explique qu'elle ait pu être considérée par certains comme l'un des remparts susceptibles de s'opposer au « délabrement universel ».

Aujourd'hui le militant d'action catholique se mue souvent en animateur culturel.

L'histoire récente permet de repérer certaines de ces expériences d'action culturellle qui traduisent cette aspiration à reconstruire, à restructurer, une vie sociale plus unifiée.

Il n'est pas étonnant que l'une de ces premières expériences — le Bauhaus — ait été conçue et animée par une équipe d'architectes : et l'image de la cathédrale de Feininger sur la couverture du « Manifeste du Bauhaus » témoignait de ce souci de reconstruire un monde cohérent.

Il est des expériences consacrées essentiellement au rassemblement d'équipes d'hommes, il en est d'autres plus tournées vers la création d'institutions : il en est ainsi de l'expérience de la maison de la Culture de Stockholm, de celle du musée municipal d'Amsterdam et de celle des maisons de la Culture françaises, ainsi que des expériences d' « établissements intégrés ».

Le panorama qui suit ne prétend pas être complet. Il vise simplement à analyser quelques exemples considérés comme révélateurs des tendances énoncées ci-dessus et comme précurseurs de certains objectifs poursuivis dans la réalisation du Centre Georges Pompidou.

Il s'agit d'abord, à partir de l'exemple du grand précurseur de l'action pluridisciplinaire, le Bauhaus, de définir les principes de l'action culturelle concertée.

Viendront ensuite les applications récentes de ces principes :

— l'expérience suédoise et la maison de la Culture de Stockholm;

— le musée municipal d'Amsterdam;

— les maisons de la Culture;

— le projet du musée du xxᵉ siècle à Paris.

Un précurseur : le Bauhaus.

A l'origine du Bauhaus, se trouve l'école des Arts
Décoratifs de Weimar, fondée en 1909 et dirigée par
Henry Van de Velde. Ce dernier fut remplacé en 1919
par l'architecte Walter Gropius.

A la fois école aux principes pédagogiques révolutionnaires et centre de création largement ouvert aux
différentes formes d'expression, le Bauhaus allait connaître une vie courte et mouvementée, agitée de conflits et
de changements. Mais la marque qu'il imprime dans
notre société contemporaine est considérable.

Il s'installe d'abord à Weimar, puis se dissout en 1925
à la suite d'élections en Thuringe qui désignent un
gouvernement conservateur qui lui est hostile. Il vient
alors à Dessau. En 1927, Walter Gropius qui décide
d'abandonner ses fonctions est remplacé par Hannes
Meyer, architecte de tendance marxiste. Ludwig Mies
Van der Rohe lui succède en 1930, après que le maire de
Dessau ait demandé la démission de Meyer jugé trop
extrémiste.

Mais en 1932, avec l'arrivée des nazis au pouvoir,
le Bauhaus interrompt son activité.

Mies Van der Rohe l'installe quelques mois à Berlin,
où il est définitivement dissous par les nazis le 10 août
1933.

Parmi les membres du Bauhaus ont figuré, en qualité
de maître ou d'étudiant, des personnes qui ont marqué
profondément l'histoire de la création contemporaine :
Breuer, Gropius, Kandinsky, Klee, Moholy, Mies Van
der Rohe, etc.

Il pourrait paraître prétentieux de comparer Beaubourg au Bauhaus. Mais certaines caractéristiques du
Centre correspondent à des traits de Bauhaus.

C'est d'abord l'idée du *regroupement des disciplines*
en un même lieu. Dans le manifeste du Bauhaus publié
en 1919, Gropius affirme cette orientation en donnant
toutefois à l'architecture la première place :

« *L'architecture est le but de toute activité créatrice. La compléter en l'embellissant fut jadis la tâche principale des arts plastiques. Ils faisaient partie de l'architecture, ils lui étaient indissolublement liés.*

Aujourd'hui, chacun d'eux mène une vie autonome, autonomie qui ne peut être rompue que par l'effort conscient et concerté de tous les gens de métier. Architectes, peintres et sculpteurs doivent redécouvrir le caractère foncièrement complexe de l'architecture. C'est à cette seule condition que leurs œuvres retrouveront pleinement l'esprit proprement architectural qu'elles avaient perdu avec l'art de salon. »

Le mot « architecture » reçoit, sous la plume de Gropius, son sens le plus large : il fait référence à un cadre habitable et ouvert à la vie, toute la vie.

Et de fait, voisinèrent dans l'enseignement du Bauhaus les disciplines les plus variées : l'architecture, la sculpture, le décor de théâtre, l'art du vitrail, la photographie, le travail du métal, l'ameublement, la poterie, la typographie et l'art de l'affiche, l'aménagement des expositions, la peinture murale, le tissage.

Le Bauhaus devait être ainsi un lieu de rencontre et de création rompant l'isolement de chaque créateur et ouvrant la recherche aux techniques, notamment industrielles.

Gropius précisa ultérieurement [1] cet objectif :

« *J'essayais de faire porter mon effort sur les notions d'intégration et de coordination — tout accueillir, ne rien exclure — car je sentais bien que le salut de l'architecture dépendait du travail collectif et harmonieux d'une équipe active dont la collaboration refléterait l'organisme que nous appelons société.* »

Ces deux mots — *intégration* et *coordination* — se retrouvent souvent lorsqu'il s'agit de définir l'entreprise du Centre Georges Pompidou ou celle de l'IRCAM.

C'est par exemple Pierre Boulez qui écrit :

« *Nous tendons à réunir en un faisceau dirigé des forces éparses qui, par leur dispersion, risqueraient de ne* point aboutir à la transmutation urgente et décisive. *Nous pensons aussi bien que l'œuvre commune se fera précisément par la confluence de forts courants individuels, qu'il n'y aura pas — qu'il ne saurait y avoir — de décision unilatérale; qu'au contraire, la multivalence des options est ce qui fera notre richesse et notre force à l'intérieur d'une discipline solidaire agréée, consentie [2]. »*

Pontus Hulten propose une orientation semblable pour le Musée de demain :

« *Nous savons aujourd'hui que le cloisonnement entre l'art, la littérature, la science et la vie est une notion qui n'appartient pas au monopole futur et que les anciennes institutions n'ont pas toujours la possibilité de se transformer. Si nous voulons que les institutions changent, il faut les remettre en question périodiquement mais prendre des initiatives collectives et constructives. On ne peut s'en remettre seulement aux développements limités de recherches dont le rôle est primordial mais éphémère ou aux échanges que favorisent des tentatives isolées, si méritoires soient-elles, mais de faible envergure.*

« *Nous devons essayer de créer des institutions nouvelles qui puissent répondre aux besoins présents et à ceux de demain. Déjà certains musées sont devenus non des antimusées mais des institutions pilotes.*

« *Ce sont des espaces où la rencontre se fait naturellement entre les artistes et le public au contact des développements les plus actuels de la créativité...*

« *En attendant que l'art soit intégré à la vie et pénètre la société dans sa totalité, c'est dans des « musées » d'une conception nouvelle que ces échanges peuvent se faire...*

« *Beaubourg offrira plus de chances d'explorer ce qui rapproche et sépare différentes disciplines, et permettra d'entreprendre des projets de collaboration plus vastes que ceux auxquels les institutions traditionnelles nous ont habitués [3]. »*

Quelles que soient les différences entre le Bauhaus et

Beaubourg l'on ne peut s'empêcher de penser que l'entreprise de Walter Gropius se retrouve aujourd'hui dans celle, sans doute plus tournée vers le grand public, du Centre Georges Pompidou. Les mots utilisés pour le qualifier l'attestent : « réunir », « œuvre commune », « confluence », « solidarité », « initiatives collectives », « échanges », « rencontres », « intégration », « totalité », « collaboration ».

Si MM. Pierre Boulez et Pontus Hulten ont recours à ce vocabulaire, c'est qu'ils font une analyse semblable de la situation actuelle; c'est sans doute aussi parce que cinquante ans avant eux, le Bauhaus avait déjà semé ces idées.

Une deuxième ligne directrice du Bauhaus *fut la tentative de réconcilier la création et le monde industriel.*

L'effort du Bauhaus « fut principalement dirigé sur ce qui est maintenant devenu une tâche d'une urgente nécessité — éviter que l'homme ne devienne esclave de la machine, en protégeant la production en série et la maison de l'anarchie mécanicienne, et en leur rendant vie et signification. Cela veut dire qu'il faut élaborer des produits et des bâtiments expressément conçus pour une production industrielle. Nous avions pour but d'éliminer les inconvénients de la machine, sans pour cela sacrifier aucun de ses avantages réels [4] ».

Les architectes du Bauhaus mirent l'accent sur l'architecture fonctionnelle. Le Corbusier, qui collabora à l'entreprise, donna à l'habitat le nom de « machine à habiter ».

Pour lui, l'habitation devait répondre aux besoins de l'homme moderne et fonctionner avec la précision d'une machine. Le mot « style » était proscrit par le Bauhaus qui s'accordait avec Le Corbusier pour dire que « l'architecture n'a rien à voir avec les styles ».

Une telle conception ne fut pas adoptée sans débats internes. Ceux-ci sont résumés par un passage du journal d'Oskar Schlemmer de Juin 1922 :

« *Abandonner l'utopie. Nous ne pouvons et ne devons rechercher que le réel, si nous voulons réussir à réaliser nos idées. Au lieu des cathédrales, les machines à habiter. Tournons donc le dos au Moyen Age; et même*

195

à la conception médiévale de l'artisanat, qui n'était qu'un apprentissage et un instrument au service de la création. Pas d'ornementation où s'exprime nécessairement un artisanat irrationnel ou artistique régi par des concepts médiévaux, mais des objets concrets répondant à des exigences précises [5]. »

Le fonctionnalisme qui ouvre la création sur le monde moderne mais qui lui permet également de le maîtriser, élargissait le champ de la création à l'ensemble des objets créés. On peut y voir une origine du « design » contemporain.

Ce n'est pas une notion abstraite. Il est au contraire un principe créateur.

« Pour réaliser un objet qui fonctionne bien — récipient, siège ou maison — il faut commencer par l'étudier avec soin, pour qu'il réponde pleinement à son but : qu'il remplisse sa fonction pratique, qu'il soit solide, bon marché et beau. »

« Cette " beauté " suppose qu'on possède parfaitement toutes les données scientifiques, techniques et formelles nécessaires à l'élaboration d'un organisme [6]. »

Gropius résume ainsi la nouvelle attitude impliquée par le fonctionnalisme :

« Accepter pleinement les forces vives du monde qui nous entoure, la machine et les véhicules.

« Fabriquer organiquement des objets, conformément à leur propre loi, sans fioriture et sans gaspillages romantiques.

« Se limiter à des formes et à des couleurs élémentaires, authentiques et intelligibles à tous.

« La simplicité dans la multiplicité, économies d'espaces, de matière, de temps et d'argent.

« Créer des prototypes pour les objets de la vie quotidienne est une nécessité d'ordre social [7]. »

Et de ce fait les sièges de Marcel Breuer ou les bâtiments conçus à cette époque par Gropius ou Mies Van der Rohe étaient les prototypes d'objets aujourd'hui construits en série.

Cette démarche se concrétise dans l'analyse de la valeur d'usage des produits telle qu'elle est pratiquée à Beaubourg par le Centre de Création industrielle.

Le débat du fonctionnalisme est resté d'actualité [8]. Ainsi l'architecture du Centre Georges Pompidou est en quelque sorte un modèle de fonctionnalisme.

Il y a cependant un changement entre l'époque du Bauhaus et aujourd'hui : les débats étaient alors relativement confidentiels et limités aux créateurs et à leurs élèves.

Ils se déroulent aujourd'hui sur la scène publique. Les prototypes ont été remplacés par une production de série. Le Bauhaus était avant tout un *centre de formation*. Il convient donc de s'arrêter sur les caractères de l'enseignement qui y était dispensé. Le Bauhaus qui se refusait à dissocier la création de la formation, a jeté les bases de la *pédagogie* actuelle des Arts Plastiques.

Le Bauhaus a réuni chaque année, pendant treize ans, une centaine d'étudiants. Tous recevaient, quelle que soit leur origine, une même formation de base très générale. Ce principe est illustré par le « cours préliminaire » d'Itten. Ensuite, l'enseignement était donné dans des ateliers dirigés par des créateurs ou des artisans.

Les rapports entre créateurs et artisans (ou fabricants, constructeurs) firent l'objet d'une redéfinition complète dès le départ de W. Gropius. Le manifeste du Bauhaus est consacré pour l'essentiel à ce thème :

« *Architectes, sculpteurs, peintres, nous devons revenir au métier : il n'y a pas " d'art professionnel ". Il n'y a pas de différence de nature entre l'artiste et l'artisan. L'artiste n'est qu'un artisan inspiré. Il est de rares instants, des instants de lumière où, par-delà sa volonté et par la grâce du ciel, l'œuvre de ses mains devient un art. Mais tout artiste doit nécessairement posséder une compétence technique. C'est là qu'est la vraie source de l'imagination créatrice.*

« *Formons donc une corporation d'une nouvelle sorte, une corporation sans cette séparation de classes qui dresse un mur de dédain entre artisan et artiste* [9]. »

Le Bauhaus, par la formation générale qu'il dispensait, évitait les risques de cloisonnement, ouvrait le créateur aux problèmes des techniques, de l'économie, de la consommation; par la formation en atelier, il évitait les risques de l'amateurisme.

Les principes pédagogiques d'Itten furent repris aux Etats-Unis et dans tous les pays occidentaux.

Il est vrai que cette pédagogie était placée entre les mains de grands maîtres. Les cours qui nous sont restés d'Itten, de Moholy-Nagy, d'Albers, de Kandinsky et de Klee sont à la fois des témoignages de leur génie et de leur goût pour la pédagogie.

Le Bauhaus estimait d'ailleurs que l'enseignant ne peut être qu'un créateur. Ceci serait à méditer...

L'enseignement doit également reposer sur la capacité spontanée de l'élève à s'exprimer. C'est pourquoi la méthode d'Itten a servi de base à l'enseignement de l'art aux enfants.

Mais cela atteste que le Bauhaus introduisait ainsi une révolution dans ce domaine en tournant le dos à l'académisme.

Réconciliation de la création et de l'industrie, de l'art et du monde, de l'artiste et de l'artisan, rapprochements entre disciplines, goût de la pédagogie, autant d'idées, de prémisses apportées par le Bauhaus.

Si Beaubourg diffère, par son objet, du Bauhaus, en étant plus ouvert au public que lui, l'IRCAM s'en rapproche beaucoup.

L'IRCAM est avant tout un centre de recherche et de création. Il s'ouvre également à la pédagogie en s'adressant à des stagiaires susceptibles de s'initier à la recherche musicale contemporaine.

Pierre Boulez serait en quelque sorte un Walter Gropius de la musique. La présence de maîtres et d'élèves, le souci de s'ouvrir aux disciplines qui concourent toutes actuellement de manière cloisonnée à la recherche musicale, l'orientation délibérée enfin vers le domaine de la recherche scientifique témoignent de préoccupations exprimées déjà par le Bauhaus.

Quant aux autres activités du Centre Georges Pompidou, si elles sont avant tout tournées vers l'information culturelle, beaucoup de leurs caractères sont marqués par l'esprit de Bauhaus et, d'une manière générale, par le principe de l'action culturelle concertée.

Les principes de l'action culturelle concertée.

Pas d'action culturelle sans un bâtiment favorisant son épanouissement. Le Bauhaus l'avait bien compris en construisant un bâtiment spécialement aménagé pour ses activités.

Le premier principe de la culture concertée c'est *l'architecture transparente*.

Un autre principe s'exprime dans l'idée *d'intégration des activités*: il a été défini avec clarté à Beaubourg. Un troisième principe a trait à la *rénovation sinon à la révolution, des institutions culturelles*.

Il a été défini, avec force dans le cas du musée, par M. Sandberg, ancien directeur du musée municipal d'Amsterdam.

Le Corbusier fut l'un des apôtres de l'architecture transparente.

N'avait-il pas écrit ces paroles prophétiques en 1930 :

« *Le musée n'a pas de façade, le visiteur ne verra jamais de façades, il ne verra que l'intérieur du musée* »; et en 1939 : « *standardisation totale des éléments de construction, un poteau, une poutre, un élément de plafond, un élément d'éclairage moderne... le tout est organisé par des règles de la section d'or assurant des combinaisons faciles, harmonieuses, illimitées* ».

Puis il préconisait :

« *Le Musée futur doit être sur pilotis, d'une grande souplesse et architecturalement discret.* »

Quarante ans plus tard, dans la présentation de leur projet, MM. Piano et Rogers reprennent avec une étrange similitude le langage de Le Corbusier.

L'architecture doit en effet faciliter l'intégration de

la culture dans la vie quotidienne. Elle doit aussi permettre une intégration des différentes activités culturelles dans le même espace.

L'intégration d'activités différentes dans un même espace a été recherchée dès le XVIII° siècle par le *British Museum.*

Celui-ci réunit à Londres en un même bâtiment une bibliothèque et un musée. L'idée est donc très proche de celle du Centre Georges Pompidou dont la bibliothèque et le musée constituent les deux activités principales.

Le préambule de l'acte du Parlement, qui institutionalisait en 1753 la création du British Museum, révélait déjà un état d'esprit plein de promesses : « Tous les arts et toutes les sciences sont liés. »

L'interaction des arts, des disciplines se trouvait ainsi affirmée. Le British Museum était un musée-bibliothèque en grande partie grâce à la nature des fonds concédés par le premier donateur, Sir Hans Sloane.

Sir Hans Sloane né en 1660 était un médecin célèbre; il voyagea et rassembla « un grand nombre de livres, dessins, manuscrits, estampes, médailles, monnaies, antiquités, sceaux, pierres précieuses, instruments de mathématiques et peintures [10] ».

La cohabitation d'un musée et d'une bibliothèque développa l'interdépendance des deux activités; ainsi des lecteurs, des chercheurs, munis d'autorisations, purent consulter et examiner dans les salles de recherches des pièces de collections archéologiques, artistiques... Bien plus, le directeur du British Museum fut appelé bibliothécaire en chef.

L'équilibre entre les deux types d'activités, musée, bibliothèque, est obtenu grâce à un savant dosage entre l'un et l'autre, ceci afin d'éviter toute hégémonie de l'un sur l'autre.

Cet exemple n'était-il pas à suivre? C'est la raison pour laquelle les organisateurs du concours international d'architecture du Centre Georges Pompidou à l'instigation de M. Sébastien Loste, demandèrent à Sir Frank Francis, directeur honoraire du British Museum, d'être membre du jury international pour le choix du projet architectural du Centre.

L'intégration culturelle débouche tout naturellement sur la rénovation des institutions.

Ainsi en est-il en matière de musée. Sandberg est l'un des grands pionniers de la révolution opérée en ce domaine.

La citation qui suit exprime son point de vue sur cette question controversée [11] :

« *Le musée traditionnel isole, sacralise.*

« *Sandberg a désacralisé (" un musée n'est pas un temple, c'est un objet d'usage courant "), il a abattu les barrières (" on m'a accusé d'attirer le public par tous les moyens : où est le mal s'il vient? "), enfin il a fait passer la fonction de découverte avant celle de conservation (" l'avenir part aujourd'hui, partons avec lui ")... On ne mesure plus aussi bien ce qu'avait de révolutionnaire le fait d'exposer les abstraits en 1938, le groupe Cobra en 1949, d'ôter aux toiles de Van Gogh leurs somptueux encadrements (" on a crié au sacrilège parce que je les remplaçais par des baguettes de bois blanc "), de vider les salles de leurs surcharges (" soixante-dix œuvres, à mon avis c'est le maximum de ce l'on peut voir en une fois ") de bousculer la symétrie des accrochages (" deux Renoir en largeur de chaque côté d'un Renoir en hauteur, ça me hérisse "), de pratiquer la technique " des points forts " (" il faut que l'on soit attiré dès le seuil par quelque chose "), d'inaugurer le guidage audio-visuel dès 1951 (" je l'ai supprimé par la suite, j'ai constaté qu'on ne peut pas bien regarder en écoutant "), de porter le rythme des expositions à cinquante par an, y compris gravures et photographies (" c'est pour ça que vous voyez ici tant de catalogues "), d'ouvrir largement le musée à toutes sortes d'activités annexes : cinémathèque, bibliothèque, conférences, atelier d'expression libre pour les enfants, concerts de musique contemporaine (" je ne me savais pas musicien avant d'avoir découvert Stockhausen "), de développer le département d'information (photos, reproductions, livres) qui est devenu une annexe importante du musée (" c'est un de mes gardiens qui me l'a suggéré, on apprend beaucoup des gardiens, d'ailleurs on apprend toujours beaucoup de ceux qui ne cherchent pas à nous faire une leçon : les enfants, les gardiens, les chauffeurs de taxis "), de faciliter la détente en installant une cafeteria confortable ouverte sur un jardin peuplé de sculptures et qu'une allée sépare du trafic de la rue (" c'était préférable à une grille et, de cette façon, les passants ne sont pas privés du spectacle "). »*

Ces quelques principes se retrouvent plus ou moins dans un certain nombre d'expériences contemporaines d'action culturelle concertée.

Les exemples qui ont été choisis ne sont que quelques témoins parmi beaucoup d'autres.

Témoins imparfaits, car la concertation est un art difficile, une pratique qui dépend beaucoup des circonstances et des personnes. Ils montrent que le Centre Georges Pompidou n'est pas un cas unique, mais un nouveau témoin de cette évolution générale qui nous paraît irréversible.

2° QUELQUES EXEMPLES CONCRETS D'ACTION CULTURELLE CONCERTÉE

L'expérience suédoise et la maison de la Culture de Stockholm.

La Suède est en avance sur beaucoup de pays tant pour la conception des actions culturelles que pour la pratique culturelle des individus.

Les promoteurs de Beaubourg ont naturellement étudié les expériences culturelles suédoises.

Les deux activités principales du Centre, la bibliothèque et le musée, sont sans doute redevables à ces expériences.

Le développement de la lecture publique en Suède est sans commune mesure avec celui de la France. A cet égard, la bibliothèque de Solna ou la salle d'actualité de Stockholm préfigurent la bibliothèque de lecture publique de Beaubourg.

Par ailleurs, Pontus Hulten, responsable du département des arts plastiques de Beaubourg, fut avant d'être invité à Paris, directeur du musée d'Art moderne de Stockholm et responsable de la conception du projet du musée qui devait prendre place initialement dans la maison de la Culture de Stockholm [12].

Aussi, paraît-il intéressant de relater ces expériences suédoises.

La maison de la Culture de Stockholm est une expérience récente puisqu'elle n'a été mise en service, pour la totalité de ses activités, qu'en 1974.

Conçue par la ville de Stockholm, elle devait prendre place dans un bâtiment moderne situé au cœur de la ville. Ce bâtiment est aujourd'hui achevé bien qu'il ne fonctionne pas exactement sur la base du programme initial.

Si l'utilisation actuelle des bâtiments diffère de ce qui était initialement prévu, cela tient aux difficultés rencontrées dans la conduite du projet.

Un concours d'architecture fut lancé en 1965 par la ville de Stockholm et la Banque de Suède.

Parmi les projets remis par environ 150 candidats, celui du professeur Peter Celsing fut retenu. Sa proposition consistait à construire un « bâtiment-écran » formant le quatrième côté de la « Sergels Torg », place centrale de la ville, et destiné à la maison de la Culture; le théâtre et la Banque de Suède devaient prendre place en retrait par rapport à la maison de la Culture.

Après des mises au point, notamment l'addition d'un bâtiment à usage d'hôtel, le projet lauréat fut inscrit au plan d'aménagement de la ville pour 1967. Il allait encore connaître de nombreux changements.

En définitive, la maison de la Culture, outre la partie réservée au Parlement, sera consacrée aux activités culturelles suivantes :

— un petit théâtre (environ 600 places),
— un café-théâtre,
— une salle d'actualité, sorte de bibliothèque municipale, dont le succès est très grand (8 000 visiteurs par jour),
— un centre d'information municipal,
— une discothèque,

— des activités d'initiation culturelle pour les enfants.

Ces quatre dernières activités en étaient encore à l'état de projets en janvier 1974. Elles se sont mises en place par la suite.

Ce programme culturel manque sans doute de cohérence. Ceci tient évidemment aux difficultés rencontrées dans les conditions de démarrage puis de poursuite de l'opération.

Quoi qu'il en soit l'expérience de la maison de la culture est exemplaire à trois points de vue au moins.

D'abord sur le plan architectural et urbain, il s'agit d'un exemple d'insertion d'un bâtiment moderne dans le centre d'une capitale. L'existence d'une place piétonne située en face du bâtiment et à quelques mètres en contrebas des rues voisines rappellent beaucoup le projet de « piazza » du Centre Georges Pompidou.

En second lieu, l'idée de créer un vaste centre culturel polyvalent, au centre d'une grande ville, comme à Stockholm, même si le projet a été quelque peu détourné des objectifs initiaux, correspond à cette idée d'ouverture et de diffusion culturelle qui est présente dans le projet du Centre Georges Pompidou.

Enfin, la salle d'actualité, par l'originalité de sa conception, sert de référence à celle que la bibliothèque de Beaubourg veut ouvrir. L'important public qui fréquente cette salle est attiré par l'activité commerciale du centre de la ville.

De même la proximité des grands magasins de la rue de Rivoli peut drainer vers Beaubourg un grand nombre d'usagers.

La bibliothèque municipale de Solna constitue une autre expérience intéressante à quelques kilomètres de Stockholm.

Elle dépasse les missions strictes d'une bibliothèque pour constituer un centre situé à mi-chemin entre une maison de jeunes et de la culture, une bibliothèque municipale et une maison de la culture.

Cette bibliothèque emploie 70 personnes et possède 230 000 volumes. Les livres sont consultés sur place ou prêtés. La bibliothèque est ouverte tous les jours.

Presque toutes les couches sociales de la population sont intéressées par l'activité de la bibliothèque — le nombre total de consultations annuelles représente 9,2 livres par habitant, la moyenne suédoise, très supérieure à celle de la France, étant de 7 par habitant.

Ces activités de la bibliothèque sont multiples.

Elle a fait un effort pour s'ouvrir largement aux *travailleurs immigrés.* Ceux-ci y trouvent ainsi les informations nécessaires à leur adaptation à la vie locale et nationale.

La bibliothèque de Solna est spécialisée dans la langue tchèque : chaque bibliothèque suédoise est plus spécialement chargée de se consacrer à une langue étrangère.

Le livre n'est pas le seul moyen d'information qu'elle utilise. Elle a recours à d'autres moyens de diffusion culturelle : des revues, des disques, des diapositives, des œuvres d'art.

Des bandes magnétiques sur lesquelles est enregistré un journal local, sont diffusées aux aveugles de la ville.

L'activité audio-visuelle tend à se développer : de nombreux appareils sont disponibles sur place à des fins multiples y compris pour des leçons de langues étrangères ou la retransmission des débats du conseil municipal.

En définitive, la bibliothèque constitue un centre d'animation local ouvert à l'actualité, une sorte de « maison pour tous ».

La ville y présente ses projets d'urbanisme; les groupes, les activités locales, les partis politiques, y tiennent leurs réunions.

La bibliothèque de Solna est donc un centre d'information très ouvert à l'actualité et aux besoins de toute la population : ces préoccupations sont partagées par les responsables de la bibliothèque du Centre Georges Pompidou qui souhaitent concevoir des rapports originaux entre le livre et son public d'une part, la bibliothèque et les autres manifestations culturelles, d'autre part.

Le musée municipal d'Amsterdam (Stédelijk Museum).

L'originalité et la personnalité de ce musée sont dues à l'action qu'a menée à sa tête pendant de nombreuses années un homme remarquable : M. Sandberg, personnalité internationale, qui a également conçu le musée de Jérusalem, qui fut membre du conseil d'administration du CNAC et fut invité à siéger au sein du jury international d'architecture du Centre Georges Pompidou.

Sous de nombreux aspects, le musée municipal préfigure l'activité du département des arts plastiques de Beaubourg. En premier lieu, ce musée est largement *ouvert au public.*

Le tarif de l'entrée est modique. Les heures d'ouvertures, de 9 heures à 22 h 30, constituent un précédent intéressant pour Beaubourg qui veut ouvrir de 10 heures à 22 heures.

Cette expérience permit de s'adresser à un public différent du public traditionnel des musées. Mais il y fallut beaucoup de persévérance. Les responsables durent à cet effet multiplier les activités en soirée : concerts, cinéma, etc.

Le musée municipal s'est ouvert également à d'autres formes d'animation culturelle.

Paradoxalement, « Sandberg est contre les collections et contre les musées [13] ». Particulièrement, les musées d'art moderne qui, a-t-il dit, vieillissent encore plus vite que les autres et entraînent derrière eux « ce qui est toujours le plus digestible : le passé immédiat [13] ».

« Pour lui, l'art doit respirer dans la rue, dans les lieux publics, mêlé aux allées et venues des gens... Malheureusement, le public n'est pas encore fait à cette idée. Tant qu'il n'accueillera pas tout naturellement dans sa vie quotidienne l'art de son époque, il faudra des musées pour l'héberger. Un musée d'art contemporain, dit Sandberg, c'est " un endroit où la collectivité rencontre l'art dont elle ne sait provisoirement que faire ". Un pis-aller en somme, un asile [13] ».

On comprend qu'à Amsterdam, un effort particulier

d'ouverture du musée aux enfants ait été réalisé.

Tous les matins, le musée fait l'objet de visites réservées aux écoles avec des entretiens d'artistes spécialement formés à ce travail pédagogique. Le musée n'est plus un monde clos.

Symbole de cette ouverture sur le monde extérieur, l'aile récemment construite du bâtiment permet au public de voir les œuvres de l'extérieur.

Le musée devient en quelque sorte un centre d'art vivant. Il n'est pas étonnant que sa fréquentation soit le fait des jeunes.

Le public du musée municipal est en effet pour les 2/3 âgé de moins de 30 ans.

Les chiffres de sa fréquentation en 1969 montrent que les plus de 50 ans ne représentent que 11 % du public. Celui-ci s'est élevé à 426 000 visiteurs. C'est dire que le musée devient alors également un centre de formation de la jeunesse.

Toutefois, il n'attire pas tous les jeunes, mais essentiellement ceux qui poursuivent des études secondaires ou supérieures. Il est devenu ainsi un instrument de formation au même titre que l'école, ce qui constitue un progrès considérable.

Mais cela traduit son caractère encore insuffisamment démocratique à l'image du système scolaire pris dans son ensemble.

*
* *

Le musée municipal semble aujourd'hui rencontrer des difficultés à concilier une fonction de recherche, de liaison avec l'avant-garde des créateurs, et une action de très large diffusion socio-culturelle.

Mais c'est aussi le signe de son dynamisme.

Les maisons de la Culture [14].

L'originalité et la diversité de leur mission en font dans un certain sens des organismes précurseurs du Centre Georges Pompidou.

La polyvalence de leurs activités fait « qu'il n'est pas simple de définir ce que peut et doit être une maison de la Culture » ainsi que l'a déclaré M. Pierre Moinot en 1961. Au moins peut-on noter une convergence entre les définitions de l'Académie française et du IVe Plan; toutes deux insistent sur les notions d'accès à la culture et de rencontre culturelle.

M. Jean-Claude Bécane a fort bien résumé leur rôle : « elles doivent, à partir d'établissements spécialement conçus à cet effet, assurer une triple mission de création, de diffusion et d'animation culturelle par des activités polyvalentes d'une haute qualité [15] ». La trilogie « diffusion, animation, création » est à l'origine de la conception des maisons de la Culture en 1961, comme d'ailleurs du ministère des Affaires culturelles en 1959.

En effet, le rôle de ce dernier est, selon les termes du décret du 24 juillet 1959, de « rendre accessible les œuvres capitales de l'humanité, et d'abord de la France, au plus grand nombre possible des Français (diffusion) assurer la plus vaste audience à notre patrimoine culturel (animation), et favoriser la création des œuvres de l'Art et de l'Esprit (création) ».

Le terme même de « maison de la Culture », déjà employé en 1936, ne fut définitivement adopté que grâce à André Malraux.

L'importance des maisons de la Culture apparaissait clairement dès l'origine; elles étaient l'instrument privilégié du ministère pour accomplir une profonde diffusion et décentralisation culturelles. Ainsi, en 1962, M. Emile Biasini, directeur du théâtre, de la musique et de l'action culturelle, écrivait : « on peut attendre de ce programme qu'il modifie de façon profonde les courants de l'irrigation culturelle de la France et qu'il donne leurs voix aux appels jusqu'ici étouffés de la province »; mais les maisons de la Culture ne doivent pas être « la salle des fêtes, le centre culturel communal, le siège des associations ou le foyer tant attendu par les vaillantes cohortes littéraires ou musicales de l'endroit, ni le local rêvé par les professeurs de cours du soir, les peintres du dimanche ou les sociétés folkloriques », elles ont pour but « d'offrir les moyens d'une *expression parfaite* dans le domaine du théâtre, de la musique, du cinéma, des arts plastiques, de la connaissence littéraire, scientifique ou humaine, et doivent posséder les instruments d'une rémanence permanente des actions entreprises dans les divers ordres ».

Dans un pareil contexte, ne risquait-on pas d'éliminer les recherches artistiques, les manifestations, rencontres et spectacles, peu élaborés, sortant des cadres établis, et, de ce fait restreindre l'audience des maisons de la Culture, limiter leur rôle? En fait, les équipements furent souvent insuffisants, d'autant que dans les différentes régions, « le vide culturel » était patent; le rôle des maisons de la Culture, du fait de l'insuffisance de leurs moyens en hommes et équipements mobiles notamment, était trop disproportionné, leur nombre trop faible, pour couvrir la France.

Afin de coordonner leurs actions, fut mis en place d'abord le CNDC (Centre national de Diffusion culturelle) auquel succéda en 1967 l'ATAC (Association technique pour l'Action culturelle). Des renseignements sur les manifestations, les artistes, les acteurs, les metteurs en scène, commencèrent à être diffusés à travers ce réseau culturel nouveau; conformément à ses statuts, l'ATAC chercha à « développer l'information de ses membres, favoriser la coordination des échanges de leurs activités, renforcer leurs relations avec les milieux artistiques et culturels et avec le public, et d'une manière générale, répondre à toutes les demandes d'assistance technique dans le cadre de leur action »...

Néanmoins les maisons de la Culture se sont heurtées à des difficultés en matière de diffusion.

Par ailleurs, une certaine disparité apparut au sein des maisons de la Culture entre la création et la diffusion artistique. André Malraux en prit acte; « il fallut les dissocier et accorder aux centres de création artistique (chorégraphiques, musicaux, lyriques, dramatiques...) un statut autre que celui des maisons de la Culture [16] ».

Toutefois, malgré ces ombres, M. Edmond Michelet devait affirmer : « la création des maisons de la Culture est l'une des plus grandes institutions de mon prédécesseur (André Malraux), une de ces idées françaises où se trouvent réunis le sens du peuple, celui de la liberté et de la grandeur [17] ».

Par elles s'affirma en effet l'idée que la culture, sous peine de se scléroser, doit être dialogue, communication.

Aussi M. Jacques Duhamel, ministre des Affaires culturelles, déclara le 21 novembre 1971, lors de l'inauguration de la maison de la Culture de Chalon-sur-Saône [18].

« Est-ce que l'image ne devait pas conduire au musée, est-ce que la lecture ne devait pas conduire à l'échange? Sans quoi, s'il n'y avait pas cette participation personnelle, cet échange, il n'y aurait probablement pas la vérité de la culture qui est partage et joie. Je pense que vous êtes sensibles comme moi à l'importance que révèlent aujourd'hui dans notre pays, les dépenses que je pourrais appeler de culture à domicile [19]. Eh bien, il me paraît important que l'occasion soit fournie, soit proposée, d'avoir un complément pour qu'il y ait encore une fois communication : la culture est communication. Et je voudrais dire à cet égard, dans une maison de la Culture et dans celle-ci en particulier, qu'il ne suffit pas de proposer l'accueil au public : il faut aller au public. Là, où il y a un véritable échange, il y a une double communication. Il faut au contraire qu'elle soit orientée non seulement vers la possibilité de donner, de communiquer avec le passé, mais qu'elle soit conçue comme une possibilité de comprendre le présent et le futur. Il faut qu'elle soit la source, pour l'homme, de retrouvailles avec lui-même et par là, de retrouvailles avec les autres. »

Mais si les maisons de la Culture sont une réponse féconde à la soif de culture de cette dernière moitié du XX⁰ siècle, elles n'ont pu toutes réussir à atteindre le public potentiel [20] et à susciter partout la créativité en raison peut-être des choix opérés par les municipalités et les administrations centrales [21], mais surtout de la difficulté d'établir des rapports fréquents et réciproques avec les autres organismes à vocation culturelle (théâtre, orchestres, radio, télévision); en fait elles n'ont pas encore, sauf certaines exceptions, permis que se nouent de nouveaux types de relations entre « le public, les créateurs et les gestionnaires[14] ».

Le projet de musée du XXᵉ siècle.

L'idée de créer un grand musée d'une configuration nouvelle fut affirmée par André Malraux au début des années 60 et déboucha sur un projet : le musée du XXᵉ siècle.

Il s'agissait de couronner la Défense, « ce quartier futuriste de Paris, d'un monument digne du Paris de l'avenir, recelant et exaltant toutes les possibilités de l'architecture et des techniques modernes ».

Il fut décidé de faire appel au grand architecte Le Corbusier. « Il fallait que la France possède un vrai monument du génial architecte alors au summum de la gloire à soixante-quinze ans. »

La presse s'y rallia avec enthousiasme.

« Pourquoi Le Corbusier? Mais tout simplement parce que c'est l'architecte le plus célèbre du monde et parce qu'il est normal qu'on choisisse celui qui persignifie sans conteste l'architecture moderne. » Or Le Corbusier, à la même époque, lors d'une exposition au musée national d'Art moderne, avait dévoilé l'esquisse d'un musée idéal baptisé « musée à croissance illimitée ».

André Malraux désirait un musée d'Art contemporain en harmonie avec le quartier qui se construisait. Par ailleurs, le musée national d'Art moderne, au palais de Tokyo, était trop rigide, trop étroit, pour présenter la production artistique du XXᵉ siècle; il consacrait peu de place à la création artistique, à l'art vivant; il semblait figé malgré l'action de ses conservateurs.

En août 1963, une conférence présidée par le directeur des Musées de France définissait les contours du futur musée. M. Besset en proposait la conception dans un rapport.

Le musée du XXᵉ siècle devait répondre au programme élaboré par Jean Cassou, Maurice Besset et aux idées-force de Le Corbusier qui imaginait un musée extensif et circulaire d'une grande souplesse d'organisation interne.

De musée, le projet se transforma en centre culturel (1964-1965) qui devait rassembler dans plusieurs constructions, outre le musée du xxᵉ siècle, quatre écoles ou conservatoires (architecture, musique, radio, cinéma, arts décoratifs...) et une préfecture. Puis, l'ordre de construction de ces différents éléments varia et la priorité fut finalement accordée à la préfecture, alors que Le Corbusier mourait tragiquement en 1965.

Cette mort remit en question l'édification du musée du xxᵉ siècle au grand désespoir de Jean Cassou et de Maurice Besset. Le Corbusier n'était pas allé au-delà de l'énumération des principes. Un autre architecte, auteur de la maison de la Culture de Grenoble, André Wogensky, mit au point un avant-projet qui reprenait les idées de Le Corbusier...

Mais la mort du maître avait brisé l'enthousiasme d'autant que de multiples difficultés surgissaient : le terrain de la Défense n'était pas prêt, l'emplacement réservé au futur musée était remis en cause, l'importance des dépenses prévisibles renforçait les hésitations.

Jean Cassou résuma plus tard toutes les espérances qu'avait soulevées ce projet :

« *Ce programme procédait de l'expérience qu'avec mes collaborateurs, en particulier Maurice Besset, spécialiste de l'histoire de l'architecture et exécuteur testamentaire de Le Corbusier, j'avais pu tirer de vingt années de direction d'un musée d'art moderne. Le Corbusier avait conçu l'idée d'un musée extensif et circulaire et émis le principe qu'un musée n'est pas une façade. On entre dans une gare pour prendre un train ou au théâtre pour voir une pièce. De même dans un musée, le visiteur entre pour satisfaire un certain nombre de curiosités. Le Corbusier nous apparaissait comme l'architecte le plus propre à réaliser un tel édifice.*

« *Le titre de musée du XXᵉ siècle avait une signification précise. Construit dans le dernier tiers du XXᵉ siècle, il devait nécessairement comporter une première partie de caractère historique montrant les révolutions de l'art dans un contexte politique, social, moral, scientifique, spirituel et parallèlement, l'évolution de l'architecture, la musique, la littérature, et tout ce qui* marque la pensée de notre temps en France et à l'étranger. D'où une présentation de conservation d'œuvres reconnues...

« D'où aussi une présentation d'études de la création artistique dans ses relations avec des faits et des réalités, par des objets et des documents. Ainsi, à la notion de musée analytique avais-je prétendu opposer la notion de musée synthétique : le musée d'une civilisation. La production artistique va ainsi s'historisant. Il convient donc de montrer l'actualité se faisant et le musée du XXe siècle devait, dans notre esprit, être aussi un lieu expérimental avec des expositions temporaires, un foyer de diffusion, d'information, de débat...

« D'autre part, ne pouvant plus isoler nos productions artistiques de toutes une production industrielle, je souhaitais que les arts décoratifs soient intégrés dans ce musée en recréant l'histoire des techniques depuis la fin du XIXe siècle jusqu'à l'expérimentation des formes nouvelles [22]. »

A la même époque, la notion de musée d'Art moderne évoluait rapidement et le musée idéal, le musée du futur, était considéré « comme une base permettant des contacts directs avec l'artiste, le public et la société... comme le lien par excellence de la communication, de la rencontre, de la diffusion... » et... « un centre de recherches parascientifiques sur les pratiques socio-culturelles présentes et à venir », comme le déclarait M. Pontus Hulten à M. Yann Pavie [23] :

« Pour atteindre un pareil idéal, il fallait multiplier les types de manifestations, les échanges artistiques, les milieux culturels et le public. »

Obligation était faite d'adopter un nouvel état d'esprit comme au musée municipal d'Amsterdam.

Il en était de même à la maison de la Culture de Stockholm dont M. Pontus Hulten devait être le conservateur. Les musées cherchaient donc à s'intégrer dans les réseaux culturels, à soutenir l'art vivant et à favoriser l'éclosion de la créativité.

*
* *

Alors que le projet du musée du xxe siècle, du centre culturel de la Défense s'estompait, alors que la notion de musée évoluait et s'enrichissait, le projet d'élever une grande bibliothèque publique d'information (BPI) aboutissait à la décision de créer la bibliothèque des Halles (1968).

Les prémisses de Beaubourg appelé au rôle original d'établissement culturel intégré étaient lancées. Il ne manquait plus qu'une volonté politique.

NOTES

1. *Walter Gropius in Architektur,* Fischer, Bücherei, Francfort, Hambourg, 1956.

2. Brochure de l'IRCAM (1975).

3. Brochure du musée d'Art moderne (1975).

4. *Walter Gropius in Architektur,* Fischer, Bücherei, Francfort, Hambourg,1956.

5. Oskar Schlemmer, *briefe und tagebücher,* Munich, 1928.

6. Cité par Ludwig Grote, Catalogue de l'exposition : « Le Bauhaus » musée national d'Art moderne, musée d'Art moderne de la ville de Paris, 1969.

7. W. Gropius, *Neue arbeiten der Bauhaus werkstäffen-Bauhausbücher,* n° 7. Cité par Ludwig Grote (cf. supra).

8. Voir le numéro que lui consacre la revue *Traverse* du CCI en 1976.

9. Walter Gropius : *Manifeste du Bauhaus* (1919).

10. Testament de sir Hans Sloane.

11. Cité par *Connaissance des Arts* (avril 1973).

12. Pour différentes raisons, exposées à la suite, ce musée ne s'est en définitive pas installé dans ce bâtiment.

13. Cité par *Connaissance des Arts* (avril 1973).

14. A ne pas confondre avec les Maisons de Jeunes et de la Culture (MJC) qui relèvent du secrétariat d'Etat à la Jeunesse et aux Sports.

15. *Notes et Etudes Documentaires,* 8-1-74, n° 4052, Documentation française, J.-Cl. Bécane.

16. Voir aussi l'analyse de J.-Cl. Bécane, p. 35 où *Expérience des Maisons de la Culture,* Documentation française, 8-1-74, n° 4052.

17. Edmond Michelet, discours à l'Assemblée nationale, 20-11-1969.

18. Cité dans *les Maisons de la Culture,* Documentation française, 8-1-74, J.-Cl. Bécane.

19. Voir aussi le rapport *Pratiques Culturelles des Français*, par Augustin Girard (1974).

20. En effet : 72 % des adultes ne vont jamais au cinéma ou presque jamais, 93 % au théâtre, 98 % aux concerts, et si 70 % des adultes ne sont jamais entrés dans un monument, 82 % ne sont jamais entrés dans un musée.

21. Il s'agissait souvent d'animosité liée à des points de vues politiques.

22. Interview de Jean Cassou par Jeanine Warnod, *le Figaro*, 9 octobre 1970 « Pour un Centre idéal contemporain ».

23. Déclaration de Pontus Hulten, *Opus international*, n° 24-25 (1971).

24. Les difficultés de financement qu'elles rencontrent depuis peu témoignent peut-être de cette incertitude plus profonde.

La rue Quincampoix, rue piétonne.

CHAPITRE IX

LES ETABLISSEMENTS CULTURELS INTEGRES

> « Tandis que notre société contemporaine est emportée dans un mouvement où toutes les institutions tendent à devenir une seule « bureaucratie » post-industrielle, il nous faudrait nous orienter sur un avenir que j'appellerais volontiers « convivial », dans lequel l'intensité de l'action l'emporterait sur la production. Tout doit commencer par un renouvellement du style des institutions et tout d'abord, par un renouveau de l'éducation.
>
> « Un avenir, à la fois souhaitable et réalisable, dépend de notre volonté d'investir notre acquis technologique, de telle sorte qu'il serve au développement d'institutions accueillantes. »
>
> Ivan ILLITCH,
> *Une société sans école.*

L'un des instruments qui tend à se répandre de plus en plus depuis quelques années en matière d'action culturelle et sociale, réside dans ce que l'on peut appeler les « établissements ou équipements intégrés ».

Relève de cette catégorie d'établissements tout bâtiment ou ensemble de bâtiments qui regroupe des activités différentes, traditionnellement séparées, ayant une finalité commune notamment d'accueillir le public, et de le mettre en rapport avec les formes multiples de la création. Un établissement intégré peut regrouper, à titre d'exemple, une école, des équipements sportifs, un théâtre, une bibliothèque, etc...

La vie commune de ces activités dans un même bâtiment oblige à concevoir un cadre, une organisation, des moyens d'actions de type nouveau.

L'action culturelle concertée conduit plus ou moins nécessairement à la mise en place d'établissements intégrés. Le Centre Georges Pompidou se trouve, là encore, au confluent de recherches contemporaines en matière d'aménagement et d'utilisation de l'espace, de formes d'action culturelle et d'organisation.

Ces exemples ont en commun leur caractère expérimental. Ce caractère se retrouve également à Beaubourg. S'il est vrai que chaque opération d'établissement intégré doit fixer ses propres lois, toutes répondent aux mêmes innovations et recherchent les mêmes objectifs. C'est en cela que Beaubourg relève des établissements intégrés.

A l'origine une *raison économique* milite en faveur du regroupement d'activités différentes en un même lieu : des doubles emplois sont ainsi évités, mais en outre un meilleur usage des locaux est facilité. Certaines salles, notamment dans les écoles, peuvent être utilisées en dehors des heures scolaires pour des activités non scolaires.

C'est ce qui permet à Yerres l'intégration d'un CES dans le Centre éducatif et culturel. Si les activités du Centre Georges Pompidou avaient été traitées séparément, leur coût aurait certainement été plus élevé qu'il ne le sera à la suite de leur intégration dans un même lieu.

Mais les *motivations socio-culturelles* sont sans doute plus importantes que les arguments économiques. Le regroupement des activités permet *d'apporter une meilleure réponse aux besoins du public* dont la caractéristique première est la diversité. Le service culturel doit et peut être mis à la disposition d'un public aussi large que possible. Il donne à l'usager un rôle central. Le regroupement des activités en un même lieu est une incitation faite au public de venir en grand nombre.

Enfin l'intégration vise une finalité de caractère philosophique.

La diversité est le gage du pluralisme culturel, donc de la liberté. C'est dans un tel climat que peuvent naître de nouvelles formes d'expression culturelles grâce notamment au décloisonnement des activités. L'intégration apporte les vertus de la contagion entre les différentes formes et activités du monde de la création.

La présence, en un même lieu, d'activités socio-culturelles différentes amènera un jour le sportif au théâtre et le bibliophile au musée; ainsi pourra se développer une formation culturelle parallèle à celle de l'école. En bref, les établissements intégrés constituent la base d'une nouvelle pédagogie de la formation culturelle.

Toutefois Beaubourg constitue un type particulier d'établissement intégré du fait de sa dimension nationale et internationale, et de la nature des activités qu'il regroupe (notamment l'absence d'établissement d'enseignement). Mais les modes de gestion du Centre doivent tenir compte de ceux adoptés dans des expériences existantes.

1° L'EXPÉRIENCE DES ÉTABLISSEMENTS INTÉGRÉS

L'intérêt de ces expériences est d'apporter, selon les lieux et les responsables, des leçons différentes ou complémentaires. Le Centre éducatif et culturel de Yerres est le plus ancien, la Villeneuve de Grenoble le plus important, le complexe scolaire et sportif St-Merri le plus simple, le Centre 't Karregat à Eindhoven le plus ambitieux.

Le Centre éducatif et culturel de Yerres.

Un seul bâtiment réunit huit établissements : un CES, un centre sportif, une « maison pour tous » qui entend regrouper les jeunes, un centre social, un conservatoire de musique et de danse, une bibliothèque publique, un atelier d'animation artistique chargé de la diffusion des spectacles et de l'animation dans la région, et un centre de promotion sociale.

Le Centre de Yerres est financé pour une part par la municipalité et pour le reste par trois ministères : Education nationale, Jeunesse et Sports et Affaires culturelles.

L'une de ses caractéristiques est l'utilisation des locaux scolaires en dehors des heures d'enseignement, au profit d'activités culturelles.

En sens inverse, les services culturels intégrés peuvent être utilisés pour la formation scolaire. Certains espaces ont des usages multiples : la salle de sport est conçue pour servir de théâtre ou de salle de concert.

L'intérêt d'un établissement intégré de ce type est de réunir non seulement la lecture, mais aussi le judo, l'aéro-modélisme ou l'électronique. Dans un monde technique en mutation rapide, le seul humanisme de l'Université ou de l'école n'apporte plus de réponse suffisante. L'univers de demain est aussi celui de l'image, de la science-fiction, de la « pop-music ». Il ne se suffit plus, comme par le passé, du seul langage. Le Centre de Yerres ne veut pas modeler son projet sur l'école qu'il abrite. Certes les préoccupations scolaires doivent évidement avoir leur place dans toute action culturelle. Mais la culture et l'art d'aujourd'hui sont quelque peu coupés de l'école et un établissement culturel intégré peut contribuer à ouvrir élèves et habitants aux formes contemporaines de la création.

La gestion du Centre offre une large place aux usagers. L'intégration des activités oblige les responsables à inventer une structure juridique qui permette aux usagers de participer plus directement à la gestion de l'ensemble culturel, notamment au sein des comités de maison, sans pour autant se substituer aux pouvoirs du maire, représentant les habitants de la commune.

Mais plus encore que la gestion, c'est la fréquentation du public qui permet de juger des résultats d'une telle expérience. Or, sous cet angle, le Centre de Yerres connaît un réel succès. Une démultiplication systématique de ses initiatives auprès des communes voisines a permis de réaliser une véritable diffusion culturelle. A cette fin a été inventé le concept « d'action éclatée » : il s'agit d'aller chercher les gens là où ils sont, chez eux, sur leur lieu de travail.

Ainsi, 12 groupes scolaires sont touchés par une animation musicale.

Le Centre de Yerres veut être une sorte *d'école parallèle*.

Les leçons qui peuvent être tirées aujourd'hui du fonctionnement du plus ancien des établissements culturels intégrés sont largement positives.

Jean Rambaud n'hésite pas à écrire [1] qu'au « Centre éducatif et culturel de Yerres (CEC), le stade expérimental est aujourd'hui dépassé, la démonstration est faite ».

Il poursuit : « A priori, c'est l'amalgame ou dit autrement, le fourre-tout. Au Centre éducatif et culturel de la Vallée de Yerres l'on voit ensemble, dans la même maison, huit cents élèves d'un CES suivre leurs cours « normaux » ou « différents »; des dames qui font du tissage dans une pièce voisine sur des métiers construits dans un atelier du rez-de-chaussée; des comédiens à l'étage au-dessus qui répètent un nouveau spectacle au studio 209 (non loin d'un grand gymnase remarquablement équipé); des « loulous » de banlieue qui achèvent le montage d'un film — tourné par eux — sur leur propre vie chahutée; des jeunes qui préparent à la Maison pour tous — au même niveau — l'exposition mycologique du mois, la soirée débat sur l'avortement ou, pour dimanche, la journée sur la question portugaise avec films, expositions, discussions. La consultation pour nourrissons? C'est ici. La formation professionnelle? La prochaine visite commentée des hôtels du Marais, le cours d'allemand ou d'anglais pour adultes, le cours de français pour travailleurs immigrés, la bibliothèque publique, le conservatoire de musique, l'atelier de poterie? C'est là aussi.

« Dans notre époque compartimentée, spécialisée, où toute activité se voit isolée de l'autre jusque dans la fabrication d'un même objet, il y a là quelque chose de déroutant, de choquant pour certains.

« Mélanger les candidats au BEPC, les baladins, les nourrissons, les basketteurs, les cinéastes, les « loulous » et les personnes du troisième âge en quête de loisirs paisibles, n'est-ce pas l'une de ces idées farfelues qui courent les rues par ces temps de réformes — à la fois appelées et refusées — et qui éclatent comme bulles de savon aussitôt confrontées au quotidien?

« Or, le CEC a maintenant sept ans : une bulle

221

tenace. Et il se trouve que l'excellence des résultats va de pair avec la multiplicité d'activités auxquelles participent maintenant quelque cinq mille inscrits — adultes et jeunes — sans parler des participants occasionnels aux fêtes, spectacles, récitals, expositions, débats, etc.

« Le Centre reçoit deux ou trois fois par semaine la visite de délégations étrangères curieuses de cette expérience et venues aussi bien de Grande-Bretagne que de Chine (mais en France, le connaît-on?).

« Il se trouve enfin que cet ensemble insolite, non conformiste et quelque peu marginal, est à l'origine une création très appréciable. En dépit de son autonomie, il a pour parrains trois ministères : Education nationale, Jeunesse et Sports, Affaires culturelles et s'appuie sur un syndicat intercommunal. C'est l'un de ces rares « établissement intégrés » — comme ceux de Grenoble et d'Istres — qui devaient ouvrir une nouvelle voie à l'école, non plus au niveau des projets et des plans, mais sur le terrain, dans la vie, grâce à l'expérience ».

Et Jean Rambaud conclut :

« En fait, si le CEC de la vallée de l'Yerres fut à ses débuts un centre expérimental, il est depuis plusieurs années déjà un exemple convaincant. Peut-être au lieu de multiplier les réformes « sur le papier » qui s'annulent l'une l'autre en restant lettre morte, faudrait-il songer à étendre cette « expérience réussie. »

La Villeneuve de Grenoble.

A la différence du CEC de Yerres, il s'agit d'une expérience qui concerne une véritable ville nouvelle. La Villeneuve est le nom d'un quartier de 2 300 logements d'une ZUP [2] de l'agglomération grenobloise dont une partie a été réalisée en 1967 pour les Jeux Olympiques.

Les objectifs poursuivis par la Villeneuve sont de s'opposer à la ségrégation sociale dans le domaine de l'habitat, de l'enseignement et de la culture, et de coordonner les actions éducatives dans une perspective d'éducation permanente.

Ces objectifs se rattachent d'emblée à ceux des établissements intégrés.

Pour en permettre la réalisation, il a été décidé de privilégier l'information sous ses aspects les plus divers, la formation sous ses formes pré et post-scolaires, l'organisation de la culture et des loisirs, la création et l'usage d'institutions de gestion où les utilisateurs définiront leurs besoins et concourront avec les professionnels à la mise en place des moyens nécessaires.

Le projet porte ses efforts sur le peuplement, l'architecture, les équipements et l'éducation.

Le souci du *peuplement* est prioritaire dans une opération d'urbanisation.

Un brassage de la population est recherché pour éviter la constitution de ghettos qui cloisonnent, avant de les opposer, les différentes couches sociales et les minorités (immigrés, vieillards, etc.).

A cette fin, les différentes catégories d'habitations (HLM, ILN, accessions à la propriété, résidences pour personnes âgées, pour handicapés physiques, foyers pour inadaptés) sont conçues pour être étroitement imbriquées.

Afin de limiter le temps consacré aux transports et, corrélativement, d'accroître celui disponible pour les loisirs, la culture et la formation continue, il a été prévu de créer des industries et des bureaux occupant un nombre d'emplois sensiblement équivalent au nombre de personnes actives qui habiteront à la Villeneuve.

Sur le plan de l'architecture, le projet s'efforce de refuser la laideur, l'uniformité, les nuisances.

L'une des façades des immeubles de 5 à 15 étages donne sur un parc, l'autre sur les voies d'accès.

Il s'efforce de faciliter la vie sociale : au rez-de-chaussée, sous les immeubles, sont aménagées des rues couvertes, réservées aux piétons, qui serpentent tout au long des quartiers, aboutissent au centre, s'ouvrent sur le parc, desservent les écoles, les locaux commerciaux, sociaux et culturels, bref, animent la ville et constituent un lieu fréquenté, vivant et agréable.

L'architecture se veut anti-ségrégationniste.

Les équipements sont volontairement intégrés non pas à l'échelle d'un centre culturel comme à Yerres, mais de tout un quartier. Ils sont gérés par une association, sorte d'antenne locale de la municipalité de Grenoble, le CEPASC (Centre d'Education permanente et d'animation sociale et culturelle). L'intégration des équipements procède d'une double nécessité : une nécessité économique qui conduit à envisager chaque fois que possible le plein emploi des équipements publics; une nécessité pédagogique, qui tend à organiser leur étroite coordination en vue de forger un instrument d'éducation permanente à usage de la population.

Les équipements sont d'abord intégrés dans le quartier. Leur disposition le long de la rue intérieure permet à chacun de les rencontrer naturellement au cours de son cheminement quotidien.

L'intégration intéresse également les rapports des équipements entre eux. L'activité des établissements d'enseignement est intégrée dans une politique pédagogique et culturelle qui permet une liaison étroite entre les classes et les ateliers d'expression ou de réalisation.

De ce fait, la formation ne recouvre plus seulement le temps scolaire; elle est également possible au sein d'ateliers d'animation ouverts toute la journée.

L'éducation est ainsi l'une des finalités poursuivies par cette expérience. Afin de répondre au double objectif d'éducation permanente et de rentabilité des équipements, l'école a été ouverte en dehors des heures scolaires à d'autres usagers que les seuls enfants scolarisés.

L'utilisation des cours de récréation, qui longent le parc est libre; les enfants peuvent revenir, après les heures scolaires, dans les ateliers ou les équipements sportifs; les adolescents et les adultes du quartier sont invités à fréquenter ateliers et gymnases.

Au total, le CEPASC, géré par l'intendant du CES, comprend des crèches à domicile, 3 halte-garderies, 5 « maisons des enfants » (à la fois écoles maternelles, jardins d'enfants, écoles élémentaires et maisons de l'enfance), 1 CES, des équipements sportifs, une salle de cinéma, de conférences, et d'expositions.

La Villeneuve est le premier ensemble urbain à avoir mis en place un réseau local de télévision par câble, à la programmation de laquelle les habitants participent directement.

Le complexe scolaire et sportif Saint-Merri.

Les modalités de sa construction à proximité du plateau Beaubourg ont été par ailleurs évoquées [3].

Les problèmes posés par sa gestion sont intéressants puisque c'est le cas le plus simple d'établissement culturel intégré. Et pourtant, plus de deux ans après son ouverture, les règles de gestion de ce complexe n'étaient pas encore entièrement arrêtées.

Quelles en sont les caractéristiques originales?

Dans un même bâtiment, à des niveaux différents, sont regroupés une école primaire, une école maternelle, un gymnase et une piscine.

L'école est organisée selon le principe des aires ouvertes qui décloisonnent les espaces d'enseignement.

Si l'ensemble a été conçu par l'établissement public du Centre Beaubourg en liaison avec l'Education nationale et la Jeunesse et les Sports, c'est à la seule ville de Paris qu'en incombe la gestion.

Mais plusieurs services sont compétents au sein de la Ville : la direction des Affaires scolaires, la direction de l'action culturelle, de la Jeunesse et des Sports, la direction des Affaires domaniales, la direction de l'Architecture (pour l'entretien du bâtiment et son contrôle technique).

La logique administrative aurait voulu que l'on traite les espaces scolaires et les espaces sportifs de manière totalement séparée, chaque direction étant souveraine dans l'espace qui lui aurait été attribué. Mais la logique du programme et de l'architecture a conduit à mettre à la disposition des activités scolaires et sportives un certain nombre de services communs : contrôle des entrées, concierge remplacée par une hôtesse, unité de distribution de l'énergie électrique, de la climatisation, de l'eau, centralisation des alarmes.

La solution la plus rationnelle consiste à trouver un seul et même gestionnaire technique pour l'ensemble du bâtiment. Mais elle se heurte à un obstacle administratif de taille : l'absence du précédent.

Il est relativement aisé de concevoir dans un premier temps un programme d'activités intégrées : c'est ce que fit l'équipe de programmation du Centre Georges Pompidou en liaison avec les enseignants de l'école et les services compétents de la ville de Paris.

Il est déjà plus difficile, ensuite, pour l'architecte de réaliser une construction permettant à ces équipements et activités intégrés de fonctionner correctement.

Mais le problème le plus délicat apparaît au moment de la mise en marche du bâtiment. On dut en effet, aménager des procédures administratives nouvelles. Les services de la ville de Paris furent tentés, le bâtiment achevé, de cloisonner les espaces ouverts de manière à ce que les rapports entre les responsables, les élèves et le public extérieur puissent être réglés dans le cadre de leur organisation traditionnelle. Mais cela pouvait remettre en cause le principe même du bâtiment; cela se heurtait d'ailleurs à des impossibilités techniques puisque les différentes activités réunies dans ce bâtiment étaient organisées pour être gérées par un seul responsable. Il fallut donc imaginer une solution administrative originale : la mise en place d'une gestion technique centralisée permit d'éviter le retour au cloisonnement des espaces.

Eindhoven 't Karregat.

Cette expérience hollandaise est à un certain égard plus ambitieuse que les précédentes.

Jusqu'à présent les activités sociales d'un quartier : magasins, écoles, service médico-social, centre d'accueil, bibliothèque, restaurants, ont été conçues et réalisées séparément.

La ville d'Eindhoven a imaginé de regrouper toutes ces activités sous un seul toit.

L'expérience s'appelle : 't Karregat. C'est un centre de quartier unique en son genre en Hollande.

Elle se rapproche de celle de la Villeneuve de Grenoble.

Faire des courses, aller à l'école, soigner les nourrissons, consulter le médecin, tout se déroule sous un même toit. Carrefour de toute la vie du quartier, 't Karregat est un lieu de rencontre quotidien pour les habitants.

L'architecture s'efforce de répondre à cet objectif. La transparence des toits et des parois apporte un sentiment de liberté.

Le bâtiment possède un rez-de-chaussée à trois niveaux et un sous-sol. Au milieu, se trouve une place découverte qui peut être utilisée, en plus des activités scolaires, pour le sport, des jeux, des concerts, des réunions et d'autres événements de la vie du quartier.

Autour de la place intérieure, sont regroupés les différents espaces et les différentes activités publiques ou privées. Tous les espaces communiquent librement entre eux.

Les divers éléments sont combinés de façon à permettre d'autres possibilités d'utilisation en cas de modifications ultérieures.

Ce qui caractérise cette expérience conçue par l'architecte Van Klingeren, c'est la modestie de la place faite à l'architecture. Le bâtiment s'apparente à une sorte de hangar, traité de manière élégante et sobre.

L'installation des activités dans le bâtiment s'accommode d'une certaine liberté. Il n'y a pas de dispositions pré-établies qui s'imposent à elles.

De ce fait, 't Karregat est peut-être moins un établissement intégré qu'un lieu d'établissements juxtaposés. Mais la juxtaposition se justifie ici par la très grande variété des activités. Elle n'exclut pas l'échange, bien au contraire. La part laissée à l'expérience et à l'adaptation est très grande. L'architecture se place ainsi à la mesure des usagers. N'est-ce pas sa finalité?

2° LES LEÇONS DE L'EXPÉRIENCE

Ce rapide survol ne prétend pas recenser toutes les expériences d'établissements intégrés. Les plus avancées et les plus connues ont seules été présentées.

Quels enseignements peut-on aujourd'hui déjà en tirer?

Les promoteurs de ces opérations d'établissements intégrés font tous preuve d'une grande prudence. Leur domaine d'intervention est encore expérimental et les résultats ne peuvent être appréciés qu'avec le recul du temps. Par ailleurs, ces expériences comportent une rupture telle avec les modes traditionnels d'habitat et de vie en société qu'elles suscitent à la fois la crainte la plus vive et l'intérêt le plus grand.

Les maîtres-mots sont : décloisonner, ouvrir, faire communiquer, plein emploi, animation, participation des usagers, etc. Autant de tentatives de réponse à des préoccupations propres à tous nos contemporains. Et ce ne sont pas des « réponses verbales » puisque ces expériences s'enracinent dans l'architecture et affrontent les citadins, usagers directs de la ville.

Elles constituent en réalité les « approches d'un nouveau cadre de vie »; elles amorcent « une véritable transformation des relations sociales et des attitudes civiques, en offrant à chaque individu des structures d'animation lui permettant de mieux se situer dans la société et de participer plus activement à la vie de la communauté ».

Ces citations sont extraites d'une circulaire du 19 novembre 1973 sur les orientations et procédures à suivre en matière d'intégration des équipements. Elle est signée par Pierre Messmer, Premier ministre. Ce dernier tirait ainsi les conclusions d'un groupe de travail réuni à Matignon à l'initiative de J. Chaban Delmas.

La « révolution silencieuse » des équipements intégrés.

La circulaire précitée a pour objet de faciliter l'expérience des équipements intégrés dont le rôle et la portée sont précisés :

« Dans le cadre des travaux préparatoires au VIᵉ plan, plusieurs commissions (commission des affaires culturelles, de l'éducation, des villes, des activités sportives et socio-éducatives...) ont mené une réflexion sur les objectifs *d'ouverture de l'école, d'animation culturelle, de plein emploi des locaux* et sur les possibilités de contribuer à la réalisation de ces objectifs par la polyvalence ou l'intégration des équipements...

« Des expériences d'équipements intégrés, notamment dans les villes nouvelles, seront menées en accord avec les collectivités locales par la concertation entre les différentes parties prenantes...

« Un arrêté du Premier ministre en date du 1er octobre 1971 a créé une commission interministérielle des équipements intégrés réunissant les représentants des principaux départements ministériels intéressés et à laquelle sont confiées les tâches suivantes :

« Etudier les problèmes de toute nature que posent la conception, la gestion et l'animation des équipements conçus en vue du développement coordonné de certaines activités éducatives, sportives, culturelles et sociales; coordonner les interventions des différents départements ministériels ou organismes intéressés, en dresser le bilan et effectuer la synthèse des différentes expériences; formuler des recommandations et proposer des mesures propres à leur mise en œuvre. »

Certaines dispositions de cette circulaire sont très intéressantes.

L'intégration peut être géographique et en quelque sorte économique; c'est le cas du complexe scolaire et sportif Saint-Merri. Elle peut, plus profondément, tendre à substituer à la division administrative des institutions une division fonctionnelle répondant mieux aux besoins et composée de domaines d'intervention de caractère horizontal au-delà des frontières administratives sectorielles, tels que : enseignement, documentation, formation continue, action culturelle, sports.

Chacune des institutions concernées peut alors apporter sa contribution au domaine d'intervention considéré et participer aux décisions qui la concernent.

« Au plan architectural et urbanistique, la démarche nécessite une analyse et une remise en cause approfondie de l'ensemble des programmes de locaux correspondant aux institutions que l'on souhaite intégrer, et leur organisation en complexes ou réseaux conçus pour permettre l'exercice des fonctions globales précédemment définies.

« Au plan du fonctionnement et de l'animation, ce type d'opération, nécessite des modalités nouvelles de concertation, de coordination, l'aménagement des règles de financement, de gestion et d'administration des établissements concernés, la recherche d'un statut pour ce nouveau type d'établissement [4]. »

C'est dire que sa mise en œuvre est lente et progressive. Il en a été ainsi du statut du Centre Georges Pompidou qui a exigé trois années de recherches avant de donner lieu à une loi soumise par les ministères concernés au Parlement. Les dispositions arrêtées devront encore subir l'épreuve des faits.

C'est que nous sommes, ici, au cœur des problèmes posés par la vie en société et en particulier dans les ensembles urbains nouveaux où un nouvel art de vivre est encore à inventer.

Les équipements intégrés à la recherche d'un nouvel art de vivre.

L'expérience des équipements intégrés est l'une des meilleures tentatives mises en œuvre pour répondre aux problèmes posés par la création d'ensembles urbains modernes aussi adaptés que possible aux besoins des usagers. Trop souvent les constructions individuelles ou collectives obéissent à des critères qui ne tiennent pas compte de l'*usager* que les promoteurs, les architectes, et les pouvoirs publics perdent trop souvent de vue. Le promoteur soumet la construction aux seuls impératifs de l'argent. Les pouvoirs publics s'abritent trop souvent derrière une réglementation destinée théoriquement à protéger l'usager, mais souvent inapplicable ou trop abstraite pour être efficace.

L'architecte ne dispose pas d'une véritable liberté de création pour intégrer les différentes contraintes qui se retrouvent dans la valeur d'usage et la valeur marchande. D'abord parce qu'en général, il ne peut pas consacrer un temps suffisant aux études nécessaires; ensuite parce qu'il est victime des contraintes de la rentabilité et de la réglementation; enfin — faut-il le dire? — parce qu'il manque parfois de cet esprit créateur nécessaire pour concilier des impératifs apparemment inconciliables.

Cette analyse sommaire de l'acte de bâtir fait ressortir deux grands absents : le *programmateur* et le *pédagogue*. Le programmateur doit faire l'analyse et la synthèse des besoins des usagers. Il ne faut pas passer d'un extrême à l'autre et ignorer totalement les besoins des usagers (en omettant des espaces verts indispensables, par exemple), ou se soumettre totalement à leurs aspirations (en créant des parcs de stationnement qui encombrent les espaces d'habitation).

Car si les usagers sont le dernier maillon de cette chaîne que constitue une opération de construction, ils ne sont malheureusement pas encore assez éduqués sur ce terrain pour apporter d'eux-mêmes une solution rationnelle et satisfaisante pour l'ensemble d'une communauté : l'addition de besoins individuels est souvent contradictoire avec une solution collective optimale.

Il faut avoir le courage de le dire si l'on ne veut pas céder à une démagogie facile. Il ne faut pas pour autant que cette vérité serve d'alibi pour ignorer l'usager et abandonner l'acte de bâtir entre les mains de technocrates de la construction.

C'est pourquoi les besoins des usagers doivent être analysés, interprétés et même anticipés dans une certaine mesure. Tel est le rôle du programmateur.

Le rôle du pédagogue intervient à un deuxième stade : celui de l'utilisation des équipements.

Combien de dispositions constructives nouvelles et intéressantes restent inutilisées pour avoir été conçues par des architectes en dehors de la réalité ou pour ne pas avoir été accompagnées d'un « mode d'emploi » ! L'usager a besoin d'être conseillé pour l'utilisation des « machines à habiter » que d'autres imaginent pour lui.

C'est là que les utilisateurs doivent jouer un rôle particulier : l'utilisateur à la différence de l'usager qui est la personne destinée à se servir de l'équipement, est celui qui doit aider à sa conception puis à son fonctionnement.

L'utilisateur est par exemple le directeur d'une bibliothèque, d'un centre sportif. L'usager est le public qui va fréquenter la bibliothèque ou le gymnase.

Au regard de cette situation, l'expérience des équipements intégrés permet dès aujourd'hui de formuler un certain nombre de conclusions.

En premier lieu, cette expérience oblige à *changer*

d'échelle, aussi bien en qualité qu'en quantité, par rapport aux pratiques traditionnelles de l'aménagement et de la construction.

Le fait de regrouper des activités, d'obliger des utilisateurs à travailler avec d'autres utilisateurs, chacun sous le regard du voisin, de ne plus disposer d'une situation de face à face privilégié avec son propre public, conduit à définir de nouveaux types d'espaces, de nouveaux liens institutionnels, de nouvelles formes d'isolation acoustique, de nouvelles qualités de matériaux. L'équipement intégré fait éclater les normes habituelles, suscite invention et création.

En second lieu, l'expérience vécue nécessite une bonne dose de *réalisme*. A la créativité qui s'exprime dans le discours, elle oppose l'épreuve des faits. L'individu comme la collectivité se satisfait mal de ne pas s'approprier un espace vital. Le manque d'espace auquel conduirait une mise en commun générale peut entraîner une insécurité dangereuse.

Toute expérience d'équipement intégré connaît périodiquement, et surtout après la première phase, utopique, d'abandon des espaces (la nuit du 4 août!), une phase de régression de chaque utilisateur vers sa propre activité (la réaction thermidorienne!). Au « tout est possible! » répond le fatal : « il faut bien vivre ».

Cette ambivalence est inscrite au cœur de l'expérience. Elle est inhérente au comportement de l'usager et plus largement de tout homme en société qui oscille entre les exigences contradictoires de nature quasi biologique : se rencontrer, s'isoler — aspirer à l'aventure, rechercher la sécurité — sortir, entrer — être ouvert, être fermé — lumière et clarté, rêve et obscurité — etc.

En troisième lieu, l'expérience introduit dans le tissu constructif traditionnel une zone de *mouvement* : elle dérange. Le dérèglement des mécanismes acquis qu'elle suscite oblige à trouver de nouvelles règles. Celles-ci exigent un certain temps. Elles devront différer des règles traditionnelles qui relient l'homme à son univers bâti.

Au regard de cette expérience, le Centre Georges Pompidou apporte une contribution qui peut être décisive. Du fait de son caractère national, son succès peut entraîner une généralisation d'expériences jusqu'ici éparses.

Son échec pourrait également être lourd de conséquences.

La recherche d'un statut approprié à la gestion du Centre apparaît alors avec toute son importance; d'elle dépend son bon fonctionnement futur.

L'aventure de Beaubourg après être née d'un choix culturel, s'être incarnée dans une architecture et un site urbain, se déplace alors sur le plan de l'organisation.

NOTES

1. « Activités « tous azimuts » au centre culturel de Yerres, des baladins aux loulous », par Jean Rambaud, *le Monde* du 20 mai 1975.

2. Zone à urbaniser en priorité.

3. Cf. p. 112 et suivantes.

4. Extrait de la circulaire auparavant citée.

CHAPITRE X

UNE ORGANISATION ORIGINALE

> « ... Que doit faire le législateur? Il doit concilier ce qui convient aux principes et ce qui convient aux circonstances. »
>
> DANTON,
> *Discours à la Convention,* 13 août 1793.

Le fonctionnement des activités abritées dans un bâtiment n'a souvent aucun rapport avec son architecture.

La réalisation du Centre Georges Pompidou intègre au contraire étroitement architecture, équipements et fonctionnement.

Dès l'origine, le Centre apparaissait comme un ensemble intégré comportant des activités diverses et des services communs qu'il importait de combiner au mieux des intérêts des uns et des autres.

A cet effet, il devait disposer d'un statut original. Afin d'élaborer ce statut, il fallut mener de pair des discussions sur l'organisation et la gestion du futur Centre, d'abord avec les responsables des différentes activités culturelles, ensuite avec les ministères concernés. Cette procédure aboutit au vote d'une loi par le Parlement.

Présenter l'organisation de Beaubourg c'est à la fois :
— indiquer les principes de gestion retenus,
— préciser les caractéristiques des textes juridiques adoptés.

C'est, à cette occasion, dévoiler sur un exemple concret, comment se préparent et se prennent des décisions gouvernementales qui doivent concilier les exigences diverses des responsables culturels, de leurs administrations de tutelle, du Parlement et des règles du droit public français.

1° LES PRINCIPES DE GESTION DU CENTRE.

Le Centre Georges Pompidou présente le cas presque unique dans l'administration d'un cadre juridique qui, au lieu d'être imposé aux gestionnaires, a été largement conçu sur la base de leurs aspirations.

Les conditions de son fonctionnement ne sont pas constituées a priori de règles imposées d'en haut aux différents responsables du Centre. Elles sont au contraire largement le produit de leurs réflexions.

Les principes de gestion sont, de ce fait, intéressants par la *démarche* dont ils résultent et par les *solutions* qu'ils énoncent.

La démarche tire sa valeur du rôle important ainsi conféré aux « utilisateurs » dans leurs rapports avec les pouvoirs publics. Une place toute particulière est faite à l'expérience; les différentes procédures sont testées avant d'être définitivement arrêtées; l'adoption de règles inapplicables peut être évitée. Les solutions, sans être révolutionnaires, sont souvent originales. Elles concilient les aspirations des utilisateurs et les contraintes du cadre public qui s'impose au Centre.

La démarche.

Les différentes caractéristiques de ce travail sont apparues tout particulièrement à l'occasion de l'adoption des principes de base qui commandent le fonctionnement du futur Centre et du rapport général qui en a fixé l'organisation.

Les principes de base sont contenus implicitement dans le programme initial élaboré en 1970 avant le concours international.

Ils ont été explicités dans une note d'orientation de février 1972 dont les termes ont été soumis aux utilisateurs et aux autorités de tutelle.

Les différents responsables du Centre devaient concilier la diversité des activités et leur indispensable unité : même bâtiment et politique commune.

Une organisation centralisée aurait conduit à une sorte de technocratie qui aurait étouffé les initiatives culturelles. La simple juxtaposition des activités aurait entraîné des doubles emplois; et surtout elle aurait traduit l'abandon d'une mission essentielle du Centre : le décloisonnement de ses activités; Beaubourg n'aurait plus été qu'un lieu géographique et non le véritable centre que souhaitait Georges Pompidou.

Les responsabilités conférées à la direction du Centre pouvaient beaucoup varier selon que l'une ou l'autre conception l'emportait. Dans le premier cas, le directeur du Centre aurait été tout puissant, ce qui aurait pu entraîner une excessive centralisation qui est « la congestion au centre et la paralysie aux extrémités ».

Dans la deuxième hypothèse, les fonctions du directeur n'auraient été que celles d'un syndic de co-propriété, ce qui aurait pu amener à s'interroger sur l'intérêt de juxtaposer en un même lieu des activités culturelles aussi variées.

La solution proposée à ce problème difficile mit l'accent sur l'unité du Centre tout en affirmant la personnalité de ses composantes. A cet effet fut lancée l'idée *d'une direction à base de participation* et celle d'une *spécialisation des fonctions*.

La direction à base de participation visait à conférer la responsabilité de l'animation de l'ensemble du Centre à une seule personne placée à sa tête.

Elle conduisait également à associer directement les responsables d'activités à la gestion du Centre, au sein d'un Conseil de direction disposant de réels pouvoirs, notamment celui de voter le budget.

La spécialisation des fonctions permettait de transcrire l'unité du Centre dans la vie quotidienne : les responsables culturels définissent leur politique culturelle, les administrateurs administrent. L'autonomie et la responsabilité culturelle de chaque chef de département était affirmée. La personnalité des activités culturelles était reconnue.

Des services communs étaient créés, services de moyens sans doute, mais aussi instruments d'impulsion de l'ensemble culturel.

Placés sous la responsabilité directe du « patron » du Centre, les services communs doivent gérer le budget, le personnel, le bâtiment, les moyens audio-visuels, l'édition et la diffusion des produits; mais aussi accueillir le public et animer les espaces communs, c'est-à-dire certaines parties du bâtiment échappant a priori à un département particulier : salle polyvalente et de théâtre, forum, accueil central, accueil des enfants, salles d'expositions temporaires.

Après de nombreuses discussions, ces dispositions reçurent un accord de principe de la part des différents chefs de département.

Elles furent soumises au gouvernement au cours d'un conseil restreint des Ministres tenu à l'Elysée le 30 mai 1972. Georges Pompidou insista pour qu'il y eut à la tête du Centre un véritable « patron ». L'unité d'action fut également affirmée par la décision de créer un établissement public national chargé de gérer l'ensemble du Centre. Furent également institués le conseil de direction, les services communs et les départements culturels. Toutefois, à la demande du ministre de l'Education nationale, la bibliothèque se vit reconnaître une autonomie administrative qui n'excluait pas son intégration dans le Centre, situation délicate qu'il fallut par la suite préciser.

L'institution du Conseil de Direction doté des pouvoirs dévolus en général à un conseil d'administration traditionnel était en soi une petite révolution.

En effet, un conseil d'administration, organe directeur d'un établissement public, vote son budget, approuve les conventions et engagements financiers que propose son président. Mais les membres des conseils d'administration, dont un certain nombre de hauts fonctionnaires d'administrations centrales fort occupés par leurs propres services, ne sont pas directement intéressés à la marche quotidienne des affaires. En conférant les pouvoirs du conseil d'administration au conseil de direction composé des chefs de département, ou organismes associés, on voulait directement intéresser ceux-ci à la marche de l'ensemble du Centre.

Certes ils se trouvaient sans doute dans la situation complexe d'être à la fois juges et parties. Mais ceci pouvait être viable du fait de l'exercice d'un pouvoir d'arbitrage reconnu au Président.

Ces décisions prises, les responsables du Centre allaient pouvoir se consacrer à l'établissement du rapport général sur l'organisation du Centre.

Le rapport général sur l'organisation du futur Centre fut élaboré tout au long de l'année 1973, parallèlement à la mise au point des projets de textes juridiques.

Il apparut rapidement qu'il convenait d'assurer un partage entre activités culturelles et services communs.

Ces derniers devaient regrouper « les moyens nécessaires pour le fonctionnement général du Centre et des départements chaque fois qu'il y a intérêt à disposer d'un pool de moyens. Des moyens très spécifiques sont laissés à la disposition de chaque département. Les services communs sont placés sous l'autorité du président du Centre [1] ».

Les services communs comportaient alors :

— une direction administrative et financière,

— une direction de l'accueil du public, chargée de la coordination des manifestations, de la gestion des espaces communs, des hôtesses d'accueil, des relations extérieures,

— une direction de l'édition et de la diffusion,

— une direction des moyens de communication chargée des moyens informatiques, audio-visuels et de l'imprimerie,

— une direction du bâtiment et de la sécurité chargée de la gestion technique du bâtiment et de la sécurité des œuvres et des personnes.

Outre ces services communs, le rapport général prévoyait des départements dans lesquels étaient regroupées les principales activités du Centre :

— le département des Arts plastiques regroupant le

Musée national d'Art moderne et le Centre national d'Art contemporain,

— le Centre de Création industrielle.

A ces *départements intégrés* s'ajoutaient deux *organismes associés,* c'est-à-dire disposant de la personnalité morale :

— la Bibliothèque publique d'information, constituée en établissement public,

— l'IRCAM disposant d'un statut d'association.

Le Centre Georges Pompidou apparaissait alors comme un « ensemble culturel » comportant autour d'un établissement public regroupant services communs et départements intégrés, deux départements associés.

L'unité de cet ensemble était non seulement assurée par son existence en un même lieu et par la présence de chaque chef de département au sein d'un seul Conseil de direction, mais aussi par l'existence d'un personnel disposant, à l'exception de la bibliothèque, d'un même statut.

Il convenait en effet de veiller à une harmonisation du statut du personnel afin de permettre sa mobilité à l'intérieur du Centre et d'éviter des comparaisons, voire des rivalités, entre catégories différentes.

Cette organisation initiale a subi des modifications.

L'importance des services communs a été réduite au profit des départements, notamment en ce qui concerne l'affectation de certaines catégories de personnels d'accueil et de surveillance.

Le rôle des activités commerciales avait été, sans doute, légèrement surestimé.

Par ailleurs, la fonction pédagogique du Centre se développa progressivement, notamment sur la base de l'expérience organisée au cours des années 1974-1975 : la création d'un atelier ouvert à des enfants d'une dizaine d'écoles de Paris et permettant de doubler leur formation scolaire d'une formation culturelle au sens large comprenant une initiation aux arts plastiques, à la musique, au modelage, etc... La question était de savoir s'il convenait de créer un vaste service pédagogique, ou si l'activité pédagogique devait être disséminée au sein de chacun des départements. Les responsables du Centre penchèrent pour la deuxième solution. La pédagogie ne peut pas être coupée de l'activité normale des animateurs culturels. Elle est une forme d'expression, elle est une attitude. Il n'en reste pas moins qu'une cellule d'impulsion fut créée au niveau central ne serait-ce que pour assurer les liaisons nécessaires avec les services de l'Education nationale.

La vaste direction de l'accueil du public initialement prévue fut scindée en 1975 et répartie entre deux activités principales : l'une tournée vers l'extérieur et exercée par un service de relations extérieures et l'autre plus orientée vers l'animation et la gestion des espaces communs.

La démarche retenue pour définir l'organisation du Centre fut donc très empirique. Les solutions radicales furent écartées au profit de solutions nuancées.

Les solutions.

L'administration française, très sensible au droit écrit, envisage les problèmes d'organisation essentiellement sous un angle juridique.

Dans le cas du Centre Georges Pompidou les problèmes d'organisation et de gestion ont été d'abord approchés sous un angle fonctionnel, faisant apparaître les liens réels entre les différents partenaires et les contraintes issues de la nature particulière du bâtiment.

C'est ensuite seulement que ces besoins furent traduits en normes juridiques.

Cela n'exclut pas que, dans la pratique, la définition des principes d'organisation et la recherche des caractéristiques juridiques du futur Centre aient été menées parallèlement. Mais les promoteurs du Centre se sont toujours refusés à déduire de schémas juridiques préexistants les normes de fonctionnement du Centre.

L'originalité de la procédure adoptée permet d'éviter une dissociation entre ce qui est considéré par les juristes comme affaires d'architectes ou d'organisateurs et par les architectes comme affaires de juristes raisonnant en dehors de la réalité.

240

Afin de réunir les conditions du succès, il importait donc de retenir les lignes d'action suivantes :

— relier les règles de gestion future aux caractéristiques du bâtiment,

— faire apparaître très tôt les contraintes de fonctionnement.

L'existence d'un lien entre les règles de gestion future et les caractéristiques du bâtiment s'impose dès lors que la réalisation est précédée par l'établissement d'un programme complet qui intègre non seulement l'architecture, mais aussi le fonctionnement futur.

L'une des caractéristiques de ce bâtiment que les organisateurs ne devaient pas perdre de vue est sa dimension : une surface totale de 100 000 m², dont 65 000 m² environ pour les activités proprement dites, ce qui pose des problèmes de gestion technique, de sécurité, ne pouvant être réglés que de manière centralisée.

C'est pourquoi, une première étude fit apparaître la relative importance que prendraient les services communs, notamment pour la sécurité des œuvres et du public la gestion technique du bâtiment, les équipements audio-visuels et informatiques, destinés à accompagner les activités culturelles.

Toute organisation qui tendrait, soit à une excessive centralisation, soit à l'autonomie complète de chaque activité, serait contraire aux principes retenus pour faire fonctionner le bâtiment.

Par ailleurs, certains espaces non négligeables, représentant plusieurs milliers de m² sont destinés à des manifestations communes à divers utilisateurs.

L'emplacement même des différentes activités constitue une contrainte qui conditionnera dans une assez large mesure les modalités de circulation de l'information, donc les conditions de gestion.

Les contraintes du fonctionnement futur ont été prises en compte très tôt, alors même que le chantier n'était pas ouvert.

Si, au terme des cinq années nécessaires à sa construction, le Centre Georges Pompidou n'avait pas disposé du stock de livres, d'œuvres d'art, de documents, de moyens de surveillance et de gestion nécessaires ainsi que du personnel correspondant, il aurait été condamné à rester fermé de nombreuses années après l'achèvement des travaux.

C'est pourquoi, dès 1972, ont été appréciés les besoins, tant en matériel qu'en personnel, nécessaires au fonctionnement futur.

Un compte d'exploitation prévisionnel fit apparaître un besoin d'environ 900 personnes.

De même, ont été arrêtés les programmes de réalisation des divers centres de documentation (bibliothèques, iconographie, Arts plastiques), les programmes des équipements spéciaux (audio-visuel et informatique essentiellement).

Car, pour être mis en place, ces équipements requéraient la constitution, trois ans avant l'ouverture, des équipes chargées de les mettre en place et de les faire fonctionner.

C'est ce qu'on appelle la *préfiguration* : elle a certainement évité les risques d'un scandale comme il en est cité par la presse lorsqu'elle déplore que des bâtiments publics (universités, hôpitaux...) soient condamnés à rester fermés faute de moyens de fonctionnement.

Le choix d'une architecture permettant la mobilité des espaces prend dans cette perspective un intérêt particulier. Elle permet de faire face à toutes les évolutions qui ne manqueront pas au cours des prochaines années d'affecter le contenu des manifestations culturelles et les rapports entre le Centre et le public.

On comprendra alors l'avantage du parti architectural retenu et l'intérêt, pas toujours bien compris, du recrutement du personnel du futur Centre avant l'achèvement de la construction.

Les conséquences de l'innovation initiale du projet ont été systématiquement explorées en matière de politique culturelle, d'administration et de gestion technique du bâtiment, etc. Mais sur le plan du statut, l'innovation se heurte à un grand nombre de difficultés car elle rencontre des textes existants, des principes constitutionnels, législatifs qu'il est très difficile, voire impossible, de remettre en cause. Le rôle de l'administrateur culturel, est alors de faire preuve d'imagination.

Entre le Conseil restreint du 30 mai 1972 qui arrêta les principes directeurs du statut du futur Centre et le vote de la loi définissant ses règles de fonctionnement en décembre 1974, se sont déroulés trente et un mois.

Ce délai a été consacré aux nombreuses discussions préparatoires à l'élaboration des textes au niveau des instances gouvernementales.

Un projet de statut s'inspirant des directives gouvernementales fut proposé par les deux ministères de tutelle (Affaires culturelles et Education nationale) à leur interlocuteur commun : la direction du Budget au ministère de l'Economie et des Finances.

De longues discussions interministérielles aboutirent au projet adopté par le gouvernement. Celui-ci estima alors que le projet de statut ainsi mis au point nécessitait le vote d'une loi.

Mais avant d'examiner la loi et ses décrets d'application, c'est-à-dire ses modalités concrètes de mise en œuvre, il convient de comprendre comment on est passé d'un projet de décret à un projet de loi.

Du décret à la loi.

Le gouvernement avait décidé de créer un établissement public national. Encore fallait-il le caractériser. Il existe en droit public français deux catégories essentielles d'établissements publics : les établissements publics à caractère administratif (EPA) et les établissements publics à caractère industriel et commercial (EPIC).

En vertu de l'article 34 de la Constitution, la création d'une nouvelle catégorie d'établissement public nécessite un vote du Parlement. En revanche, si le gouvernement décide de calquer le statut d'un établissement public sur les modèles existants, il lui suffit de recourir à la procédure réglementaire, c'est-à-dire de prendre un décret sans consulter le Parlement.

La distinction traditionnelle entre établissement

public administratif et établissement public industriel et commercial a subi quelques transformations.

C'est ainsi que le Parlement a été amené à créer de nouvelles catégories d'établissements publics. En 1967, l'IRIA (Institut de Recherche et d'Informatique et d'Automatique) fut créé par une loi sous forme d'établissement public à caractère scientifique et technique.

En 1968, la loi relative à la réforme de l'enseignement supérieur a créé des établissements publics à caractère scientifique et culturel.

En outre, la pratique a conduit le gouvernement à adopter des statuts d'établissements publics qui échappent aux deux grandes catégories existantes par suite d'un panachage des dispositions propres à l'une ou à l'autre.

Le décret du 31 décembre 1971 qui transforme le statut de la réunion des Théâtres lyriques nationaux [2], qualifie par exemple cet établissement public d'industriel et commercial, alors que dans la pratique, il est soumis au contrôle financier propre aux établissements publics administratifs.

Les responsables du Centre Georges Pompidou furent donc conduits à examiner les avantages et les inconvénients des formules existantes.

Il était impossible de se rallier à la formule issue de la réforme de l'enseignement supérieur, le Centre ne pouvant pas être assimilé à une Université. Il ne pouvait pas, non plus, se modeler sur les statuts de l'IRIA. La question se posait alors de savoir si la formule d'un établissement public à caractère industriel et commercial était applicable ou non au cas particulier.

Parmi les avantages que présente un établissement public à caractère industriel et commercial figure l'exercice du contrôle financier. Il s'exerce plus a posteriori qu'a priori. Il est d'ailleurs confié à un contrôleur d'Etat et non à un contrôleur financier. Un autre avantage, pour les gestionnaires, est celui de pouvoir passer des marchés dans des conditions plus souples que celles imposées aux établissements publics administratifs.

Un établissement public industriel et commercial,

comme son nom l'indique, peut faire des actes industriels c'est-à-dire essentiellement produire, faire produire et prendre des participations financières; il peut également faire des actes de commerce, c'est-à-dire acheter pour revendre. Il dispose d'un personnel de droit privé : c'est l'une de ses caractéristiques fondamentales.

Le statut d'EPIC présentait néanmoins des inconvénients dans le cas particulier du Centre Georges Pompidou.

Soumettre le fonctionnement d'un centre culturel à un cadre industriel et commercial, c'était s'exposer à la suspicion de certains milieux qui n'auraient pas manqué de prêter au Centre une intention qu'il n'avait pas, celle de vendre les œuvres des collections nationales!

Le seul transfert du musée d'Art moderne au Centre Georges Pompidou suscita pourtant une émotion de cette nature.

Les démentis n'y firent rien. Il fallut introduire dans la loi une disposition, juridiquement superflue, mais de nature à faire taire la polémique : les œuvres placées sous la garde du Centre resteraient inaliénables.

Un autre inconvénient était mis en avant par le ministère des Finances : la création d'un EPIC dans le domaine culturel pouvait être un précédent dangereux.

Les avantages et les inconvénients des établissements publics à caractère administratif méritaient à leur tour d'être pesés.

Ces établissements publics qui constituent le cadre juridique traditionnel de l'action culturelle, ont d'abord le mérite d'exister. Le recours à un EPA n'entraînait pas de bouleversement dans les habitudes. Il offrait la garantie que la création du Centre provoquerait aussi peu d'émoi que possible dans un milieu habitué à ses règles.

Il présentait néanmoins des inconvénients. Des règles administratives trop rigides ne constituaient pas nécessairement le meilleur cadre pour le fonctionnement de certaines activités qui n'avaient jamais été régies par un système administratif traditionnel, mais relevaient plutôt du statut d'associations de la loi de 1901, plus proche du droit privé que du droit public.

Un autre inconvénient provenait de la diversité des activités du Centre : des départements d'origine administrative (une bibliothèque et un musée) et deux départements très voisins du secteur privé (L'IRCAM et le Centre de Création industrielle). Soumettre ces activités à une même règle administrative c'était prendre le risque de stériliser la richesse de création des deux derniers départements sans apporter de solution aux difficultés de fonctionnement des deux autres.

L'on aurait sans doute, très rapidement, assisté à une évolution que l'on constate hélas trop souvent : lorsqu'un service administratif ou un établissement public obéit à des règles trop rigides, il est conduit afin de trouver plus de souplesse de gestion, à créer parallèlement à lui des associations de la loi de 1901. Il les subventionne, leur distribue ou leur procure des ressources de toute nature qui peuvent l'aider à remplir ses missions en dehors des règles administratives normales. Une telle extrémité est fâcheuse pour l'unité d'action et pour l'exercice des contrôles. Elle est pourtant fort répandue.

En définitive, le ministère des Finances ainsi que le gouvernement souhaitèrent que la recherche du statut se fasse sur la base d'un établissement à caractère administratif pouvant bénéficier de mesures de caractère dérogatoire.

Selon les responsables du Centre, ces dérogations devaient être de 4 types :

— le statut du personnel devait relever plus du droit privé que du droit public,

— le contrôle financier devait s'exercer a posteriori plus qu'a priori,

— les marchés devaient être soumis à une réglementation souple,

— l'établissement devait être en mesure d'accomplir des actes industriels et commerciaux.

Ces différentes demandes furent inégalement satisfaites. Il fut décidé que le personnel aurait un statut de droit public, que le contrôle financier serait de droit commun et que la réglementation des marchés publics de l'Etat s'imposerait avec des nuances.

En revanche, une grande liberté, une grande capacité

serait accordée pour accomplir tous actes industriels et commerciaux. La question se posait de savoir si cet établissement public, sans doute d'un type nouveau, mais en définitive assez proche d'un établissement public à caractère administratif, justifiait le vote d'une loi. Un simple décret eut peut-être suffi.

C'était compter sans les circonstances nouvelles que provoqua le décès de Georges Pompidou. Le ministre des Affaires culturelles du moment, M. Alain Peyrefitte, pensa que le statut du Centre devait faire l'objet d'une loi solennellement soumise au Parlement à la mémoire de Georges Pompidou.

Le caractère législatif paraissait en outre justifié par trois séries d'arguments. Le premier tenait à *l'organisation interne de l'établissement*. Le Centre Georges Pompidou se présentait comme un « ensemble culturel » dont certaines parties lui étaient totalement intégrées alors que les autres disposaient de la personnalité morale et de l'autonomie financière; toutes étaient toutefois placées sous l'autorité d'un seul et même Conseil de Direction.

Cet « ensemble culturel » constituait en quelque sorte un faisceau de relations à la fois règlementaires et contractuelles entre un établissement public culturel, un établissement public administratif (la bibliothèque) et une association (l'IRCAM).

L'établissement public culturel regroupait les services communs destinés à tous les départements et les deux départements intégrés : le CCI et le Musée.

Cette construction juridique était assez audacieuse et permettait de concilier la diversité des composantes avec l'unité du Centre Georges Pompidou.

Mais l'on pouvait douter en effet qu'un simple décret pût instituer une organisation de cette nature.

Un second argument avait trait au *pouvoir accordé au Conseil de Direction*.

Le projet de statut du futur Centre prévoyait que le vote du budget était une attribution du Conseil de Direction qui regroupait les quatre chefs de départements et le Président. C'était une innovation. Afin d'assurer la tutelle sur ce Conseil de Direction, il était toutefois prévu qu'un Commissaire du Gouvernement y représenterait le Secrétariat d'Etat à la Culture. Mais il était vraisemblable que cette configuration nouvelle d'un Conseil de Direction disposant des pouvoirs généralement accordés à un Conseil d'Administration justifiait un vote du Parlement.

Enfin l'Etablissement public était autorisé à *accomplir tous actes de droit privé, industriels et commerciaux,* et donc à déroger aux règles de la comptabilité publique.

En définitive, le gouvernement, au cours du dernier Conseil des Ministres présidé par M. Messmer en avril 1974, décidait d'adopter un projet de loi d'une rédaction prudente puisque l'établissement public créé n'était pas qualifié, ce qui signifiait sans doute qu'il constituait une nouvelle catégorie d'établissement public. Il requerrait donc, aux termes de l'article 34 de la Constitution, un vote du Parlement.

Après des hésitations, on s'orientait ainsi vers une nouvelle catégorie d'établissement public. Ce statut sui generis fut d'ailleurs, par amendement du Parlement, caractérisé plus nettement puisque l'article 1 du projet de loi définit le Centre comme un établissement public national à caractère culturel.

La loi.

Lorsque le gouvernement soumet un projet de loi au Parlement, il entreprend la discussion d'amendements proposés par les parlementaires. L'équilibre subtil proposé dans ce projet complexe et lentement mûri aurait pu être remis en cause au cours d'un débat public.

En fait, le Parlement joua un rôle constructif dans l'élaboration de cette loi puisque entre le texte initial présenté par le gouvernement et le texte final adopté par le Parlement des modifications sensibles ont été apportées sans que l'architecture de l'ensemble ait été altérée.

La discussion du projet de loi du Centre Georges Pompidou donna l'occasion à la souveraineté nationale de s'exprimer non seulement sur le projet de loi, mais également sur l'esprit et le sens du centre culturel.

Le débat fut, de ce fait, extrêmement large et ouvert.

Certes, les représentants des deux assemblées eurent tendance à transformer la discussion sur le statut du futur Centre dont ils étaient saisis en un débat sur la conception même du Centre, sa construction, son architecture.

Pour certains députés, il était anormal que le Parlement ne soit saisi que trois ans après le début des travaux. Ceci résultait d'un malentendu. En réalité, le projet du Centre fut soumis au Parlement dès l'année 1971 puisque la loi de finances pour 1971 comporte déjà à ce titre un certain nombre de crédits. Chaque année les ministres des Affaires culturelles successifs défendirent l'opération devant l'Assemblée Nationale et le Sénat, dans ses finalités comme dans sa réalisation.

Il faut admettre en outre que présenter au Parlement le projet de statut du Centre deux ans avant son ouverture, ce n'était pas mettre les députés devant le fait accompli! Mais il est vrai également qu'un véritable débat sur le Centre Georges Pompidou et son rôle dans la politique culturelle française n'avait pas encore eu lieu; l'occasion en était donnée au Parlement.

Une autre caractéristique de ce débat se trouvait dans la volonté affirmée par le gouvernement de promouvoir le projet lancé par Georges Pompidou. Le Premier Ministre, Jacques Chirac vint lui-même présenter le projet de loi à l'Assemblée nationale et au Sénat.

Enfin, les parlementaires exprimèrent dans l'ensemble de nombreuses craintes, plus d'ailleurs au Sénat qu'à l'Assemblée nationale, devant la nouveauté que représentait cette opération et les risques qu'elle comportait du fait de son application à un domaine relativement inconnu et certainement d'avant-garde.

Le débat sur le statut lui-même apporta un certain nombre de modifications. En particulier, le rapporteur devant l'Assemblée nationale, M. Simon Lorière, mit l'accent sur le souci de faire du Centre Georges Pompidou un Centre de formation culturelle diffusant à l'aide d'une pédagogie adaptée des informations pour le grand public. Il souhaita également l'ouverture du Centre aux préoccupations des collectivités locales.

C'est à la suite de son intervention que le Centre fut qualifié d'établissement public national à caractère culturel et qu'il se vit assigner une mission de conseil dans le domaine architectural. Sa vocation fut élargie à l'art cinématographique.

Le Parlement adopta la thèse du gouvernement tendant à donner au Président du futur Centre des pouvoirs propres, distincts de ceux dévolus au Conseil de direction. La composition du Conseil d'orientation fut élargie à des représentants élus du Parlement, du District de la Région parisienne et de la Ville de Paris.

Il y eut également débat sur l'autonomie relative dont le gouvernement souhaitait voir bénéficier la Bibliothèque et l'IRCAM.

Le Sénat, plus réticent que l'Assemblée nationale et notamment sa commission des finances, présenta des objections sérieuses aux dispositions relatives au fonctionnement du futur Centre. A la demande de M. Maurice Schumann, le Centre fut assujetti de manière précise à toutes les règles de la comptabilité publique ce qui aboutissait — sauf dérogation prévue pour les actes à caractère industriel et commercial — à en faire un établissement public à caractère administratif. En outre, les sénateurs exigèrent que soit reconnu à six parlementaires, trois députés, trois sénateurs, le droit de venir enquêter à tous moments sur pièces et sur place.

Le Sénat reprit les intentions exprimées par l'Assemblée nationale de renforcer l'unité du Centre. Mais, alors que pour l'Assemblée nationale cette unité devait se traduire par l'intégration de tous les départements dans un même établissement, elle impliquait pour le Sénat l'affirmation de l'autorité du Président par rapport au Conseil de Direction.

On assista donc à une sorte de balancement entre les deux chambres : l'Assemblée nationale tentée de réduire en quelque sorte les pouvoirs du Président, mais d'accroître l'unité du Centre en englobant de manière systématique tous les départements dans un même établissement; le Sénat affirmant l'autorité du Président et adoptant un système plus fédéral au profit de certains départements. La répartition des pouvoirs définitivement arrêtée fut toutefois conforme à celle qu'avait initialement souhaitée le gouvernement.

Tout au long de ce débat, les députés, quelle que

fût leur appartenance politique, soulignèrent l'intérêt de l'opération. Ainsi les interventions des parlementaires de l'opposition furent-elles unanimes sur ce point quitte à regretter que certains des objectifs poursuivis par le Centre fussent entachés des vices inhérents à la politique générale du gouvernement...

En revanche, et surtout au Sénat, le débat sur le statut fut l'occasion de discuter d'autres sujets. Le problème des donateurs et de leurs craintes de voir leurs œuvres présentées au Centre fut évoqué. Le risque de commercialisation de la culture par l'entremise du Centre Georges Pompidou fut dénoncé par les partis de gauche.

Les inquiétudes concernant l'urbanisme, l'insertion d'une architecture nouvelle dans un quartier ancien furent exprimées à de nombreuses reprises.

Enfin, les finalités du projet firent l'objet de nombreuses interrogations. Ne risquait-il pas de conduire au renforcement d'une culture élitiste ou à l'institutionnalisation d'un art officiel ?

En définitive, au terme d'un débat qui fut relativement long, la loi fut adoptée avec des amendements importants.

Il est permis de regretter aujourd'hui que le Parlement n'ait pas vu dans la création du Centre Georges Pompidou l'occasion de légiférer dans un domaine qui en est réduit à l'état de maquis juridique : celui de la gestion des établissements intégrés et du cadre donné à l'action culturelle concertée.

Les décrets d'application.

La publication des décrets d'application d'une loi est toujours importante. Il arrive que des lois n'aient pu être mises en œuvre ou qu'elles soient restées inappliquées pendant de nombreuses années faute de décrets d'application.

Aussi convient-il d'apprécier tout l'enjeu que représentent ces décrets avant d'en examiner le contenu.

La publication des décrets d'application peut être l'occasion de voir confirmées ou limitées des intentions exprimées par le Parlement.

Comme le soulignait M. Simon Lorière à l'Assemblée :
« Beaucoup de choses vont dépendre des décrets
« d'application et la responsabilité du gouvernement dans
« leur élaboration en sera d'autant plus grande. »

Il faut toutefois se méfier quelque peu de la tendance
bien française à vouloir assimiler l'innovation à des
changements de textes. L'application pratique de ces
textes peut conduire à des déviations et à une remise en
cause des innovations initialement souhaitées. A Beaubourg tout sera mis en œuvre pour éviter ces risques.

Le décret de base, portant statut du Centre national
d'Art et de Culture Georges Pompidou a été publié le
27 janvier 1976. Ce décret précise certaines dispositions de la loi.

Il définit les conditions dans lesquelles les départements associés à l'établissement public sont reliés par
voie de convention à celui-ci.

Ces conventions exposent notamment les cas dans
lesquels ces départements culturels peuvent avoir recours
aux services communs.

Elles définissent également les conditions dans lesquelles le Conseil de Direction établit la politique culturelle du Centre. Elles organisent les conditions d'exercice de la responsabilité du Président sur l'ensemble des
départements en matière d'ordre public et de sécurité
et enfin, exposent les règles de participation financière
des départements associés au budget de l'ensemble du
Centre.

Par ailleurs, le décret précise les pouvoirs du Président, responsable de la gestion de l'établissement public
stricto sensu et de l'animation de l' « ensemble culturel » qui comprend en outre, les deux organismes
associés.

En tant que responsable de l'établissement public, le
Président dispose de prérogatives générales, administratives et financières. En tant que responsable de l'animation « de l'ensemble culturel », il est investi d'une
mission d'impulsion générale auprès des départements.

Le statut du personnel a fait l'objet de textes particuliers adoptés quelques mois plus tard. Leurs dispositions commandent, dans une certaine mesure, les conditions de fonctionnement concrètes du futur Centre qu'il

s'agisse des principes retenus ou de leurs modalités d'application.

Le premier principe est *l'unité du personnel.*

Cette unité est fondamentale pour créer un même esprit et pour éviter la constitution de chapelles.

L'unité de statut permet la mobilité à l'intérieur du Centre.

Le deuxième principe concerne précisément la *mobilité* du personnel. Les responsables du Centre Georges Pompidou ont souhaité que ce dernier ne soit pas transformé rapidement en citadelle privilégiée mais puisse au contraire être largement ouvert à des personnels extérieurs qu'il s'agisse d'étrangers ou d'agents n'appartenant pas à la fonction publique.

Il était souhaité qu'aucune catégorie de personnel ne disposât d'un monopole sur une mission particulière. Ce souci de mobilité a conduit à créer des dispositions permettant des recrutements de personnels sur des emplois courts assortis de certains avantages qui disparaissent au terme de trois ans.

Un troisième principe concerne la *diversité des fonctions.*

Ce qui caractérise le statut du personnel du Centre Georges Pompidou c'est la multiplicité des profils d'emplois rassemblés dans un même Centre, et dont le nombre est supérieur à celui atteint par des organismes dont les effectifs sont beaucoup plus importants comme l'EDF et la SNCF.

Il a fallu créer des filières distinctes correspondant à chacune des catégories de personnels. Il existe bien sûr une filière administrative mais aussi une filière pour la gestion du bâtiment, une filière culturelle, une filière pour l'audiovisuel et l'informatique, une filière pour les activités commerciales.

Dans quelles conditions ces principes sont-ils appliqués? En premier lieu le personnel n'est pas de droit privé, mais de droit public. Ceci ne veut pas dire qu'il soit composé de fonctionnaires. Il a été créé un statut d'agents contractuels de droit public mais non fonctionnaires. Ainsi, au Centre Georges Pompidou, les fonctionnaires ne représenteront pas plus de 10 % de l'ensemble du personnel. Celui-ci ayant toutefois un statut de droit public, disposera d'une garantie de l'emploi supérieure à celle qu'apporte un régime de droit privé.

Le décret créant la Bibliothèque publique d'Information est un texte capital. Faute de statut cette dernière a dû se contenter pendant près de cinq ans, de 1970 à 1975, d'une situation hybride. Recevant des financements de l'Education nationale, du Rectorat de Paris et de la Bibliothèque nationale, sa gestion était très difficile.

Le rattachement de la lecture publique au Secrétariat d'Etat à la Culture, décidé par le gouvernement au cours de l'été 1975, a entraîné un changement dans l'organisation de sa tutelle. Ce décret a été publié le 27 janvier 1976.

Il crée un établissement public placé sous la tutelle de la Direction du Livre et de la Lecture publique. Les rapports de cet établissement public avec le Centre Georges Pompidou sont étroits. Le Président du Conseil d'administration de la BPI est, de droit, le Président du Centre.

*
**

Ainsi, avant même l'ouverture du Centre, toute l'armature juridique permettant son fonctionnement a été mise en place. A Beaubourg, l'organisation ne suit pas l'événement, elle le précède, ou tout au moins l'accompagne. C'est ce qui contribue à apporter au Centre crédibilité et originalité.

3° L'ORIGINALITÉ DU STATUT DU CENTRE GEORGES POMPIDOU

L'originalité du Centre réside sans doute plus dans sa structure que dans sa capacité juridique.

La question se pose de savoir si son statut permettra d'apporter une réponse à la question plus générale des établissements intégrés en France.

Les structures administratives mises en place pour gérer le Centre sont originales. C'est le cas notamment du Conseil de Direction qui modifie les pratiques habituelles et confère un pouvoir important aux responsables d'activités en les nommant membres à part entière de ce Conseil.

Ce pouvoir est toutefois tempéré par celui que détient le Président. Comme il est normal dans toute organisation de caractère fédéral, des risques de divergences sont contenus dans ce texte entre le Président disposant de ses pouvoirs propres et les autres membres du Conseil de Direction. Ceux-ci, qui disposent de la majorité, peuvent être tentés de se coaliser au nom du respect de leur autonomie contre un Président qui voudrait intervenir dans leur domaine propre. Mais les facteurs d'unité ne sont pas négligeables : le Président possède une autorité juridique et morale sur l'ensemble du Centre.

Le statut du Centre est en réalité de caractère présidentiel. Une autre originalité profonde consiste à créer en dehors des administrations traditionnelles un vaste Centre Culturel d'activités intégrées sur le plan horizontal.

Le secrétariat d'Etat à la Culture ne dispose pas de service à vocation horizontale.

Chaque secteur est organisé sur un plan vertical et la politique culturelle des cinq dernières années s'est heurtée à cette absence de structures horizontales. Or — c'était l'une des conclusions du VIe Plan — il est fondamental de décloisonner les administrations culturelles, qu'il s'agisse des différents services des Affaires culturelles et des ministères comme l'Education Nationale, la Jeunesse et les Sports, et de créer des structures interministérielles.

Une tentative fut faite avec le Fonds d'Intervention Culturelle; mais elle est limitée. Avec Beaubourg, la tentative est beaucoup plus large. Il faut donc s'en féliciter. Mais elle peut susciter des conflits avec les administrations traditionnelles verticales qui pourraient être tentées de reprendre ce qui leur a été retiré.

En revanche, la capacité juridique donnée au Centre n'est pas vraiment nouvelle. En ce domaine, l'originalité du statut provient plutôt de la rencontre de règles publiques et privées traditionnelles au sein d'un même établissement public. Le Centre est en effet un établissement public à caractère administratif bénéficiant de dérogations.

Deux orientations étaient possibles : ou bien tirer toutes les conséquences de la création d'une nouvelle catégorie d'établissement public à caractère culturel et notamment ne pas l'assujettir aux règles de la comptabilité publique; ou bien l'y assujettir, ce qui fut décidé par le Sénat, et admettre que le Centre pourrait accomplir deux catégories d'actes juridiques : des actes administratifs et des actes industriels et commerciaux.

En définitive le débat sur le choix entre établissement public administratif et établissement public industriel et commercial a abouti à la création d'une frontière au sein des activités du Centre entre le droit commun qui obéit aux règles administratives et les exceptions qui sont régies par des règles de droit privé.

Il est difficile de dire si juxtaposer deux types de gestion, l'une administrative, l'autre commerciale, est une bonne solution. C'est sans doute un compromis. Cette disposition met bien en évidence le caractère mixte de cette nouvelle catégorie d'établissement public.

Enfin, il faut répondre à la question de savoir si le statut du Centre Georges Pompidou permet d'apporter une solution plus générale au problème de la gestion des établissements intégrés.

Le Centre Georges Pompidou n'interfère pas avec l'action des collectivités locales qui se retrouvent partout ailleurs comme partie prenante à la gestion des établissements intégrés. C'est une première différence notable. Il n'est pas impossible de considérer pourtant que la nouvelle catégorie d'établissement public ainsi créée, établissement public à caractère culturel, pourra servir désormais d'exemple pour organiser la gestion des établissements culturels intégrés.

Seul le statut d'établissement public permet de donner à un responsable unique le pouvoir de gérer un ensemble composite; faute de quoi, on aboutit à jumeler des associations diverses sans créer ni services communs, ni unité de direction. A cet égard, le Centre Georges Pompidou apporte un exemple qui pourra connaître des développements ultérieurs.

NOTES

1. Extrait du Rapport général sur l'organisation et la gestion du futur centre.
2. C'est-à-dire l'Opéra.

« photo-montage » du hall d'accueil du Centre.

CHAPITRE XI

QUESTIONS ET REPONSES :
POUR UNE NOUVELLE PRATIQUE CULTURELLE

« Les poètes confisquent les mots nés
dans la rue, les embaument et les réservent
au peuple qui ne sait quelle contenance
prendre devant cette retombée de culture
morte, les mots qui tous ont été inventés
par le peuple, qui tous sont le fruit de la
vie et du travail, du rire et de l'effort, les
mots qui tous sont nés dans la rue, qui tous
ont jailli sous la poussée des nécessités quo-
diennes, les voilà tout à coup objets immua-
bles, reliques à la garde des poètes. Les
clercs furent toujours les Fous du pouvoir. »

REZVANI,
Mille aujourd'hui, 1972.

« Le devoir, le travail, la fonction du
poète sont de mettre en évidence et en
action ces puissances de mouvement et
d'enchantement, ces excitants de la vie
affective et de la sensibilité intellectuelle,
qui sont confondus dans le langage usuel
avec les signes et les moyens de communication de la vie ordinaire et superficielle.
Le poète se consacre et se consume donc à
définir et à construire un langage dans
le langage; et son opération, qui est longue,
difficile, délicate, qui demande les qualités
les plus diverses de l'esprit et qui jamais
n'est achevée comme jamais elle n'est exactement possible, tend à constituer le discours d'un être plus pur, plus puissant et
plus profond dans ses pensées, plus intense
dans sa vie, plus élégant et plus heureux
dans sa parole que n'importe quelle personne réelle. »

PAUL VALERY,
Variété II, 1930.

Depuis 1971, le débat sur le Centre Georges Pompidou est ouvert. De nombreuses questions ont été posées et continuent de l'être. Ces questions révèlent des préoccupations liées à l'insertion de ce projet dans la vie nationale.

Les réponses qui y ont été apportées sont restées sans doute trop éparses pour apaiser toutes les inquiétudes.

Le Centre Georges Pompidou est sans précédent et le public manque de références pour juger de sa valeur. En outre, il est financé par l'Etat, c'est-à-dire par l'impôt, et il intéresse donc tous les citoyens. Enfin, il se situe au nœud de problèmes qui concernent la qualité de la vie. La définition de sa place dans notre société revêt de ce fait une importance particulière.

Parmi ces interrogations que de faux problèmes, que d'outrances! Mais aussi de vraies questions, qui permettent aux responsables de l'opération de préciser leurs vues.

Aussi a-t-il paru utile de réunir ces questions et ces réponses de manière à témoigner, en conclusion de cet ouvrage, de ce débat sur Beaubourg, et, à propos de lui, sur la politique culturelle du pays. Nous avons donné la parole à un interlocuteur imaginaire qui poserait toutes les questions soulevées par le projet depuis plusieurs années déjà. Le dossier du Centre Georges Pompidou doit être largement ouvert.

Questions et réponses peuvent être regroupées autour d'un certain nombre de thèmes qui peuvent être formulés en autant d'alternatives :

— Fait du prince ou ambition nationale;
— Technocratie ou administration culturelle;
— Musée fermé ou ouvert;
— Culture mercantile ou service public culturel;
— Culture élitiste ou culture pour tous;
— Conservation ou création;
— Art officiel ou nouvelle pratique culturelle.

On reproche souvent au projet d'être trop grandiose, trop coûteux, trop luxueux et imposé par le seul Georges Pompidou. Ces jugements sont exagérés. Beaubourg est à la fois une entreprise faite par la collectivité et pour elle. C'est aussi une opération qui par son ampleur a exigé une intervention constante du pouvoir politique afin de triompher de tous les obstacles rencontrés sur son chemin.

Question : La décision de réaliser le Centre a été prise par le seul président Georges Pompidou : il s'agit d'un exemple caractéristique de « fait du prince », qui veut imposer ses vues personnelles à l'ensemble des citoyens.

Réponse : Tout grand projet d'envergure nationale suppose, d'une manière ou d'une autre l'intervention des gouvernants.

Le château de Versailles, le palais du Louvre, la Madeleine, l'Arc de Triomphe, la tour Eiffel, sont autant de « faits du prince » et pourtant ils font partie du patrimoine culturel des Français et personne ne songe aujourd'hui à les renier.

Par leur importance, ils ont constitué des actes politiques au sens plein du terme.

Décision du pouvoir politique ne veut pas dire arbitraire.

Le président Georges Pompidou est allé au devant de préoccupations qui se sont révélées en mai 1968 : besoins de formation, d'éducation, d'expression culturelle, pour chacun.

Ses motivations ont été exprimées par Jacques Chirac, à l'Assemblée nationale, le 3 décembre 1974 :

« En 1972, devant la presse, le président Georges Pompidou exprimait, en deux formules véhémentes, tout ce qu'il éprouvait dans cet immense et complexe domaine de la vie culturelle, à la fois de passion raisonnée et de sagacité subtile.

« La sévérité brutale et presque polémique de son jugement a parfois déconcerté : « Je suis frappé, disait-il, du caractère conservateur du goût français, particulièrement de ce qu'on appelle l'élite. Je suis scandalisé de la politique des pouvoirs publics en matière d'art depuis un siècle et c'est pourquoi je cherche à réagir. »

« Cette condamnation trouvait son origine, non pas dans un scepticisme dédaigneux mais à l'inverse, dans un enthousiasme lucide. Le président Pompidou l'a dit en quelques mots qui résument tout ce que devait représenter pour lui l'œuvre entreprise à Beaubourg : « Mes raisons? J'aime l'art, j'aime Paris, j'aime la France... » S'il a voulu que soit créé ce lieu consacré sans réserve aux expressions contemporaines de l'art, c'est d'abord parce qu'il voulait que les Français enfin prennent l'art de leur temps en considération... Si toute culture est l'expression d'un peuple, il n'est pas vain de dire qu'il doit exister un lien profond entre la connaissance des arts et la démocratie. Or notre siècle est à la fois sensible au prestige des techniques, fussent-elles les techniques de l'expression esthétique, et soucieux de démocratie réelle. Beaubourg doit être l'expression concrète de cette double volonté.

« Le Centre doit mettre ses trésors à la disposition du plus grand nombre, à commencer par les jeunes et par ceux ou celles qui travaillent. Des dispositions originales lui permettront de remplir cette mission dont je puis attester qu'elle était essentielle aux yeux du président Pompidou. »

Et, plus loin :

« Je sais fort bien — et je ne m'en étonne ni ne m'en offusque, soyez-en convaincus — que les critiques ne cesseront pas. Je sais que, pour certains de nos compatriotes, il eut mieux valu se réfugier dans la contemplation délicatement morose d'un passé idéalisé, d'autant plus admiré parfois qu'il est moins bien connu. Je sais combien, dans notre histoire, ceux qui se disent révolutionnaires se révèlent conservateurs, dans le domaine des arts autant et plus que dans tout autre. »

Ce qui est vrai au plan national, l'est aussi au plan local : la réalisation d'une Maison de Jeunes et de la Culture est décidée par le maire de la commune, parfois même par le secrétaire d'État à la Jeunesse et aux Sports, même si ensuite les habitants sont associés à sa réalisation. A l'origine d'un acte architectural, surtout s'il s'agit d'une institution de grandes dimensions, il y a nécessairement la décision d'un pouvoir, voire même d'une personne. Il faut ensuite qu'il y ait adhésion de la collectivité et prise en charge de l'équipement par elle.

Beaubourg est issu de la rencontre des goûts et des préoccupations d'un Président et des aspirations encore latentes des Français.

L'éveil encore insuffisant d'un grand nombre de ceux-ci à la création contemporaine explique réticences et critiques.

— *Les besoins culturels.*

Question : Le Centre Georges Pompidou est conçu à partir des goûts des gouvernants et non pas des besoins des gouvernés.

Réponse : Une personnalité de renommée internationale telle que Pontus Hulten insiste particulièrement sur les besoins fondamentaux auxquels Beaubourg apporte une réponse (*le Monde* du 16 mai 1974) :

« La nécessité d'entreprendre un projet comme Beaubourg a été ressentie dans de nombreux pays depuis plus de 20 ans sans jamais trouver à se réaliser.

« C'est désormais chose faite...

« Les besoins auxquels doit et va répondre Beaubourg n'ont rien d'administratif ni d'institutionnel dans leur origine. Ils sont nés de l'évolution même de la sensibilité moderne.

« Beaubourg peut, à longue échéance, réduire l'isolement où ont été enfermées depuis très longtemps et se trouvent encore confinées, les formes d'expression nouvelles appelées à se développer. Cette analyse, la plupart des partis politiques la partagent parce qu'ils reconnaissent que l'idée de Beaubourg répond à une attente réelle. »

Les élus du parti communiste eux-mêmes, qui toutefois n'hésitaient pas à demander une commission d'enquête parlementaire sur le projet, l'ont pourtant défendu lorsque le gouvernement procédait à son examen; en juillet 1974, six conseillers de Paris publièrent un communiqué dans lequel « ils réaffirment leur attachement au principe de la création du Centre d'Art Contemporain à Paris et leur exigence du maintien des crédits prévus à cet effet » (l'*Humanité* du 29 juillet 1974) [1].

Les élus de la majorité défendirent également le projet lorsqu'il fut présenté en décembre 1974 au Parlement. La ligne de partage entre partisans et adversaires du Centre semble passer à l'intérieur même de chaque formation politique comme si au clivage droite-gauche se substituait un clivage anciens-modernes.

Il reste maintenant au public de se prononcer. Les « besoins quantitatifs » auxquels répond le projet sont incontestables : vétusté et inadaptation du musée d'Art moderne, retard de la France en matière de lecture publique, exil des créateurs français trop souvent mal accueillis dans leur propre pays...

Mais au-delà de ces témoignages et de ces faits, la notion de « besoin culturel » doit être démystifiée. Si elle repose sur une seule analyse statistique, elle est condamnée à n'être que la simple photographie des goûts du public à un moment donné. Cette photographie peut être très en deçà de ses aspirations profondes qui restent plus ou moins informulées. Les besoins culturels n'existent pas en soi. Ils sont l'expression de conditionnements qui affectent les attitudes du public, notamment du fait du système éducatif, des « mass media », de la publicité, etc.

Pierre Bourdieu exprime très bien cette réalité : « ce qui est rare, ce ne sont pas les objets mais la propension à les consommer, ce « besoin culturel » qui, à la différence des « besoins primaires », est le produit de l'éducation; il s'ensuit que les inégalités devant les œuvres de culture ne sont qu'un aspect des inégalités devant l'Ecole qui crée le « besoin culturel » en même temps qu'elle donne le moyen de le satisfaire [2]. »

Un grand dessein culturel ne doit pas être conçu à partir du reflet plus ou moins déformé des aspirations superficielles du plus grand nombre. Il doit rechercher, et si besoin susciter, les mouvements qui animent les peuples en profondeur.

Son but est, dans une très large mesure, d'aider à la naissance de besoins nouveaux.

Toute politique, et notamment toute politique culturelle, implique ce rôle moteur en direction des citoyens.

Lorsqu'elle se contente de se modeler sur les goûts « spontanés » du public, la politique culturelle dégénère en politique de la facilité. C'est ce que l'on a pu reprocher à la télévision. Or, il ne viendrait à l'idée de personne, sauf d'une minorité très conservatrice, de contester la valeur que représente l'accès du grand nombre aux formes les plus élevées de la connaissance et de la création contemporaines.

C'est ce dessein qui a été poursuivi par les promoteurs de Beaubourg.

La mutation attendue dans le comportement et dans le goût du public ne peut pas se faire en quelques années. Il faudra sans doute attendre une génération pour véritablement tirer les conclusions de Beaubourg et mesurer son impact réel sur les comportements des Français.

— *Utilisateurs et usagers.*

Question : Le programme de l'opération a été établi par les *utilisateurs,* c'est-à-dire par les responsables de chacune des activités (bibliothèque, musée, etc.). Il aurait dû l'être par les *usagers* eux-mêmes, c'est-à-dire par le public, au lieu de leur être imposé.

Dans ce sens, Pierre Schneider écrit dans *l'Express* :

« Beaubourg est déjà un Etat dans l'Etat, gagné peu à peu par la raideur administrative, soumis à la discipline implacable de la programmation, glissant du rêve d'une improvisation sans trève à la réalité d'une institution permanente et encombrante. »

Réponse : Le programme a été établi en liaison étroite avec les futurs utilisateurs du bâtiment, c'est vrai et c'est bien. Trop, souvent les pouvoirs publics laissent aux architectes le soin de définir le programme du bâtiment qu'ils sont chargés de construire : là réside la véritable technocratie. Ouvrir la conception d'un bâtiment à ses futurs utilisateurs est déjà un progrès considérable de démocratie dans l'acte de bâtir.

Est-ce à dire que l'on puisse passer à une autre phase qui est celle de la participation des futurs usagers? C'est certainement souhaitable. Est-ce possible et sous quelle forme?

C'est une question à laquelle on ne peut répondre aisément sans démagogie [3].

Et d'abord, une réalité : qu'on le regrette ou non, la participation active des Français à la vie culturelle est actuellement très limitée au plan local qui se prête pourtant mieux que tout autre à l'intervention des usagers. Que dire alors du plan national sinon qu'il est nécessaire de recourir à des porte-parole?

Ensuite une certitude : en dehors du cas de l'habitat individuel, c'est-à-dire pour tout ce qui concerne les bâtiments collectifs, les utilisateurs sont les mieux à même de connaître et d'exprimer les besoins des usagers, puisque par profession ils ont pour mission de répondre à leurs préoccupations. Le bibliothécaire, par exemple, est sans doute celui qui connaît le mieux les besoins des usagers des bibliothèques. Encore faut-il anticiper ces besoins pour mieux répondre aux préoccupations des uns et des autres.

Afin de ne pas rester prisonniers d'une conception périmée des équipements culturels ou d'une appréciation superficielle des besoins, les futurs utilisateurs du Centre, avant de définir le programme, se sont livrés à un travail très important d'exploration, de manière à découvrir les innovations entreprises un peu partout dans le monde.

De leur propre expérience, de la connaissance qu'ils ont de leur milieu et de leur public, est né un comportement dans l'élaboration du programme qui n'est ni le dictat imposé par une minorité à la majorité, ni le simple alignement des responsables sur les besoins de la grande masse avec toute la médiocrité qui peut en résulter. On est loin de la « discipline implacable de la programmation ». Celle-ci est un instrument et une logique : on ne peut pas construire au gré de sa fantaisie, sauf peut-être son habitat individuel. Tel n'est pas le cas du Centre Georges Pompidou.

Question : La réalisation du Centre est suivie de beaucoup trop près par l'Elysée ou par Matignon, ce qui lui confère un caractère exorbitant du droit commun.

Réponse : Le vrai caractère exorbitant de ce projet, c'est d'être financé — ce fut une des premières décisions de Georges Pompidou — en dehors de l'enveloppe normale du budget des Affaires culturelles : donc de *s'ajouter à ses crédits.*

Cela impliquait une intervention particulière et au plus haut niveau. Mais cette dérogation évitait de faire supporter au budget des Affaires culturelles, déjà insuffisant, le poids de l'opération. On ne peut pas regretter sérieusement le caractère exorbitant d'une telle mesure.

Par ailleurs, ce projet d'envergure nécessitait une orientation, un soutien, un contrôle au plus haut niveau afin que les risques de déviation, de blocage, soient aussi limités que possible.

Enfin, il intéressait plusieurs ministères : essentiellement le secrétariat d'Etat à la Culture, le secrétariat d'Etat aux universités, mais également, à d'autres titres, le ministère de l'Industrie, celui de l'Equipement, celui de la Qualité de la Vie, etc. Il était donc tout à fait normal que le contrôle du projet soit assuré aux plus hauts échelons de l'Etat.

Grâce à ce « caractère exorbitant » (dont il ne faut pas exagérer d'ailleurs la portée, car la gestion du projet s'est moulée dans les cadres normaux de l'administration, et a obéi à une multiplicité de contrôles), le Centre Georges Pompidou aura été réalisé en 5 ans, alors que l'opéra de Sydney et le théâtre de Londres auront requis près de 15 années...

— *Question :* Beaubourg est une opération de prestige. Ce sera un nouveau scandale financier.

Pierre Schneider s'exprime ainsi dans l'*Express* du 15 avril 1974 : « Ne va-t-on pas hésiter devant ce que la rigueur des temps pourrait aisément transformer en une Villette culturelle, en un Concorde des Arts et des Lettres? « Et Bernard Tesseydre, dans le *Nouvel Observateur* » le compare à un « paquebot France en plein Paris. »

Réponse : Ceci est faux. L'établissement public n'a pas hésité à communiquer au Parlement le rapport établi régulièrement par l'Inspection des Finances et qui montre que l'opération est rigoureusement gérée.

Mais laissons la parole à Jean-Paul Liégeois, journaliste de l'Unité : « Contrairement à tout ce qui a été dit, Beaubourg sera un bel instrument. Ce n'est pas une « Villette culturelle »... on a accusé Beaubourg d'être à l'origine d'une spéculation sur le quartier des Halles. Cependant, le quartier — c'est-à-dire la périphérie immédiate et non l'aménagement commercial de feu les Halles de Baltard — a été mis en zone d'aménagement différé (ZAD); la Ville de Paris a fait valoir un droit de préemption sur un grand nombre d'immeubles de la rue Saint-Martin; l'îlot de Venise a été acheté par l'Etat et sera découpé en studios pour les artistes de passage. Bref l'environnement sera protégé et le quartier deviendra piétonnier. On a accusé Beaubourg d'être le lieu d'un « gaspillage grandiose dans le cadre d'une inefficacité programmée ».

« Beaubourg semble au contraire un modèle de financement. »

Alors la création du Centre est-elle une opération de prestige? On s'apercevra, lorsque les comptes seront terminés, qu'elle aura représenté pendant 5 ans un effort financier égal à 0,1 % du budget annuel de l'Etat. On est loin de Versailles... ou de Concorde qui coûte 15 à 20 fois plus cher.

Pour une fois, un investissement important bénéficie à la Culture.

Reste le coût de fonctionnement. Il sera équivalent à celui de tous les grands équipements culturels. Les finalités du Centre ne sont pas la rentabilité commerciale. Son fonctionnement exigera donc une subvention importante de l'Etat. Il faut noter que la Ville de Paris ne participe pas au financement du Centre.

— *Récupération culturelle?*

Question : Beaubourg est une entreprise de récupération de normalisation d'une activité culturelle spontanée qui s'était développée dans le quartier des Halles, après l'évacuation des pavillons Baltard pour Rungis.

Réponse : Il est vrai que Beaubourg est installé dans le voisinage des Halles. Mais il s'agit d'une opération entièrement distincte.

Certes en 1969, 1970, une animation intéressante a pris place dans les pavillons Baltard, qui étaient devenus une sorte de centre culturel.

Beaubourg ne veut récupérer aucune initiative : c'est une « maison pour tous », qui s'ouvrira à toutes les formes d'expression culturelle d'où qu'elles viennent.

C'est le sens que revêt notamment la création de certaines salles ou de certains espaces qui pourront être confiés à des animateurs ou des créateurs pour une durée limitée.

La culture « spontanée » est exceptionnelle. Elle dégénère facilement en folklore, parodie ou supercherie.

En fait, nous sommes dans un monde où il y a conjonction entre des *expériences spontanées* (celles par exemple du photographe amateur, les actions entreprises par certaines troupes théâtrales, etc.), des *institutions culturelles* qui diffusent leur production du haut vers le bas (la télévision par exemple) et *des relais culturels* qui acceptent aussi bien l'expérience éphémère que l'action prolongée.

Le Centre Georges Pompidou se reconnaît plus volontiers dans cette dernière définition.

Sa collaboration avec le Centre culturel du Marais qui vient de se créer à quelques centaines de mètres, du plateau Beaubourg, et avec les nombreux théâtres ou centres culturels de banlieue et de province atteste que la voie qu'il a choisie est juste et en tout cas, enrichissante.

Aujourd'hui, il importe moins de savoir si l'on récupère telle ou telle action culturelle que d'être capable d'apporter une certaine fraîcheur, une certaine communication dans l'expression culturelle. Cela suppose un contact étroit avec le monde de la création. La vraie question est de s'attaquer au problème complexe de la construction d'une nouvelle culture.

Il appartiendra au public de faire quelque chose de cette machine culturelle qui lui est proposée. C'est lui qui décidera du succès ou non du Centre. Sans lui, il sera un désert, un temple mort de la culture; avec lui il peut devenir un lieu d'actes culturels librement choisis et donc une « maison pour tous » dans laquelle peut se développer la culture contemporaine.

2° — Technocratie ou administration culturelle

On entend souvent dire du Centre Georges Pompidou qu'il favorise la constitution d'une technocratie culturelle. Certains n'hésitent pas devant l'emphase pour rendre compte de cette accusation.

Ils sont trop habitués aux petites administrations culturelles pour comprendre que le recours aux méthodes de gestion a pénétré le domaine culturel, ce qui est un signe de développement. Nous vivons une époque où l'importance croissante donnée aux phénomènes culturels exige une véritable administration culturelle. Non pas que celle-ci doive se substituer à l'action culturelle, ce qui serait grave, mais qu'elle s'efforce de l'assister. L'acte de naissance officiel de l'administration culturelle a été la création en 1959 du ministère des Affaires culturelles.

Beaubourg constitue une phase importante dans le développement de l'administration culturelle. La création du ministère des Affaires culturelles se fit par le rassemblement auprès d'un même ministre de services déjà existants.

Celle du Centre Georges Pompidou reprend également certains services anciens. Mais elle est dans une large mesure une construction nouvelle.

Cette naissance entraîne nécessairement des remous. Mais il ne faut pas confondre l'administration, outil indispensable pour que la culture puisse être diffusée, et la technocratie qui est l'abus de pouvoir.

*
**

Culture programmée?

Question : On a souvent parlé de l'effort considérable effectué en matière de programmation pour la conception du projet du Centre Georges Pompidou. Mais n'est-il pas quelque peu paradoxal de vouloir programmer des phénomènes culturels qui, par nature, relèvent du qualitatif et non pas du quantitatif.

Beaubourg ne risque-t-il pas de donner lieu à l'apparition d'une « culture programmée » alors qu'il devrait être un champ d'expériences, d'initiatives, d'expressions culturelles?

Réponse : Il faut s'entendre sur les mots. Ce n'est pas, à proprement parler la culture qui est programmée à Beaubourg mais la construction du bâtiment et son fonctionnement; et c'est bien nécessaire car trop souvent les projets de bâtiments publics ont achoppé sur une insuffisance de préparation, de prévision, c'est-à-dire de programmation. Que faut-il entendre par programmation?

Le mot évoque je ne sais quel ordinateur qui de toute sa technicité guiderait de manière irréversible les comportements de chacun. En réalité, la programmation telle qu'elle est conçue à Beaubourg est plutôt un acte collectif librement consenti tendant à permettre à tous l'exercice d'une plus grande maîtrise sur le Centre et sur sa politique.

Ceci est rendu nécessaire, en particulier, par la dimension de l'opération. Dans une maison de Jeunes et de la Culture de quartier, une animation culturelle authentique peut s'accommoder du bénévolat et d'une organisation légère; lorsque l'institution culturelle revêt une certaine dimension, elle doit être organisée, programmée sous peine de devenir une sorte de tour de Babel. Dans ces conditions, il convient de démystifier ce concept de programmation et d'expliquer qu'il correspond à une bonne prévision des événements et à une bonne gestion des deniers publics.

Cela implique certainement plus de discipline mais aussi permet de répondre, de manière aussi efficace que possible aux besoins des utilisateurs et des usagers du Centre.

Car la programmation est un instrument dont les résultats dépendent de la qualité des informations qui lui sont apportées par les animateurs culturels.

Intégration et dimension.

Question : Mais précisément ce projet ne souffre-t-il pas de gigantisme? Tout comme le paquebot France a été le dernier des grands transatlantiques, Beaubourg n'est-il pas le dernier exemple d'une super-maison de la Culture?

Réponse : On peut considérer, au contraire, que Beaubourg est le premier centre culturel d'une nouvelle génération et non pas le dernier d'une génération dépassée. Sur le plan international d'ailleurs, il correspond à un mouvement qui pousse la politique culturelle dans cette direction, ce qui explique la curiosité qu'il appelle de la part de nombreux observateurs étrangers. Les « grandes surfaces » culturelles sont certainement une solution d'avenir.

Nous sommes en retard en Europe pour mettre en œuvre une grande bibliothèque de lecture publique. L'Allemagne, la Suède, l'Angleterre nous ont précédé depuis longtemps dans cette voie.

La notion même d'équipements intégrés, le regroupement de diverses disciplines sont également riches de promesses. Beaubourg prend place dans un mouvement de développement des grands équipements culturels, qui correspond à la démocratisation des pratiques culturelles et à l'élargissement du temps consacré aux loisirs.

Et puis, regretter la dimension de Beaubourg c'est en fin de compte refuser l'idée d'un carrefour entre des disciplines culturelles installées dans un même lieu. Il est tellement plus simple et plus confortable de se confiner dans son propre domaine. On aurait pu, effectivement, n'insérer à Beaubourg que le seul musée. C'eut été intéressant. Mais certainement moins que le projet actuel qui permet de faire de ce lieu un espace vivant de rencontres culturelles.

Vouloir l'intégralité du projet, c'est en accepter les dimensions.

Le public fréquente les supermarchés qui correspondent à l'une des nécessités de notre époque. Cela n'empêche pas qu'il aime également flâner dans les petites boutiques. Les deux dimensions sont sans doute nécessaires. Mais l'une ne va pas sans l'autre.

Si, en effet, Beaubourg devait, par sa seule présence, étouffer toutes les initiatives, il serait très critiquable. Mais au contraire, il cherche à encourager ces initiatives décentralisées. C'est l'une de ses missions.

Beaubourg pourrait être le premier exemple d'une série de centres qui se multiplieront dans les régions de France.

Question : L'intégration d'activités très différentes dans un même lieu est très contestable. Il eut mieux valu les maintenir séparées de manière à éviter que la présence de l'une n'entrave le bon fonctionnement de l'autre.

On peut craindre en particulier que des activités de caractère ludique, des spectacles, puissent troubler les espaces de contemplation que sont les étages réservés au musée.

Réponse : Cette intégration sera sans doute un progrès. Le « chacun chez soi » est dépassé. Quelles que soient les bonnes intentions proclamées, on peut craindre que derrière la renvendication de l'autonomie ne se cache le souci de sauvegarder des situations acquises. L'intégration donne au contraire à l'idée de « développement culturel » une place centrale.

Quoiqu'il en soit, l'intégration n'exclut pas une répartition des espaces : l'animation sera présente, au rez-de-chaussée et au dernier étage, si bien que les quatre étages centraux réservés à la bibliothèque et au musée seront calmes et propices à la contemplation et à la réflexion.

Question : Un effectif de 1 000 personnes à Beaubourg, n'est-ce pas exagéré?

Réponse : Non. Au contraire, le fait d'avoir regroupé en un même lieu différentes activités culturelles aboutit certainement à réduire les effectifs qui eussent été nécessaires si chacune des activités avait fonctionné séparément. Les organismes culturels dont les effectifs avoisinent ce chiffre ne manquent pas :

Le musée d'Art moderne de New York a 500 agents; celui du Centre Georges Pompidou 150; celui de l'Hermitage à Leningrad 1 400; la Bibliothèque Lénine à Moscou plus de 3 000; l'Opéra de Paris 1 200 environ.

En outre, ce chiffre s'explique en partie par les heures d'ouverture. Si Beaubourg n'avait été ouvert que de 10 h à 17 h comme actuellement les musées, le nombre d'emplois aurait été plus réduit. Mais afin de rendre un service meilleur au public, il a été décidé de l'ouvrir de 10 h à 22 h, c'est-à-dire 12 heures consécutives et tous les jours de l'année. Cela nécessite du personnel. Mais c'est dans l'intérêt du public et des animateurs culturels.

Et la province?

Question : Il eut mieux valu une centaine de petits centres culturels en province qu'un seul gros centre parisien. Une fois de plus, Paris s'arroge le monopole de la création et de la diffusion culturelle.

Réponse : Le problème ne se pose pas exactement en ces termes. Dans la pratique, si Beaubourg n'avait pas été décidé, ces petits centres culturels n'auraient de toute façon pas été créés, car le ministère des Affaires culturelles n'aurait pas disposé de l'argent nécessaire.

A la limite, mieux vaut un grand centre que pas de petits centres du tout.

Mais, sur un autre plan, il fallait bien commencer à réaliser cette expérience d'intégration culturelle en un lieu donné. Le meilleur lieu était Paris, et de ce fait le projet entraîne une certaine concentration. Mais l'initiative de Beaubourg à Paris sera certainement prolongée en province par des « Beaubourg régionaux ».

Il ne peut pas y avoir d'action culturelle décentralisée où chacun s'intègre le mieux possible, sans un Centre auquel les initiatives puissent se raccrocher pour une assistance technique, une recherche d'informations, de documentations.

Beaubourg aspire simplement à exercer cette fonction de « centrale », d'instrument, d'outil culturel. Sa taille, son ambition en font un Centre de dimension européenne ce qui est précieux au moment où l'action culturelle dépasse les frontières.

Il ne sera une technocratie culturelle que si l'administration y étouffe les initiatives et s'il n'est pas prolongé dans son action par des initiatives locales.

Mais certaines expériences d'animation entreprises avec des centres locaux ont vu le jour avant même que Beaubourg soit achevé, ce qui permet d'espérer que le projet est engagé sur une bonne voie...

Des actions ont été ainsi entreprises avec des théâtres de Paris, ou de banlieue, le Centre leur apportant une contribution technique en matière audio-visuelle.

Des expositions itinérantes circulent dans des dizaines de villes de province (près de 200 villes en 1975).

Des animations pour les enfants ont été réalisées dès

1975 en collaboration avec une dizaine d'écoles parisiennes. Ces animations ont été également reprises en province à Grenoble, en Avignon. Pierre Boulez donne la priorité aux régions pour l'organisation de semaines de concerts et de conférences.

Beaubourg et les Affaires culturelles.

Question : On dit que le centre Georges Pompidou se substitue au Secrétariat d'Etat à la Culture. Dominique Jameux et Catherine Millet précisent même : « les Affaires culturelles ont hérité de Beaubourg : ce n'est un mystère pour personne que leur paternité est plus obligée qu'enthousiaste. »

Réponse : Ce jugement est partial. M. Michel Guy, secrétaire d'Etat à la Culture, a été un défenseur convaincu du projet devant le Parlement où il déclarait : « Je suis particulièrement fier d'avoir à défendre devant vous le projet de loi qui porte création du Centre national Georges Pompidou. » Il n'est pas question de se substituer au secrétariat d'Etat à la Culture. Il est vrai que Beaubourg, par ses moyens, son champ d'application, peut excéder certaines frontières du ministère des Affaires Culturelles. Il peut également innover en matière de muséographie, de pédagogie, de musique; mais il faut le considérer comme un « fer de lance », plutôt que comme un rival du Secrétariat d'Etat.

Question : Beaubourg ne risque-t-il pas de monopoliser l'innovation et de laisser au Secrétariat d'Etat tout ce qui est conservation ou monuments historiques?

Réponse : Dans une politique culturelle, tout les éléments n'avancent pas au même rythme, c'est normal.

Il faut à la fois, comme dans l'armée, une cavalerie et une infanterie. Dans ces conditions, Beaubourg il est vrai, ressemblerait plutôt à la cavalerie. Mais il y a également de la conservation à Beaubourg et de l'innovation aux Affaires Culturelles. Nous avons parlé du Musée qui se trouve à Beaubourg et de la nécessité de mettre en valeur l'histoire de l'art moderne et il y a des innovations multiples aux Affaires Culturelles, évidemment.

Question : Le Centre ne représente-t-il pas une part

trop importante du budget des Affaires Culturelles?

Réponse: La réalisation du Centre n'a pas pesé sur le budget des Affaires Culturelles, puisqu'il a été financé en dehors de son enveloppe budgétaire. Au contraire, Beaubourg s'ajoute au budget normal des Affaires Culturelles. C'est donc une action nouvelle qui ne nuit pas à ses autres actions.

On a tendance à dire que Beaubourg c'est la richesse. Parce que la pauvreté a été le lot des services culturels pendant longtemps, ce qui n'est qu'aisance ne doit pas être considéré comme excès. Le coût de fonctionnement restera de l'ordre de celui de l'Opéra, mais pour le même budget le public touché sera dix fois plus important. Ainsi les dépenses faites par le Centre Georges Pompidou ont une « valeur ajoutée » importante qui justifie l'investissement réalisé.

En d'autres termes, si l'Etat apporte à chaque spectateur qui vient à l'Opéra une subvention de l'ordre de 400 francs, cette subvention ne sera que de 40 francs pour chaque visiteur du Centre, soit une contribution beaucoup plus modérée.

3° Musée fermé ou ouvert?

Il fut une époque où l'art se confondait avec le sacré. Les églises furent les premiers musées, mais des musées vivants.

La société s'est désacralisée. Une distance s'est glissée entre l'œuvre d'art et le sacré. L'art a quitté le temple pour devenir ornement bourgeois. La peinture de chevalet a remplacé la fresque.

Au xxe siècle, l'art est descendu dans la vie quotidienne. Il est affiches, mobilier urbain, objets. Il envahit tout l'environnement familial et familier de chacun.

Le musée a-t-il alors encore un sens? Doit-il rester voué au culte des grands ancêtres ou doit-il être une « maison pour tous » largement ouverte?

Ces questions n'intéressent que l'un des départements du Centre mais assurément celui dont la conception suscite les controverses les plus vives.

276

Dominique Jameux et Catherine Millet [1] ouvrent le débat avec perspicacité : « Personne ne semble s'être demandé si Beaubourg par de stricts moyens muséographiques un peu repensés, pouvait aider à transformer l'appréhension de l'œuvre d'art.

Peut-il être le premier musée non sacralisant? Saura-t-il secouer la passivité du visiteur de musée? »

*

Question : Le musée du Centre Georges Pompidou veut être à tous et à toutes les formes d'expression artistique. Cette intention n'est-elle pas contradictoire avec le fait que l'art moderne n'est accessible, dans la pratique, qu'à une élite très minoritaire?

Réponse : Jean-Paul Liégeois répond dans *l'Unité* du 5 juillet 1974 :

« Ceux qui construisent Beaubourg... désirent mettre à la disposition du pays un centre d'attraction où puissent se retremper aussi bien le non initié que le spécialiste.

« Par phénomène de contamination ou de curiosité, le public — c'est-à-dire les usagers — sera nécessairement amené à voir ou percevoir des choses et des événements pour lesquels il n'était pas venu. Un tel, attiré par une exposition temporaire ou par la visite de la galerie expérimentale d'art contemporain passera près de la bibliothèque publique ou de la salle d'information.

« Tel autre, qui viendra au restaurant sera surpris, au détour d'un escalier, par une flèche lui indiquant la cinémathèque, etc. La conception a été ainsi faite que l'impact sera immédiat.

« Au cœur de Paris, en pleine situation de brassage social, quand le RER viendra encore ajouter à la cohue du métro, Beaubourg peut devenir un lieu d'animation passionnant, aussi vivant qu'un hall de gare et... beaucoup plus attractif. »

Mais cette orientation du Centre est délicate. Certains, notamment des donateurs du musée d'Art moderne, lui reprochent d'être trop ouvert. D'autres, les animateurs en général, lui font le grief d'être trop fermé. Or Beaubourg veut répondre aux besoins de tous.

C'est sans doute pourquoi il suscite les controverses. Mais c'est sa raison d'être.

Le problème des donateurs.

Question : On peut douter que les donations faites par un certain nombre de grands peintres ou leurs héritiers au musée d'Art moderne aient leur place à Beaubourg. Pourquoi ne créerait-on pas « un musée des donations » qui resterait dans l'actuel palais de Tokyo?

Réponse : Les donations ont leur place à Beaubourg. Le Centre a précisément été construit pour offrir des espaces qui soient dignes de la qualité des œuvres.

Le bâtiment actuel du Palais de Tokyo est trop peu commode.

Mais les donateurs d'œuvres au musée d'Art moderne pourront s'ils le désirent exiger le maintien de leurs donations dans l'ancien musée, avenue du Président-Wilson.

Chacun fera le choix de venir ou de ne pas venir en examinant lui-même les espaces qu'on lui destine dans le bâtiment.

La position des pouvoirs publics sur cette question délicate a été exprimée très nettement par M. Michel Guy à l'Assemblée Nationale le 3 décembre 1974 :

« Je tiens aussi à être très clair en ce qui concerne les œuvres qui ont fait l'objet de donations. L'ensemble de cette question devra être étudié avec les donateurs eux-mêmes, l'accord qui sera réalisé avec chacun d'eux faisant l'objet d'un engagement réciproque. Je souhaite — ainsi que les responsables du futur Centre — que toutes les donations faites au musée d'Art moderne, soient transférées comme le musée lui-même, au Centre Beaubourg, afin d'y constituer, peut-être, le plus grand musée d'Art moderne du monde, prenant la suite, pour l'art postérieur à 1905, du Louvre et du futur musée d'Orsay...

« L'Etat reste disposé à examiner cas par cas, et sur la base des actes qui ont été conclus, le sort qui devra être fait aux donations dont les auteurs ou leurs ayants droit ne souhaiteront pas qu'elles soient transférées en tout ou partie.

« Le musée de l'avenue du Président-Wilson sera alors transformé en un lieu d'études et d'accueil des donations n'allant pas à Beaubourg. Ce lieu sera naturellement géré par le futur Centre car, dans le domaine de l'Art moderne, celui-ci doit être l'unique responsable du patrimoine national. »

En définitive, les donateurs ou leurs héritiers se prononcèrent au mois de juin 1976. Il résulte des choix effectués par eux que la plupart des œuvres du Palais de Tokyo, environ 90 %, seront présentées à Beaubourg. L'annexe du musée au Palais de Tokyo renfermera les œuvres de quelques peintres dont les plus connus sont Laurens, Braque et Rouault.

Musée animé...

Question : L'idée d'animation, présente dans le Centre Georges Pompidou, n'est-elle pas contradictoire avec celle de musée, c'est-à-dire de conservation?

Un article publié dans *l'Œil* de février 1975 demande, sarcastique, si « l'avenir des musées n'est pas dans leur fermeture? » et constatant que partout dans le monde, les musées ferment leurs salles :

« Le public, autre que celui des touristes, s'éloigne de plus en plus des musées, tandis qu'il est attiré par les manifestations passagères, pour lesquelles sont dépensées des sommes considérables qui pourraient être affectées aux installations permanentes des musées. Ce phénomène est particulièrement sensible à Paris, la ville du monde où l'effort fait pour les expositions est le plus remarquable.

« Ainsi Beaubourg, grâce à une animation en tout genre, sera, paraît-il, le « carrefour » artistique contemporain. Animation qui sera aux dépens du musée permanent; de ce sacrifice, on nous offre la prémonition dans l'exposition actuelle du musée de l'avenue Franklin-Roosevelt : 444 pièces montrées sur 5578. Encore ce faible pourcentage des collections exposées doit-il lui-même être présenté par roulement. »

Réponse : Il ne faut pas prêter à Beaubourg des intentions qu'il n'a pas. Le projet fait une place importante aux expositions temporaires. Mais il offre également une surface de présentations nettement supérieure à celle de l'actuel musée d'Art moderne.

Ainsi au lieu de 800 œuvres, peintures et sculptures, qu'il permet au maximum de voir, Beaubourg présentera 1100 à 1200 œuvres. A celles-ci s'ajouteront des réserves directement accessibles au public et situées dans le musée lui-même, ce qui portera le nombre des œuvres directement accessibles de 800 à 1 600 environ.

Il faut se réjouir que nos contemporains veuillent associer l'œuvre d'art à des événements quotidiens, car cela permet au plus grand nombre d'en goûter la qualité. Cela explique sans doute le succès d'expositions comme celles de Picasso et des Impressionnistes. Qui oserait s'en offusquer?

Au contraire la liaison des expositions temporaires et des collections permanentes à Beaubourg est le gage d'un succès dans la richesse des modes d'approche de l'art.

Une réponse plus complète est donnée par Pontus Hulten dans une interview publiée par la revue *Opus International* en 1971, à une époque où il n'était pas encore question qu'il vienne à Paris. Pour lui, c'est en 1960 que la conception du musée a changé : il oppose le « *musée-visite* » qui expose des œuvres de la même manière qu'au xixe siècle, à cette nuance près que les œuvres sont désormais modernes, au *musée ouvert sur la vie* et cherchant à renouer avec la spontanéité de la création.

Selon lui, le modèle du musée moderne comporte quatre domaines de préoccupations :

— le domaine des informations primaires, quotidiennes, contradictoires, comme dans la rue. C'est là que peut se faire la rencontre du créateur et du public, notamment dans des lieux, « des locaux où l'on dispose des moyens de production, allant du marteau aux simples clous, des pinceaux à l'ordinateur... Le personnel du musée pourra agir comme instructeur de machines. Ces ateliers de travail pourront être employés, soit par un artiste, soit par un groupe d'artistes, soit par nous, soit par tout le monde ».

— les manifestations proprement dites : tableaux, sculptures, environnement, films, etc...

— les conservations et les collections : il s'agit de la mémoire du musée. Certains contestent même ce rôle. Mais Pontus Hulten le juge indispensable : « La collection est importante en ce sens que l'image me semble être une des formes les plus concentrées du vécu des expériences humaines que l'on peut consulter. »

« La nouveauté, c'est l'addition des deux premières couches qui relient et font participer directement l'institution musée aux phénomènes sociaux de la vie quotidienne. »

Ces principes ont été réaffirmés à Beaubourg : les partisans de la limitation du rôle du musée à la seule présentation des collections peuvent être rassurés; ceux de l'ouverture du musée également.

... ou musée-sanctuaire?

Question : Alors que certains craignent qu'à Beaubourg le musée ne soit plus un musée, d'autres comme M. Pierre Schneider, reprochent à Beaubourg de maintenir un musée qui serait condamné à rester coupé de la vie :

« En traitant l'œuvre d'art selon le mode de l'Histoire ou de l'information, on la prive de son caractère d'expérience vécue pour la réduire au statut d'objet de culture, c'est-à-dire de produit dénué de sens, parce que d'utilité pour tous, hormis ceux qui se sont spécialisés, à divers niveaux et titres, dans son commerce.

« M. Hulten et ses collaborateurs n'y sont pour rien : le musée, si ingénieusement qu'on l'anime, demeure un ghetto coupé de l'existence. Un cercueil transparent, c'est quand même un cercueil. Remplacer les murs par des cloisons mobiles, les guides imprimés par des cassettes, les gardiens par des hôtesses, c'est modifier les apparences, non l'essence. Le fond est immuable : c'est le musée, conforme à l'idée que la société se fait du rôle de l'art depuis l'avènement de la bourgeoisie.

« Seule l'image de marque a changé : ce n'est plus le Temple du Beau, cher au XIXe siècle, mais la grande surface culturelle. Après comme avant, le public y pénètre en consommateur passif et l'artiste y renonce à tout pouvoir, excepté celui d'ajouter un nouveau chapitre à une histoire de l'art d'ailleurs falsifiée.

« Pour faire face à la crise de l'art et de ses rapports avec le public, il faut tenter de susciter ou de ressusciter des rapports entre l'art et les hommes dans le cadre même de leur vie. C'est précisément ce que le principe du musée empêche. » (Pierre Schneider dans *l'Express* du 15 avril 1974.)

Réponse : Ces propos semblent ignorer que le musée à Beaubourg, n'est que l'une des activités du Centre. Il prend place dans un bâtiment où viendront des écoliers, des étudiants, des consommateurs en quête de conseils, des usagers de la bibliothèque; il est plongé dans la vie.

C'est l'une des raisons pour lesquelles Beaubourg a été implanté au cœur de Paris.

S'il est vrai qu' « il faut tenter de susciter ou de ressusciter des rapports entre l'art et les hommes dans le cadre même de leur vie », c'est précisément ce que le principe d'un Centre culturel d'activités multiples et intégrées permet.

Art moderne et art contemporain.

Question : N'y a-t-il pas contradiction entre l'idée de faire un musée, c'est-à-dire un espace rassemblant des œuvres du passé et donc dédié à l'histoire de l'art et celle d'ouvrir ce musée à l'art contemporain, c'est-à-dire à des formes actuelles et souvent encore hésitantes de l'Art?

Cette question est de celles qui déclenche les passions.

M. Pierre Cabanne s'en prend dans *Combat* (20-8-1973) à M. Raymond Cogniat du *Figaro* :

« Raymond Cogniat qui répond dans *le Figaro littéraire* du 11 août, à un article de *Combat* déclare qu'il ne lui paraît pas possible de faire cohabiter les collections du musée national d'Art moderne et le « tourbillon d'imprévus » qu'il prévoit à Beaubourg. Je ne vois pas pourquoi il faudrait abandonner les maîtres, les œuvres et les mouvements qui se sont succédé depuis le début du siècle, à leur morne ghetto de l'avenue du Président-Wilson, alors que la vie serait ailleurs.

« Je ne vois pas pourquoi on élèverait un mur entre deux époques à la date arbitraire de la fondation du Centre Beaubourg.

« Cogniat écrit [5] que les « collections du musée d'Art moderne, c'est-à-dire ce que fut l'art de la première moitié du siècle... correspondent à un nombre de recherches accomplies, de révolutions qui ne sont plus révolutionaires. »

« Outre que cela n'est pas exact, ce qui n'est pas une raison pour les isoler, ce qui s'est fait et ce qui se fait ne peuvent-ils normalement voisiner? Refuser de confronter ce que nous persistons à appeler « l'art vivant » et ce « laboratoire des actualités où tout est en gestation et dont les fins et les moyens sont d'un tout autre caractère » n'est-ce pas le condamner irrémédiablement à la mort?

« Le présent aventureux et bouillonnant, le futur avec ses mutations, ses crises et ses ruptures, vivent de ce récent passé; les expérimentateurs d'aujourd'hui continuent les créateurs d'hier qui en leur temps, furent des expérimentateurs tout aussi dangereux.

« Ce que les passéistes, les alarmistes et les ignorants écrivent de l'art actuel a été écrit de l'art récent, sur le même ton, dans les mêmes termes.

« Qu'au bout d'un certain temps les œuvres entrent au musée, qui les conserve et qui les montre, rien de plus naturel, mais pourquoi séparer ce musée, foyer de réflexion et de confrontation, des laboratoires du présent, des lieux d'animation et d'expérience; s'il en est ainsi il deviendra rapidement une nécropole.

« En France l'art qui se fait a été et est toujours regardé comme une vulgaire rigolade, barbouillage ou attrape-nigauds; il n'en est pas de même à l'étranger, où dans certains grands musées, les expériences du présent sont intégrées aux œuvres du passé. C'est pourquoi leurs ensembles d'art « vivant » sont complets, conquêtes et ruptures mêlées, alors qu'en France nous sommes toujours en retard d'un quart de siècle!...

« Raymond Cogniat, relevant les reproches que j'ai adressés au musée d'Art moderne, écrit que je « mécon-

nais volontiers l'admirable activité de Jean Cassou[6] ».
Nullement, et celui-ci, qui m'a écrit à la suite de mon
article de *Combat,* ne s'y est pas laissé prendre. Personne et surtout moi, ne songe à nier, voir à contester, l'œuvre accomplie par le véritable créateur du
musée d'Art moderne, mais le nationalisme de l'Ecole
de Paris a pesé lourdement sur les conditions dans lesquelles cette œuvre a été menée, il a été des années
durant, le phénomène de fixation de l'Administration des
Beaux-Arts et de la politique artistique officielle. Fata-
lement des vides se sont créés dans les collections de
l'Etat, qu'il a fallu combler et ni la reconstitution de
l'atelier Brancusi, ni la donation Pevsner ne suffisaient
à illustrer ce qui s'était fait hors de France et qui
restait ignoré.

« On cherche en vain, avenue du Président-Wilson,
l'Ecole de New York et le néo-dadaïsme américain,
Kokoschka et l'expressionisme germanique, le futurisme
italien, Mondrian et le néo-plasticisme hollandais, le
Bauhaus, etc. Peut-être les verra-t-on quand un nombre suffisant de gardiens permettra d'ouvrir toutes les
salles? Peut-être les garde-t-on pour le Centre Beaubourg?

« Conservatoire, lieu de création d'échanges, d'expérimentation, d'information et de rencontres, celui-ci est
appelé à jouer un grand rôle dans sa diversité : le passé,
le présent et l'avenir réunis et confrontés. Notre art
vivant va de conquêtes en ruptures, du tableau de chevalet au cinétisme et à la technologie, de la sculpture
aux assemblages, du cubisme aux happenings, c'est là
sa fantastique et exaltante richesse... »

4° — CULTURE MERCANTILE
OU SERVICE PUBLIC CULTUREL?

Beaubourg est un service public : la quasi-totalité de
ses ressources proviennent de l'Etat. Sa création et
notamment la mise au point de son statut provoquent
des inquiétudes, voire même un certain émoi, puisque
certains prêtent au Centre les plus noirs desseins.

Les collections nationales ne seront pas vendues.

Question : Le Centre Georges Pompidou ne va-t-il pas être autorisé à faire des actes industriels et commerciaux et donc à encourager une commercialisation de la culture? N'est-il pas, de ce fait, une émanation du système capitaliste? Dans cette perspective, M. Chambaz, député communiste, déclarait à l'Assemblée nationale : « Le Centre, désormais doté d'un statut d'Etablissement Public National, ayant une personnalité morale et jouissant de l'autonomie financière... risque de devenir un lieu officiel de la commercialisation de la culture. »

De ce fait, M. François Mitterrand jugeait nécessaire en mai 1974 de « revoir le statut du Centre pour qu'il devienne vraiment un service public, dégagé de toute servitude commerciale ».

Certains firent aux responsables du Centre le procès de vouloir vendre les œuvres d'art. Il en résulta une polémique. Un article publié par *le Monde* au printemps de 1973 laissait entendre que le statut du Centre pourrait être un établissement public à caractère industriel et commercial, ce qui allègerait sa gestion. Jacques Lassaigne, conservateur en chef du musée d'Art moderne de la ville de Paris jetait alors un cri d'alarme dans un article du *Figaro* intitulé : « tableaux à vendre » où il écrivait : « il est essentiellement prévu... de trouver des richesses dans l'exploitation des richesses du musée lui-même et pour parler plus franchement, dans la vente commerciale d'une partie de ces richesses, soit qu'elles aient cessé de plaire — et on voit les risques que cela représente, car qui décidera qu'une œuvre est démodée ou non et sur quel critère? — soit qu'elles soient trop nombreuses (et là encore y a-t-il jamais trop de chefs-d'œuvre?). »

Réponse : L'insinuation présentée par M. Jacques Lassaigne résultait sans doute d'un malentendu sur le statut du futur Centre.

M. Robert Bordaz dut faire la mise au point suivante :

« Cher Monsieur, j'ai lu avec le plus grand intérêt votre récent article du *Figaro Littéraire* « Tableaux à vendre? » Mais rassurez-vous... les dirigeants du Centre

Beaubourg n'ont pas l'intention (ni le pouvoir) de vendre les tableaux de collections... »

Certains esprits malveillants tirent parti des dispositions du projet de loi qui permettent au Centre de réaliser des activités industrielles et commerciales pour insinuer qu'il pourrait vendre les œuvres d'art et dilapider le capital de l'Etat. Faut-il le répéter? C'est faux.

Question : Néanmoins l'Etablissement Public va faire des actes de commerce?

Réponse : Oui. Mais il ne s'agit pas de faire du commerce pour le plaisir mais seulement dans la mesure où il rend des services au public et dans des cas limités.

Si la culture est proche de la vie courante et si les gens construisent leur environnement quotidien, en achetant des objets, si Beaubourg souhaite que ces objets soient de qualité, il est amené à les conseiller et à encourager ce mouvement tendant à transformer l'environnement, donc à vendre des lithographies, des livres, des cartes postales, des objets, etc.

Il s'agit de rendre un service éducatif et c'est dans cette seule mesure que Beaubourg envisage de faire des actes de commerce.

En effet, le service public ne doit pas être extérieur à la demande du public. L'accès à la culture passe aussi par son appropriation. Comme l'a indiqué M. Pierre Bourdieu cette appropriation est symbolique pour l'intelligentsia. Mais elle peut être réelle pour les acheteurs de reproductions.

Aujourd'hui où le plus grand nombre doit accéder à la culture, il faut également que le public puisse acheter des lithographies, des cartes postales représentant des œuvres d'art moderne...

Gratuité et fréquentation.

Question : Pourquoi Beaubourg n'est-il pas gratuit?

Réponse : La majorité des espaces seront gratuits. C'est le cas des espaces d'accueil, de la Bibliothèque, du CCI, de la salle d'actualité. En revanche, le musée restera payant à l'instar des autres musées de France, même si l'entrée dans les musées connaît de nombreuses exonérations.

Les expositions, dont l'organisation implique une dépense particulière, seront également payantes.

Mais si Beaubourg ne peut pas être entièrement gratuit, il doit tendre à la liberté d'accès et de circulation du plus grand nombre. Un système d'abonnements pour l'année ou pour la journée sera proposé au public.

Question : Il est clair que Beaubourg est un service public, mais le Centre n'est pas maître de ce qui se passe autour de lui et notamment des galeries qui se placent dans son sillage et pour lesquelles il constitue une sorte de référence. Donc le Centre Pompidou s'insère, qu'il le veuille ou non, dans un contexte de culture mercantile.

Réponse : L'art se vend, c'est vrai. Et certains de ses vendeurs sont des personnes de qualité qui ont joué un rôle fondamental dans l'aide à la création.

Mais le Centre est totalement indépendant des galeries d'art. C'est en fonction du service rendu au public et pour des finalités éducatives que les œuvres seront présentées.

5° CULTURE ELISTISTE OU CULTURE POUR TOUS?

N'y a-t-il pas contradiction entre les intentions proclamées par les responsables du Centre Georges Pompidou d'ouvrir la création contemporaine à tout le monde et la réalité de pratiques culturelles réservées à une élite?

Telle est la question souvent posée par l'opinion.

Elle est fondamentale, car si le Centre n'attire pas à lui des milliers de personnes chaque jour, il aura échoué.

Son ouverture doit donc être marquée par un changement de la politique suivie jusqu'ici afin d'aboutir à une transformation des pratiques culturelles.

La politique de grandes surfaces.

Question : Quelles orientations, selon les types d'activités présentés dans le Centre, comptez-vous prendre afin d'offrir la culture à tout le monde?

Réponse : Il faut distinguer selon les activités tout

d'abord, puis considérer l'ensemble du Centre et, enfin, tenir compte de la volonté politique sous-jacente au projet.

Et d'abord distinguer selon les activités. La BPI est destinée au public le plus large. La lecture publique ce n'est pas un domaine réservé aux universitaires. Elle comporte d'autres activités, telles que le disque, des expositions pédagogiques, l'audio-visuel, etc.

On ne peut pas dire qu'elle vise une élite.

Le Centre de Création industrielle s'adresse, lui, aux consommateurs, aux collectivités publiques qui ont pour souci d'apporter des services au public. Il s'adresse donc au plus grand nombre.

La question est différente pour les arts plastiques et la musique. Le public de l'art moderne est effectivement restreint. La fréquentation des musées est encore une pratique culturelle élitaire. Il en est de même des concerts, *a fortiori* quand la musique est contemporaine comme ce sera le cas à l'IRCAM. Il faudra donc distinguer entre la BPI et le CCI qui s'adressent au grand public et les arts plastiques et la musique qui s'adressent à un public plus particulier.

Mais, devait-on attendre que la grande masse du public s'intéresse aux arts plastiques et à la musique pour créer le Centre ou, au contraire, Beaubourg ne devait-il pas être créé pour favoriser cette ouverture?

Il doit, selon nous, contribuer à combler le fossé qui sépare la création contemporaine et le public.

C'est d'ailleurs la raison pour laquelle ces deux dernières activités (arts plastiques et musique) donnent une grande importance à l'action pédagogique.

Il faut d'autre part *considérer l'ensemble du Centre.*

Sa fréquentation générale ne résulte pas de la simple addition des publics de ses activités particulières; elle dépend également de l'image globale du Centre auprès du grand public : c'est-à-dire, nous l'espérons, celle d'un Centre ouvert et permettant des transferts possibles de publics d'une activité à l'autre.

Enfin, il faut *analyser la politique sous-jacente au projet.*

L'un des maîtres-mots du Centre, c'est « l'ouverture ». Beaubourg veut être une aire de liberté, de jeux, de création. C'est le moyen de toucher un grand public. La culture ne doit pas être triste, mais gaie. Elle doit s'intéresser aussi bien aux touristes, au monde du travail qu'aux étudiants ou professeurs. Elle implique un aménagement des horaires, une rénovation des présentations, bref, c'est le passage de l'ère des petites surfaces « confidentielles » à celle des grandes surfaces largement ouvertes, et d'abord aux jeunes.

Grand nombre, oui; médiocrité, non.

Question : La politique du Centre ne risque-t-elle pas d'être prise dans la contradiction suivante : ou bien il ouvre au plus grand nombre et il risque de céder à la facilité, voire à la médiocrité, ou bien il cherche la qualité mais il risque d'être réservé à une élite?

Réponse : Nous refusons cette contradiction qui n'est qu'apparente entre le grand nombre et la qualité.

Nous visons une politique de diffusion avec la meilleure qualité pour le plus grand nombre.

Prenons un exemple qui n'a aucun rapport avec le domaine culturel : celui de l'automobile.

Le bourgeois aisé, qui avant la guerre, disposait d'un véhicule automobile était assez rare. La multiplication du parc automobile depuis vingt ans a permis qu'une très grande majorité de Français dispose d'un véhicule. Cette large diffusion n'a pas pour autant entraîné de dévalorisation du véhicule. Au contraire, ses caractéristiques se sont perfectionnées, son prix relatif a diminué. En revanche, ce mouvement a entraîné une sorte de saturation eu égard aux équipements routiers existants, mais c'est un autre problème...

Prenons l'exemple du sport. Il faut une pratique de masse en matière sportive pour susciter des vocations de champions. C'est ce qui se passe dans les démocraties populaires et aux Etats-Unis. Rechercher les seuls prodiges, c'est se condamner à la pauvreté et à la stérilité.

De même, en matière culturelle, l'ouverture des connaissances et du domaine de la création au plus grand nombre est le meilleur moyen de susciter des vocations de grands créateurs.

Une « centrale de la décentralisation ».

Question : Beaubourg est tellement grand qu'il peut sans doute fonctionner sans liaison avec d'autres organismes culturels. Un des dangers qui le guettent n'est-il pas le repli sur soi, n'est-il pas pour lui de se suffire à lui-même?

Réponse : Beaubourg n'a de sens que comme élément d'une politique cuturelle globale. S'il ne devait être qu'une citadelle privilégiée et confidentielle, il serait un échec. Il lui faut donc tisser des liens avec les autres institutions culturelles. S'il veut être une « Centrale de la décentralisation », il doit stocker des informations à l'usage de centres culturels plus petits, recevoir des expositions venant de ces centres, accueillir les informations, multiplier les échanges agir un peu comme une bourse d'échanges et de rencontres sur le plan culturel. C'est dans cette perspective que le fonctionnement du futur Centre est étudié.

La pédagogie.

Question : Quels sont les rapports que le Centre entretiendra avec l'enseignement? Beaubourg ne risque-t-il pas d'être à la fois « trop » et « pas assez ». Trop par la très grande variété des domaines qu'il intéresse (qui trop embrasse mal étreint), et pas assez face aux insuffisances criantes de notre enseignement des arts plastiques et des autres formes de création?

Réponse : Beaubourg ne prétend pas se substituer à tout. Il veut simplement aider à la formation. Pour cela il envisage d'entreprendre des opérations pilotes.

Il souhaite créer des instruments pédagogiques, à charge pour l'Education nationale de les utiliser largement. Il veut être très ouvert aux élèves, notamment sous forme de visites, mais également de stages de courte ou de longue durée. Il pourra recevoir plus de mille enfants par jour à la bibliothèque enfantine ou dans les ateliers de création et d'éducation. C'est en aidant les enfants à s'ouvrir au monde de la création contemporaine que l'on rompt le plus clairement avec une pratique élitaire. Ce souci de faire du Centre un lieu de formation, d'éveil, parallèle à l'école, est la meilleure preuve qu'à Beaubourg et par Beaubourg la culture peut être ouverte à tous.

6° Conservation ou création

Le débat sur les missions du Centre face aux problèmes de conservation et de création intéresse aussi bien l'architecture du Centre que ses missions. L'architecture est déjà en soi un acte culturel, novateur, une création.

Les missions assignées au Centre en font une grande centrale d'informations culturelles. On peut y voir l'indice d'une politique plus tournée vers la conservation que la création.

En réalité, le Centre doit renouveler ses informations et donc s'engager pour rester contemporain, dans une mise à jour permanente. Faute de quoi, il deviendrait un lieu de conservation. Il doit s'adresser au grand public mais aussi aux créateurs qui sont souvent très éloignés de lui : rapprocher le premier des seconds est son ambition.

*

Une architecture néo-gothique.

Question : Beaubourg est un bâtiment fonctionnel, trop moderne pour le quartier ancien dans lequel il s'insère mal.

Au sénat, M. Giraud, député socialiste de Paris, déclarait :

« Cette opération... est un des exemples — hélas nombreux — de ce qu'on pourrait appeler non point l'urbanisme clandestin je n'irai pas jusque-là, mais l'urbanisme présidentiel, c'est-à-dire un certain nombre d'opérations dont le président de la République ou les présidents de la République — pour qui collectivement, j'ai le plus grand respect — prennent des décisions passant par-dessus ou à côté des autorités normalement compétentes, comme le Conseil municipal de Paris. »

De son côté le général Paul Stehlin, député de Paris, avait posé une question écrite au ministre de l'Equipement en septembre 1973, attirant « l'attention sur les risques de destruction d'un "espace historique" que comporterait ce projet ».

Réponse : Le Conseil de Paris s'est prononcé à plusieurs reprises en faveur du projet, notamment dès 1970; toutes les commissions compétentes ont été régulièrement consultées, notamment celle des sites.

Le pastiche du passé n'est pas la meilleure solution pour rénover un quartier ancien. Chaque siècle a innové en matière d'architecture par rapport au siècle précédent.

En outre, le caractère fonctionnel de l'architecture du Centre est un acte de modestie par rapport à son environnement.

Le « geste architectural » revendiqué par certains architectes eût été certainement beaucoup plus agressif par rapport au quartier que ne l'est ce bâtiment d'une texture simple, souple, légère, de verre et d'acier.

Une des raisons du choix de ce projet est son insertion dans le site. On ne peut pas dire qu'il ait été retenu indépendamment de toutes considérations d'urbanisme; au contraire c'est ce qui a justifié ce parti architectural : par sa légèreté, sa simplicité de formes il pouvait s'intégrer harmonieusement dans un quartier dont le tissu urbain est ancien.

La meilleure manière d'insérer un bâtiment moderne, puisqu'il fallait un bâtiment moderne — on ne peut pas construire en 1975 en style XVIII° — était d'affirmer son originalité et d'assurer des correspondances entre son architecture et l'environnement. On peut qualifier l'architecture du Centre de « néo-gothique » par l'importance qu'elle donne aux structures extérieures qui, comme dans une architecture gothique, s'affirment volontiers. On peut même trouver des correspondances entre les « gerberettes » du bâtiment et les gargouilles de l'église Saint-Merri, entre ses travées et les façades étroites des immeubles du XVIII° siècle qui bordent la rue Saint-Martin.

A ceux que ces considérations ne convaincront pas, il faut citer l'intervention de M. Claudius Petit à l'Assemblée nationale en décembre 1974 :

« Sans doute le bâtiment du Centre sera-t-il l'objet de grandes controverses. On l'aimera ou on ne l'aimera pas. Sans doute certains estimeront-ils qu'il constitue une agression dans le site parisien.

« Notre-Dame de Paris devait aussi constituer une singulière agression dans le paysage du Moyen Age! Et le Palais du Luxembourg devait faire une intrusion scandaleuse en proposant d'autres canons de beauté alors que l'on en était encore à admirer l'œuvre des constructeurs de cathédrales!

« Mais chaque fois que l'artiste a quelque chose à dire c'est une intrusion, c'est une explosion, c'est un défi...

« Le plateau de Beaubourg, ce n'est pas un musée, ce n'est pas une académie, ce n'est pas une manifestation personnelle ou autoritaire, ce n'est pas une sorte de chimère d'un prince qui n'est plus. C'est, au contraire, un lieu de rencontre, un lieu de création multiforme où l'architecture va jusqu'à s'effacer devant ce qu'elle va contenir. »

Question : Le souci constant de l'innovation ne risque-t-il pas de conduire à la mise en place d'une belle machine certes, dont on ne conteste pas les mérites, mais dont on ne sache ni pour qui, ni pour quoi elle est faite?

Réponse : Dans la mesure où cette machine a été conçue avec ses utilisateurs, c'est-à-dire en quelque sorte avec ses conducteurs, et dans la mesure où ceux-ci réussiront dans l'entreprise à laquelle ils se sont consacrés, il n'y a pas de danger pour que cette belle machine ne fonctionne pas, au contraire.

Cela pose le problème des utilisateurs, de leur politique et des usagers.

Beaubourg produira les résultats que l'on voudra bien lui faire produire. Mais qu'il puisse déjà répondre aux problèmes que l'on voudra lui poser c'est déjà à soi seul un succès.

Il n'y a ni snobisme, ni modernisme outrancier à Beaubourg. L'innovation culturelle n'est que la conséquence de choix tendant à créer un instrument aussi adapté que possible à des besoins et à une politique culturelle.

Un alibi à la création?

Question : Beaubourg est un centre de conservation et non de création. Il sert d'alibi à une absence de création en France. Lorsqu'une société ne crée plus, elle conserve... la création des autres et fait appel aux étrangers.

Le Centre Georges Pompidou n'est-il pas un alibi à la démission de la France dans la création contemporaine?

Réponse : Il faut d'abord nuancer selon les activités afin d'y voir plus clair. Cette critique ne vaut pas pour l'IRCAM qui est, à proprement parler, un centre de création, de recherche d'expérimentation. Elle ne concerne pas, non plus, le CCI qui est, entre autres choses, un centre d'encouragement à la création d'équipements publics. Elle ne touche pas enfin l'accueil des enfants où il est prévu de pratiquer une initiation à la création.

Il est vrai qu'il existe deux activités plus tournées vers la conservation, c'est-à-dire vers le stockage de documents : la bibliothèque et le musée; stockage de livres, stockage d'œuvres d'art. Mais cette fonction de stockage est à la base de la connaissance. Il n'y a pas de culture sans mémoire. On ne peut créer sans référence au passé et Beaubourg ne prétend pas être seulement un centre de création.

La mémoire est une sorte de réserve dans laquelle on puise pour alimenter des expositions, donc des échanges, des études sur des artistes vivants ou morts.

En France, pendant longtemps, les créateurs ont souvent été ignorés. Il leur fallait alors trouver un asile aux Etats-Unis ou dans d'autres pays étrangers, où ils recevaient un meilleur accueil. Il se trouve qu'aujourd'hui en France les pouvoirs publics entament une politique d'ouverture en direction de la création.

Beaubourg est à la fois tourné vers la conservation

de documents, c'est-à-dire l'information, et vers la création.

Conserver pour informer.

Question : N'y a-t-il pas un risque d'excès d'information qui aboutirait à la rendre inutilisable?

Réponse : La France est très en retard dans l'utilisation de la documentation. Or, notre société est caractérisée par une accumulation croissante d'informations que Beaubourg doit contribuer à maîtriser. Et ne pas être conditionné par l'information mais pouvoir au contraire s'en servir est le signe d'une société cultivée. Le meilleur moyen de ne pas être dépassé par la documentation c'est aujourd'hui de l'automatiser. C'est la voie qui a été choisie.

Question : Quel que soit l'impact de Beaubourg, la création ne se fait plus en France, ni en Europe, mais aux Etats-Unis. Elle dépend étroitement des rapports de production, elle va là où est l'argent, elle a quitté notre pays.

Réponse : Il faut nuancer ce genre de jugement abrupt. Si, toutes choses égales d'ailleurs, les Etats-Unis peuvent être comparés à Rome, la France pourrait l'être à la Grèce : les richesses apportées par la culture hellénistique sont incomparablement supérieures à celle laissées par Rome.

Et d'ailleurs, Pierre Boulez appelé à New York par les Américains, rentre en France au moment où les Etats-Unis regardent plus vers la France depuis que Beaubourg existe. Ils sont même étonnés de l'audace française, ils n'y croyaient plus!

La création s'est toujours faite dans des mansardes, croit-on en France. Mais on oublie qu'elle s'est faite aussi dans les cours de monarques et qu'un grand centre culturel doit attirer artistes et créateurs. La création se fera toujours à la fois dans la misère et dans la richesse.

Question : Beaubourg ne risque-t-il pas d'être un centre où le langage sur la création aura plus d'importance que la création proprement dite?

Réponse : Parler des créateurs et parler des créations c'est déjà d'une certaine manière créer. Les peintres ont généralement toujours beaucoup fréquenté les musées et médité sur la création des autres. Le langage, c'est déjà la connaissance, c'est l'éveil.

Après vingt années de pratique de ce langage qui peut dire que le paysage de la création contemporaine en France n'aura pas changé?

7° ART OFFICIEL OU NOUVELLE CULTURE?

Par sa dimension, par son caractère public, le Centre Georges Pompidou est appelé à exercer un rôle considérable dans la politique culturelle des prochaines années.

D'où l'importance de la question : qui décidera? Selon la réponse qui sera donnée à cette interrogation, le Centre sera taxé d'être un temple de la culture officielle ou un lieu de contestation permanente.

Entre l'une et l'autre tentation, sa voie est difficile. Elle sera celle de la tolérance qui est la condition de l'épanouissement de cette nouvelle culture à laquelle aspire notre société.

Qui décide? l'Etat? les créateurs? les usagers? les spécialistes?

Question : Beaubourg ne sera-t-il pas dans la main du gouvernement, soumis à ses directives? Ne suscitera-t-il pas un art officiel?

Comme le dit M. Chambaz, député communiste : « Beaubourg sera-t-il une tentative de privilégier telle ou telle tendance, telle ou telle recherche au détriment de tant d'autres, pourtant partie du mouvement d'ensemble de la création? »

Et il s'émeut du risque de voir « le Centre devenir... une sorte de temple d'un nouvel art officiel, sensible aux modes du marché international ».

Otto Hahn de son côté répond aux interrogations du Parti communiste : « Il semble que dans l'optique du Parti communiste, le Centre Beaubourg devrait être le porte-parole, le soutien et le joujou des 50 000 peintres recensés en France. Mais rien qu'en France. Car dans la position du PCF, il n'est question que de " l'école internationale de Paris ", et des artistes français et étrangers qui ont choisi de travailler à Paris... »

« En montrant tout ce qui se peint dans l'hexagone on fait peut-être plaisir aux peintres, mais on se moque du public. Tout comme on se moquerait de lui si une maison d'édition publiait tous les poèmes, si une chaîne de télévision montrait tous les chanteurs, tous les gratteurs de guitare, tous les violoneux, tous les danseurs...

« Si Beaubourg veut être autre chose qu'un local pour les manifestations corporatives, il lui faut recourir à un choix.

« Qui s'en chargera? L'Etat? L'art officiel du XIXe siècle aussi bien que l'art officiel d'U.R.S.S. montrent que les gouvernements préfèrent la répétition au renouvellement.

« Les partis politiques? Leur rôle est de rassembler les masses autour de larges revendications et non de les diviser sur des questions artistiques. Qui choisira? Mais tous ceux qui sont capables d'échafauder une construction théorique qui intègre l'histoire aussi bien que l'actualité.

« Mais attention la politique de l'art ne se fait pas autour du panier de crabes parisiens. De perpétuelles remises en question se poursuivent à New York, à Stockholm, Londres, Milan, Düsseldorf, Amsterdam, Kiefeld, Anvers, Saint-Etienne, Munich, Los Angeles...

« Il faut que le dialogue entamé par Beaubourg maintienne un certain niveau avec ces différentes capitales artistiques. Sinon, on retombera dans l'ornière de l'ex-musée d'Art moderne, qui, à côté d'admirables chefs-d'œuvre contemporains montrait tous les groupes, sous-groupes, sous-styles, sous-courants du marché parisien. Mais en oubliant Dada, le surréalisme, Mondrian, Malévitch, le Bauhaus, le futurisme, l'expressionnisme allemand, l'Abstract Expressionnism américain. Cela ne pardonne pas. »

Réponse : Lorsque l'Etat finance une activité culturelle il peut être tenté de l'orienter dans un certain sens et d'en faire une sorte d'art officiel. Bien sûr, cet art officiel peut se camoufler. Il y a dans l'art contemporain un risque de conformisme du non conformisme. La question de fond est de savoir : qui choisit les artistes? pour qui? pour quoi? Nous avons adopté un système dans lequel ce sont les spécialistes qui décident et non pas les politiques; car se sont finalement les spécialistes, c'est-à-dire des personnes disposant d'une qualification scientifique et obéissant à une certaine déontologie professionnelle, qui sont à même de disposer de la plus grande indépendance d'esprit.

A le lire, Otto Hahn, tout en développant une position ultra-gauche par rapport à celle du PCF, semble vouloir ranger Beaubourg sous sa bannière. Qu'il n'y compte pas.

Mais que d'intuitions justes dans le propos : Qui choisira? Ni l'Etat, ni les partis, mais les meilleurs.

C'est ce qu'affirmait à l'Assemblée nationale M. Eugène Claudius Petit qui exposait ses réticences devant une tendance exprimée par certains de ses collègues de représenter le Parlement au Conseil d'orientation du Centre Georges Pompidou.

« J'estime qu'un élu n'a pas été élu pour exprimer une opinion sur l'orientation d'une action culturelle, sauf à dire que l'on accepte une emprise politique sur la culture.

« Aussi, je ne vois aucun inconvénient, à ce qu'un contrôle parlementaire s'exerce sur le budget, sur l'utilisation des fonds. Mais je ne vois pas en quoi une commission d'élus pourrait donner son avis sur l'orientation des actions culturelles du Centre Beaubourg. »

De son côté M. Edgar Morin apporte une contribution à ce débat [7]. « Il y a à reconnaître la créativité culturelle, une difficulté spécifique qui est celle-là même des critiques à détecter le génie, le talent, dans le flot des œuvres. Il faut bien se convaincre qu'il n'existe pas d'aréopage détenteur de la vérité esthétique (ni intellectuelle), de l'invention authentique. Les plus vieux académiciens, les plus illustres professeurs réunis, sont bons à détecter des talents, s'ils font grand effort pour surmonter leurs humeurs, mais ils sont incapables de jauger le génie, lequel commence souvent à se mesurer *post mortem*. Alors, quels sont les organismes habilités à reconnaître la créativité pour l'aider et l'encourager? les assemblées de bureaucrates, fonctionnaires, politiques, voire syndicalistes, semblent peu aptes à constituer les organes de décision d'une politique de la créativité dans les différents domaines. Les assemblées d'artistes en créateurs eux-mêmes? Certes... mais on les sait divisées en clans, traversées par des rancœurs et des faveurs... Ceci pour dire qu'en chaque cas, ce seront des choix aléatoires, choix de membres de commissions compétentes, choix émanant de ces commissions.

« De toute façon, il ne peut y avoir qu'une politique ambivalente à l'égard de trois grands amis-ennemis ambigus de l'enzyme culturel : l'Etat, l'élitisme, le démocratisme. »

A propos de l'Etat, il considère qu'il « faut être mécène ou tyran, fréquemment l'un et l'autre ». D'où la nécessité « de lutter contre l'Etat tyran, c'est-à-dire pour l'Etat libéral ».

Quant à l'élitisme, il « conduit à l'aristocratisme et au privilège de clan (y compris celui de l'intelligensia), mais il permet le raffinement, la quintessenciation, toute une part de l'élaboration enzymatique ».

Reste le démocratisme qui « s'il n'est pas celui de la démocratie culturelle où chacun épanouissait son propre don, ses propres puissances de créativité, risque d'étouffer l'enzyme toujours minoritaire sous le poids du conformisme ou de la hauteur statistique majoritaire ».

Et de conclure : « que ce soit le plan de l'Etat ou de la démocratie, le libéralisme culturel demeure une règle d'or : le libéralisme signifie ici non pas la tolérance paternelle, mais l'intervention active, permanente, multiple pour protéger, stimuler l'action enzymatique. Si le terme de « libéralisme qualitatif » peut avoir un sens, ce ne peut-être à notre avis, que celui-là ».

L'originalité du statut du Centre, c'est en quelque sorte d'avoir conféré le pouvoir à des hommes indépendants.

Cette solution présente des risques; mais toute autre

solution présenterait d'autres risques plus importants, celui de la médiocrité ou celui de l'arbitraire politique.

Encore faut-il éviter que le pouvoir de ces spécialistes soit absolu! A cet effet, il faut assurer leur renouvellement périodique. La mobilité est la règle qui permettra d'éviter la technocratie culturelle.

Ni art officiel, ni révolution permanente.

Question : Beaubourg ne risque-t-il pas d'être un lieu permanent de contestation?

Réponse : Il faut s'entendre sur les mots. La création est toujours une entreprise risquée. Sandberg a dit que « l'art, à sa naissance, est toujours exigeant et mal élevé ».

La solution, c'est l'ouverture à toutes les formes d'expression. Les exclusives entraînent soit des conflits, soit des stérilisations.

Mais tantôt on reproche au Centre d'être un lieu de l'art officiel, tantôt on exprime la certitude qu'il sera un lieu de révolution permanente.

La tentation est grande alors de renvoyer ces détracteurs dos à dos... Les responsables de Beaubourg savent qu'ils seront toujours confrontés en même temps aux créateurs et au public. Ils devront être en sympathie avec tous. C'est leur devoir.

Question : Quelle que soit les intentions de libéralisme et d'indépendance proclamées par les responsables du Centre, celui-ci *dans les faits* ne leur échappet-il pas? Sa place n'est-elle pas trop importante dans la politique culturelle pour que l'élite et le pouvoir politique acceptent qu'il fasse des choix contraires à leurs intérêts? N'y a-t-il pas là un germe de conflit dont on connaît déjà des exemples, entre une maison de la Culture et un maire par exemple?

Réponse : Dans une démocratie, on ne peut pas échapper à la logique de la majorité. Le budget de Beaubourg a été et sera voté par le Parlement. Mais Beaubourg prétend ne pas se définir uniquement par rapport à des majorités politiques mais aussi par rapport à ses propres finalités culturelles. Il y aura peut-être des conflits. Mais élus et élites conviendront certainement que leur intérêt se trouve dans la liberté accordée au domaine culturel.

On ne peut sans doute éviter cette contradiction. C'est ce qu'écrit la revue *Museum* qui rend compte des échanges de vues d'un groupe d'experts (Pierre Gaudibert, Pontus Hulten, Michel Keestow, Jean Leymarie, François Mathey, G. Henri Rivière, Harold Szeemann, Edmond de Wilde) réunis sous l'égide de l'UNESCO en 1970 :

« *Cette contradiction interne du musée — être le chef-d'œuvre du système et en même temps jouir du privilège de n'être pas entièrement soumis à la censure de celui-ci — caractérise de façon déterminante le musée d'aujourd'hui et celui de l'avenir immédiat...*

« *Le musée ne peut servir les intérêts de l'art qu'en échappant aux contraintes sociales. Mais comme il est soumis aux règles sociales, il tombe dans une situation de conflit aggravée par le fait que l'autorité préfère voir les thèmes explosifs traités dans un contexte artistique, et par là désamorcés.*

« *D'autre part, le musée est justement le lieu protégé — à la fois prison et anticipation de la liberté — dans l'enceinte duquel il est possible d'exposer des préfigurations, des propositions, des conceptions, des sentiments, des utopies qui s'adressent à chacun.* »

NOTES

1. En octobre 1976, le parti communiste a pris position encore plus nettement en faveur du Centre dont le sénat voulait réduire les crédits.
2. Pierre Bourdieu, *l'Amour de l'art. Les musées d'Art européens et leur public*, 1969.
3. Une tentative de réponse est apportée par la revue *Correspondance municipale* qui consacre son numéro de juin 1975 au thème : un habitat « autogéré ».
4. Dans *Art Press*, 1975.
5. « Qui? Pour faire quoi? » *Figaro littéraire*, 4 août 1973.
6. « Hors de toute partialité » (*Figaro littéraire*, 11 août 1973).
7. Edgar Morin, « De la culturanalyse à la politique culturelle », Revue *Communications* (1969).

CONCLUSION

Il serait prématuré de conclure aujourd'hui...

Ce livre est d'abord une introduction...

Les chances de succès du Centre Georges Pompidou ont été patiemment accumulées par ses promoteurs pendant plus de six ans.

Seule l'épreuve du public permettra de conclure vraiment, et dans quelques années seulement.

Mais la méthode utilisée pour réunir les chances du succès auquel nous croyons fermement, a déjà fait ses preuves.

Un Centre Culturel sans précédent a été conçu dont les principes mêmes étaient contestés par certains.

Un bâtiment d'une architecture révolutionnaire a été construit : sa réussite séduit souvent aujourd'hui ses détracteurs d'hier.

Le cœur de Paris a été rénové : il offre au public des espaces de création et de récréation dont nos villes ont besoin.

Des équipes venant des horizons les plus variés, voire les plus opposés, ont appris à travailler ensemble animées par le même enthousiasme et la même foi.

Au milieu du doute et des interrogations, notre génération cherche à se reconnaître dans des projets ambitieux et généreux. Le Centre Georges Pompidou est l'un de ces projets. Puisse-t-il ouvrir la voie à d'autres initiatives et sa semence faire lever des moissons !

Paris, septembre 1976.

TABLE DES MATIÈRES

Chapitre XI

Questions et réponses :
pour une nouvelle pratique culturelle

Collection 10|18

dirigée par
Christian Bourgois

AUTOMNE 1976

LISTE ALPHABÉTIQUE
DES OUVRAGES DISPONIBLES
AU 31 DÉCEMBRE 1976

LA COMPOSITION, L'IMPRESSION ET LE BROCHAGE DE CE LIVRE
ONT ÉTÉ EFFECTUÉS PAR FIRMIN-DIDOT S.A.
POUR LE COMPTE DES ÉDITIONS U.G.E.
ACHEVÉ D'IMPRIMER LE 10 FÉVRIER 1977

Imprimé en France
Dépôt légal : 4e trimestre 1976
N° d'édition : 917 — N° d'impression . 0300